KB055749

구미호뎐

구미호뎐

상권

극본 한우리

진짜 보고 싶어?
내가 사는 세상

너와숲

작가의 말

문득 궁금해졌더랬다.
그 많던 우리네 토착신과 토종 귀신들은 어디로 갔을까.
모조리 바다 건너 '이민'을 갔을 리는 만무하고.
'어쩌면 그들, 우리가 모르는 사이 지금 여기,
2020년 대한민국을 더불어 살아가고 있는 건 아닐까?'
〈구미호뎐〉은 거기서 시작됐다.

행방불명된 그들의 안부를 물으면서 숱한 '옛 이야기'를 만났다.
할머니의 할머니의 할머니들로부터 구전되어 오다가
이제는 낡고, 늙어 버린 이야기.
그 속에는 세대를 넘어 사람과 사람을 잇는 공동체의 여정이,
함께 울고 웃던 이웃이, 때로는 한 마을이 살고 있었다.
죽은 자들을 위로하고, 산 자들을 다독이는 이야기.
그들을 '전승'하는 게 어쩐지 의무처럼 느껴지기도 했다.

작업실 앞 포장마차에서는 크고 작은 싸움이 난다.
싸움의 골자는 대체로 '돈 갚아. XX놈아.' 같은 문장으로 요약된다.
간결하다. 복문이 아닌 단문이다.
문장 끝에는 종종 돈과 피가 묻는다. 정직하고 또 잔인하다.
그런 글을 쓰고 싶었는데.
내 말의 가난을 감추기 위해, 대사는 종종 풀 메이크업을 하고는 했다.
가끔은 길을 잃고 헤매었다.

작가의 허물을 빛나는 연기로 채워 준 우리 배우들.
이름 없는 조연들까지 따뜻하게 먹이고, 챙기던 구미호 형제.
'남지아 그 자체'였을 만큼 선량하고, 똑똑한 인간 여자.
저들은 〈구미호뎐〉을 촬영하는 동안, 러시아 여우, 수의사,
이무기 등과 함께 틈만 나면 모여서 어린아이들처럼
'몸으로 말해요' 게임 등을 하고 놀았다.
서로가 서로를 아끼고, 정성껏 모니터를 해 주며.
이따금 편집본 너머로 뚝뚝 애정이 묻어났다.
그것이 드라마의 여백을 채웠으리라.

그리고 누구보다 존경하는 강신효 감독님.
드라마 현장의 마더 테레사로 불리는 어진 성품에,
독한 완벽주의자이기도 한 그분이 없었다면
〈구미호뎐〉은 세상에 나오지 못했을 것이다.
더불어 감각적인 그림을 만들어 준 조남형 감독님.
개미처럼 성실하게 자료 조사를 해 준 차희윤 작가, 이하은 작가 및
제작진들에게 감사를 전한다.
내가 쓴 모든 문장이 그들에게 빚지고 있다.

마지막으로 말과 그림, 정성스런 캘리그라피로
드라마를 응원해 준 시청자 분들.
덕분에 〈구미호뎐〉은 '아직' 끝나지 않았다.

2023 한우리

차례

등장 인물

이 연 _이동욱
남지아 _조보아
이 랑 _김 범
구신주 _황희

탈의파 _김정난
현의옹 _안길강
최 팀장 _주석태
김새롬 _정이서
표재환 _김강민
기유리 _김용지

이 연 _이동욱

'간(肝)'보다 소위 '간지'를 중시하는 남자 구미호.

펜트하우스에 틀어박혀 하루 종일 스마트폰으로 미드를 보면서, 민트초코 아이스크림을 퍼먹는 구미호를 본 적이 있는가.
준 재벌급 자산 소유, 사람을 홀리는 미색, 여우답게 영특한 지능, 완벽한 인간 패치까지, 온갖 능력치 몰빵 해 놓은 듯한 이 남자는, 한때 백두대간을 다스리는 '네임드 산신'이었다.
그런데 그 좋은 리즈 시절 꽃처럼 지고, 현재는 내세 출입국 관리 사무소에 소속된 말단 공무원 되시겠다. 그것도 정규직 아니고 별정직. 본인 피셜, 600년째 대체 복무 중.
현세를 어지럽히는 동화(설화) 속 주인공들 때려잡는 게 주된 업무다. 압도적인 업무 성과를 자랑하지만, 공권력 남용, 개나 줘 버린 양심, 피도 눈물도 없는 과잉 진압 등으로, 이승과 저승을 가리지 않고 민원이 자자하다.
"600년간 병역의 의무가 계속되는데, 안 미치고 배겨?" 사람들의 존경을 한 몸에 받는 산신이었던 그가, 이렇게 막 나가게 된 이유는 과거 '백두대간을 강타한 희대의 스캔들' 때문이라는데….

남지아 _조보아

간(肝)이 배 밖으로 나온 여자.

〈도시 괴담을 찾아서〉라는 화제의 프로그램 담당 PD. 미리 경고하는데 속지 말자.
로맨스 드라마 여주인공 같은 청순한 얼굴은 '가면'이다. "까고 있네. 요새 지고지순한 캐릭터 안 먹혀."라는 대사를 날리며, 사이비 종교 심장부에 홀로 뛰어들지를 않나, 흉가 촬영 때는 물 만난 물고기요, 장르 불문, 뒤가

구린 인간들 겁박하는 게 주특기. 타고난 승부사다.
그런 그녀가 풀지 못한 단 하나의 난제가 있으니, 바로 '가족'이다.
어릴 적, 여우고개에서 일어난 기묘한 교통사고. 그녀의 부모는 바로 그곳에서 증발하듯 사라졌다. 유일한 생존자인 그녀는 '범인은 사람이 아니었다.'라고 주장했지만, 그 말을 믿어 주는 이는 아무도 없었다.
부모를 찾기 위해 홀로 괴담을 추적해 온 세월이 21년. 마침내 놈을 만난다! 사람으로 둔갑한 구미호, 이연이다!

이 랑 _김 범

인간과 구미호 사이에서 태어난 이연의 배다른 동생.

예민하고, 자존심 강한 수컷. 형한테 인정받고 싶었다. 형처럼 되고 싶었다. 한때 그에게는 형 '이연'이 세상의 전부였다. 그런데 형이 고작 '인간 여자' 하나 때문에, 산신의 지위를 버리고, 숲을 등지고, 그를 버렸다. 죽어도 용서할 수 없다.
지금 이랑이 바라는 건 딱 하나, 바로 이연의 파멸이다. 본인은 펄펄 뛰겠지만, 브라더 콤플렉스를 가지고 있다.
긴 세월, 이연을 증오하고, 인간을 저주하면서 살아왔다. 때때로 소원을 들어주겠다고 사람들을 꾀어, 무시무시한 대가를 치르게 만드는 장본인. 둔갑에 능하며, 내기에 목숨을 거는 그는, 현존하는 가장 '위험한 구미호'다.

구신주 _황희

수의사.

백두대간 시절부터 '이연'의 충신 노릇을 해 온 토종 여우로 주군인 이연을 상당히 잘 갈군다. 인간 세상에 처음 내려왔을 때만 해도 '여우'로서 존재론적 고민도 했지만, 치킨을 맛보고, 마트를 거닐며 큰 깨달음을 얻고, 삶의 모토도 바뀌었다. 그러나 수의사계 명의로 불리며 오로지 건물주를 목표로 살아온 그의 외길 인생에 뜻밖의 일이 생겼으니….

탈의파 _김정난

내세 출입국 관리 사무소, 삼도천 문지기.

염라대왕의 누이. 삼도천 최장기 우수 공무원. 최근 저승 근대화에 따라 삼도천은 '내세 출입국 관리 사무소'로 간판을 바꿔 달았다. 현대 죄인들 신상 기록용 엑셀을 배우느라 골머리를 앓는 중이다. 저승의 법과 원칙을 수호하기 위해서 목숨을 걸고도 남을 보수 인사. 이연과는 각별한 인연, 혹은 악연이 있어 종종 그의 창구가 되어 준다.

현의옹 _안길강

내세 출입국 관리 사무소, 삼도천 문지기.

탈의파의 남편으로 삼도천보다 동네 노인정이 더 어울릴 듯한 순한 할아버지로 드라마 보는 게 그의 낙이다. 염라대왕보다 무서운 아내를 군말 없이 모시고 살아온 공처가이기도 하다. 그러나 그런 현의옹이 요즘 일탈을 꿈꾸고 있다?! 차마 꺼내지도 못할 '이혼 서류'를 접었다 폈다 하면서….

최 팀장 _주석태

한때는 탐사 보도 프로그램에서 날고 기는 PD였다 '카더라.

지금은 주로 사무실에서 낮잠이나 자는 신세지만, 결정적인 순간에 지아를 믿고 백업해 준다.

김새롬 _정이서

방송국 작가.

호기심 천국인 성격에 집요함이 더해졌다. 방송 작가로는 더할 나위 없는 성정이나, 맞춤법에 치명적인 약점을 가지고 있다. 틈만 나면 대본에 손대려는 지아와 싸우면서 미운 정, 고운 정 다 들었다.

표재환 _김강민

조연출.

표씨 집안 5대 독자로 나름 귀하게 자란 덕분에 겁도 많고 포기도 빠르다. 하필 괴담 프로그램에서, 또 하필 지아를 사수로 만나는 바람에 안 그래도 섬세한 유리 멘탈이 연일 갈려 나갈 지경이다.

기유리 _김용지

모즈백화점 이사.

도발적이면서 귀엽다. 그리고 미쳤다. 겉으로는 잘나가는 커리어 우먼의 모습을 하고 있지만, 사람을 고문하고 죽이는 데 거침없다. 러시아에서 밀수되어 시설이 열악한 지방의 한 동물원에서 자란 '동물 학대'의 산 증인으로, 사육사를 죽이고 그녀에게 자유를 준 것이 이랑이었다. 그래서 이랑의 말이라면 죽는 시늉도 할 수 있다. 야생 동물의 본성이 아직 팔팔하게 살아 있는 그녀는 현재 모즈백화점 사장의 죽은 딸, 기유리 행세를 하며 살고 있다.

여우고개에서

I

생긴 일

자막 '여우는 100살이 되면 아리따운 여인이 될 수 있고, 사내가 되어 여인과 교접하기도 한다.'

'1000년을 산 여우는 하늘과 통하여 천호(天狐)가 된다. 그 재주는 신통한 무당과도 같아, 천 리 밖의 일을 내다볼 수 있다.'

-『현중기(玄中記)』 중에서

#1 도로 (밤)

그 시절 유행가 경쾌하게 흘러나온다.

인적 없는 고갯길 넘어가는 고급 승용차, 지아네 일가족이다.

자막 1999년 여우고개

어린 지아가 생일 선물을 풀어 헤친다.

회전목마 오르골이다. 춤추는 회전목마에 시선을 주면.

앞자리의 엄마가 상냥한 미소 지어 보이고, 아빠가 사랑스레 돌아본다.

그 순간! 지아 눈빛 얼어붙는다!

곧바로 시커먼 물체가, 무서운 속도로 앞을 가로지르면서 운전대 '확' 꺾인다!

순식간에! 차량은 두어 바퀴 구르고, '쾅-' 어딘가 들이받고 멈춰 선다!

라디오 노랫소리 그쳤다. 사방 괴괴한 가운데, 오르골 음악소리만 들린다.

엄마 손에서 떨어진 피가, 지아의 원피스 소매를 적신다.

지아가 눈을 뜬다. 가물가물한 시선에, 밖을 서성이는 '남녀의 그림자' 보인다.

'도와…주세요.' 힘껏 목소리 짜낸다.

그런데! 그 소리에 반응하듯, 차창 너머로 얼굴을 드러낸 남녀!

놀랍게도 지아의 부모와 '똑같은 얼굴'을 하고 있다!!!

#2

지아의 집 / 거실 (밤)

지아가 소스라치며 깨어난다.

거짓말처럼 자신이 소파에 누워 있다. 오르골 안고, 잠시 잠들었던 모양새로.

아빠는 곁에서 TV를 보고 있다. 엄마는 과일 접시를 내온다.

격한 안도감으로 엄마에게 달려가 안기며.

지아 다행이다! 꿈이었어, 전부!!

엄마 (어리둥절해서) 얘가 자다 깨서 왜 이래.

지아 (이번엔 아빠한테 안겨서) 아빠, 사랑해! 진짜 진짜 사랑해!!

아빠 아빠도 우리 딸 사랑해. (머리 쓸어 주며) 무슨 나쁜 꿈이라도 꿨니?

지아 생각도 하기 싫어. (하고, 아빠 품 파고든다)

지아를 다독이고, TV에 시선을 주는 부모.
그런데 아빠한테 안긴 채 보면, 오르골의 목마 하나, 목이 부서져 있다?!
게다가! 제 원피스 소매에 묻은 거무죽죽한 얼룩! '피'다!!
아빠 품 안에서, 지아의 몸 굳는다!
조심스럽게 부모의 얼굴 올려다본다. 틀림없이 우리 엄마, 아빠인데….
엄마가 뉴스 볼륨 높인다. '아이고~ 아이고~' 곡하는 상인들 목소리.
아빠가 '껄껄-' 웃기 시작한다.

뉴스(E) 오늘 오전 서울의 한 재래시장에서 일어난 화재로, 대규모 인명 피해가 발생했습니다. 불은 오전 8시 반경에 시작돼, 상가 지구 세 동을 집어 삼키고 진화됐습니다.

'푸흡-' 이번엔 엄마가 못 참겠다는 듯 작게 웃는다. 지아의 얼굴 일그러진다.

지아 (애써 표정 감추고) 엄마, 나 배고파.

엄마 과일 먹을래?

지아 아니. (엄마 눈을 똑바로 보며) 호두과자, 먹고 싶어요.

#3 지아의 집 / 주방 (밤)

거실과 분리된 구조의 주방.

'호두과자가 어디 있더라.' 중얼대며 찬장 뒤적이는 엄마.

지아가 엄마 뒤에서, 몰래 부엌 가위를 등 뒤로 감춘다.

엄마 호두과자 떨어졌나 보다. (다정히) 엄마가 내일 사 주면 안 될까?

지아 (그 눈을 보며, 괴로운 듯이) 우리 집엔 호두과자 없어. 견과류 알레르기 때문에 병원 실려 간 적이 있거든. 내가.

엄마 아, 맞다… 엄마가 깜박했네.

지아 안 까먹어, 절대. 우리 엄마, 의사거든.

엄마 (달래는) 엄마가 피곤해서 실수했다니까.

지아 (단호하게) 우리 엄마 아냐.

순식간에 가위를 들고, 작은 몸을 부딪쳐 온다! '아!!' 신음하는 엄마!!

엄마 (몸에 박힌 부엌 가위에 경악해서) 지아야!!!

지아 우리 엄마 어딨어?!

엄마 (표정 싹 바뀌는) 네 엄마, 맞다니까.

하고, 한 손으로 지아의 목 움켜쥔다!
고통스러워하던 지아, 박혀 있는 가위를 걷어차고, 식탁 밑으로 몸을 날린다!
엄마가 식탁 밑으로 기어들어 와 발을 낚아채려 든다! 겨우 피해 내달린다!
'여보!!' 하는 외침에, 거실에 있던 아빠가 지아에게 손을 뻗는다!
아슬아슬하게 그 손길 뿌리치고, 제 방으로 내달리는 지아!

#4 지아의 집 / 지아 방 (밤)

날쌔게 방으로 들어와 문 걸어 잠근다! 밖에서 문고리 미친 듯이 돌려댄다!
방문에 등을 대고 선 채, 덜덜 떠는 지아!
'지아야, 이 문 열어 봐. 아빠랑 얘기 좀 해.' 하는 목소리!
지아가 방 안의 의자며 가구들, 닥치는 대로 방문 앞에 옮겨 놓는다!
아빠가 문고리를 부수기 시작한다! 문고리 통째로 떨어져 나가며 틈이 생긴다!
사이로 아빠가 얼굴 들이밀고 '요년 봐라?'
아빠의 손이 문 안쪽을 더듬는다! 소리도 못 내고 얼어붙어 있는데!!
돌연 둔탁한 파열음과 함께 '깨갱!!' 하는 짐승의 신음 소리 잇달아 들린다!

구석으로 가서 몸을 웅크려 숨는 지아!
짧게 시간 경과되면, 바깥 고요하다.
그런데 눈앞에 '누군가' 서 있다?! 어깨에 '장우산' 걸쳐 멘 실루엣. 이연이다.
이연이 지아의 얼굴 눈에 새기듯 보다가, 애타게 '아음… 아음이니?'
뒷걸음질 치는 지아에게, 이연이 '훅-' 신비로운 연기 뿜어낸다.
지아의 입술에 가 닿는 연기, 곧장 사그라진다.
'아니구나. 넌… 그 아이가 아냐.'
지아, 두려움에 손으로 두 눈 꼭 가리면.

이연 오늘 본 건 잊어라. 전부. 만약에 그렇지 않으면… (귀에 대고 뭔가를 속삭인다)

찰나! 손가락 틈으로 보이는 이연의 서늘하고, 아름다운 옆얼굴!

#5 도로 (밤)

두 눈을 가린 손 떼어 내면, 교통사고가 났던 도로 위에 서 있는 지아.
경찰 하나, 손전등으로 운전석 이리저리 비추며, 무전을 치고 있다.
'144번 도로, 여우고개! 근데, 시체가 없는데요?!'

넋 나간 얼굴로 그리 다가가면, 지아의 시선 따라 차량 앞좌석 보인다.
'부모의 시신' 사라지고 없다!!
경찰, 지아의 상태 빠르게 훑으며 '예! 생존자는 여자아이 하납니다!'
금방이라도 울음을 터뜨릴 것 같은 지아. 그런 지아를 내려다보다, 보름달 뜬 하늘로 나는 듯이 사라지는 이연.
그 그림자에 '아홉 개의 꼬리' 드러난다.
블랙 화면에 <제1화 여우고개에서 생긴 일> 소제목 뜬다.

#6 이연의 집 (낮)

햇살 쏟아져 들어온다.

자막 21년 후

짧은 핸드폰 알람이 '결혼식' 일정을 알린다. 2020년이다.
알람 확인하며, 이연이 외출 준비를 한다.
씻고, 먹고, 입고, 음악을 듣는 동선에 따라 모던한 펜트하우스 보인다.
고급 스피커, 에스프레소 머신, 칼 같이 도열한 화장품, 화려한 드레스 룸 등.
식탁에 반짝이는 커트러리와 신선한 채소, 과일 위주의 아침이 차려져 있다.

'아이스크림은 제발! 아침 먹고 드세요.' 메모 대충 보고, 던져 버리는 이연.
이미 민트초코 아이스크림 먹고 있다.
세미 정장 차려입고, 마지막으로 '빨간 우산' 챙겨 든다.

#7 결혼식장 / 앞 (낮)

쨍한 하늘에서 소나기 쏟아진다. 한껏 꾸민 신부 친구들이 호들갑 떨며 '일기예보 없었잖아! 웬 비야!!'

이연 '여우'가 시집가는 날이니까.

옆에서 우산을 접고 있는 남자, 이연이다.
'아, 여우비…' 신부 친구들, 머리에서 발끝까지 완벽한 그를 미소로 흘긋댄다.

#8 신부 대기실 (낮)

앞 씬의 친구들에게 축하 인사 받는 아름다운 신부 보인다.
문득 신부의 안색, 돌변한다. 이연이 기척도 없이 나타나 문가에 서 있다.

이연 (다정히) 청첩장. 안 보냈더라?
신부 (친구들에게) 자리 좀 비켜 줄래?

친구들 (호기심 가득한 눈으로, 작게) 누구야? 옛날 애인? 인사시켜 줘.

신부 나가라고.

신부 친구들, 의아한 얼굴로 나가 버리면.

신부 (사색이 돼서) 이연… 네가 왜?!!

이연 부케 받으러 온 건 아니고.

신부 어떻게 찾았어?

이연 어떻게 그렇게 완벽하게 잠수를 탔어?

신부 (눈 질끈)

이연 얼굴 바꾸고, 신분 바꾸면, 피 묻은 네 과거도 바뀔 거 같지? 근데 살아 보니, 인생 갈아타는 게 지하철 환승하듯 심플하지가 않아.

신부 살려 줘.

이연 늦었어.

신부 난 변했어! 이제 사람을 해치지도 않고…

이연 (말 자르며, 비웃듯) '여우누이'야. 숱한 양부모와 오라비들의 간을 내먹고, 어찌 해피엔딩을 꿈꾸니?

신부 사랑하는 사람이 생겼어! (진심으로) 사람으로 살고 싶어. 제발.

이연 (돌아서서 대기실 소품 툭툭) 로맨틱하네. 그래도, 넌 오늘 죽어.

신부 너도 인간을 사랑한 적 있잖아. 넌 이해하잖아, 응?

애원하던 신부가 이연의 시선 피해, 부케 밑으로 '날카로운 손톱' 드러낸다!

이연　(뒷모습으로 태연히) 네가 잘 모르는 게 있는데. 첫째, 내가 젤 싫어하는 게, 내 스캔들 들먹이는 거야. 둘째, 내 앞에서 감히, 발톱 드러내지 마.

하자마자, 이연의 등을 향해 손톱 찔러 넣는 신부!
순식간에 그 손목 붙들고, 우산 손잡이의 칼을 꺼내 그녀의 목을 겨눈다!

이연　잘 가라.
신부　한 번만! 마지막으로 한 번만 더 보게 해 줘… 그 사람.
이연　경험에서 우러나온 충곤데, 그거 안 하느니만 못한 짓이야.
신부　제발….

그때! 대기실 문 벌컥 열리고, 도우미가 '신부님, 시간 다 됐어요!'
이연이 칼을 등 뒤로 감춘다! 신부도 손톱을 숨기고, 애써 미소 짓는다!
도우미 앞에 두고, 둘 사이에 팽팽한 긴장감 흐른다!
'지금 입장하셔야 된다니까요?' 도우미 재촉한다.
간절한 눈빛으로 이연을 보면, 이연이 성가신 듯 '결혼식 끝날 때까지 만이다.'

#9　도로 / 차 안 (낮)

<도시 괴담을 찾아서> 프로그램 로고 박힌 봉고차, 빠르게 도로 내달린다.
뒷좌석에 지아와 조연출 재환. 지아는 노트북으로 대본 고치는 중.

지아 '어쩌면 이 세상엔, 우리가 모르는 존재들이, 우리와 더불어 살아가고 있는지도 모른다. 항간에 떠도는 숱한 도시 괴담이야말로, 그것들의 다른 이름 아닐까.' (재환에게) 어때?

재환 또 대본 손대신 거예요?! 작가님 몸져누우실 텐데?

지아 기분 많이 잡칠까?

재환 그럼요!

지아 그럼에도 불구하고 고친 게 낫지?

재환 (반사적으로) 그럼요!

지아 그럼 이렇게 가. (하고, 노트북 넘겨준다) 피디는 간땡이가 붓거나, 간이 배 밖으로 나와 있어야 돼.

재환 (습관처럼 환약 먹는)

지아 그놈의 청심환 좀 끊으란 소리야.

재환 선천적으로 간이 콩알만 한 걸 어떡해요.

지아 그 아기자기한 사이즈 간으로, 왜 하필 우리 프로야? 대한민국 10대 흉가 어디쯤에, 잃어버린 네 자신감 숨어 있을까 봐?

재환 진짜 미스터리한 게, 저는 괴담, 귀신 이런 거 하나도 안 믿거든요. 근데 무섭단 말예요.

지아 나는 하나도 안 무서운데, 믿어.

재환 (의외다) 피디님이요?! 왜? 실제로 보신 적 있어요?

지아 응.

재환 진짜요? 저 겁주려고 그러시는 거죠?

지아 뭐, 그렇다고 쳐. (둘러대고 창밖을 보며) 뭔 날씨가 이 모양이냐.

재환(E) 결혼식 날 비 오면 잘 산대잖아요.

속을 알 수 없는 표정으로, 비오는 하늘 올려다보는 지아의 얼굴에서.

#10 결혼식장 (낮)

주례 없는 웨딩 시작됐다.

예도단 (신랑은 직업 군인이다) 도열한 길로 신랑 신부 입장 중.

환한 표정의 신랑과 달리, 신부 얼굴에는 긴장한 기색 역력하다.

맨 뒤에서, 무표정하게 그 광경 지켜보는 이연.

#11 결혼식장 / 복도 (낮)

지아는 '같은 결혼식장'에서 열린 동료 피디의 결혼식에 축의 중이다.

홀 앞에, 방송국에서 보낸 화환들 즐비하다.

지아 (축의금 건네고) 식권은 됐어요.

재환 아니 아니, 주세요! (받고) 비싼 축의금 내고, 남는 게 밥 밖에 더 있어요?

지아 난 이상하게 결혼식장 밥이, 그렇게 소화가 안 되더라.

재환 원인이 뭘까요.

지아 뭐랄까, 공기 중에 떠도는 강박적인 행복의 냄새가 숨 막힌달까.

재환 가끔은 주입식 행복도, 좀 수혈하고 그러세요. 혹시 알아요? 이런 데서 '짠-' 하고 운명의 상대를 만날지.

그런 두 사람 뒤로, 이연 스쳐 지나간다. 'CCTV 위치' 눈으로 확인하며.
지아가 이연 쪽으로 막 몸을 돌리는 찰나, 핸드폰 울린다.

지아 (메시지 보고) 운명적인 아이템부터 찾아야겠다. 제보 펑크 났대.

재환이 머리 쥐어뜯는다.
사이에 이연은 멀어지고, 끌려가듯 식장으로 향하는 지아.

#12 신부 대기실 (낮)

여우누이의 결혼식 끝났다. 대기실에서 친지들 빠져나온다.
도우미가 '폐백실은 이쪽이에요.' 사람들 안내해서 사라진다.
기다리던 이연이 곧장 대기실로 들어선다.
그런데 '신부가 없다?!' 하는 순간! 숨어 있던 신부가, 날카로운 촛대 들고 달려든다!
인정사정없이 주먹을 휘두르는 이연!

복부를 정통으로 맞은 신부, 비명과 함께 나가떨어진다!
비틀거리며 일어서더니, 무서운 기세로 덤벼든다!
이연이 군더더기 없는 몸짓으로 신부를 제압한다! 신부도 만만치 않다!
이내 발로 얼굴을 가격하면! 신부의 목 꺾인다!
기괴하게 목을 맞춰 제자리로 돌려놓은 그녀 얼굴에, 독기가 서린다.

신부 백두대간의 옛 주인이여. 네가, 무슨 권리로 우리를 단죄하느냐.
이연 얘 말하는 거 봐. 너만 아니었음, 나 오늘 아이스크림 먹으면서 미드 보고 있었어.
신부 금기를 어기고, 산신 자리에서 쫓겨난 구미호 주제에.
이연 그 죗값, 이렇게 몸빵 하고 있는 중이고.

하고, 곧바로 공격한다!
수세에 몰린 신부, 기회를 틈타 대기실 빠져나간다!

#13 결혼식장 (낮)
신랑과 신랑 친구들 등, 하객 일부만 남아 있는 결혼식장.
'살려 주세요!!' 신부가 겁에 질려 뛰어 들어온다.
이연이 열 받은 얼굴로 홀 문을 닫고, 성큼성큼 신부 뒤를 쫓는다.
홀 안의 CCTV, '퍽-' 소리를 내며 먹통이 된다.

신랑, 신부를 뒤로 숨기며 '당신 뭐야?! 뭐냐고!!'

아랑곳 않고, 신부를 향해 다가가며 '사람들 사이로 숨으면, 내가 놓칠 거 같아?'

신랑 친구들이 커플을 감싸면서, 이연과 남자들의 짧은 몸싸움 벌어진다.

여기저기서 '경찰에 신고해!' '경찰이죠? 여기 남산 웨딩 홀인데요!'

이연이 순식간에 신고 전화하는 남자 앞에 나타나서, 여유 있게 '계속해.'

신부 가로막고 지키던 신랑을 제압한다.

신랑은 필사적으로 이연의 다리 붙잡고, 안 놔준다.

그런 신랑을 냉정하게 떼어 낸다. 신랑이 쓰러져서 신음하는 사이. 우악스럽게 신부의 머리채를 잡고, 뒤에서 칼을 겨눈다.

신부, 쓰러진 신랑에게 '보지 마… 제발.'

말 끝나기 무섭게, 뒤에서 이연의 칼이 심장에 꽂힌다.

허물어지듯 바닥에 쓰러지는 신부.

이연 어리석긴. 시간 벌었을 때, 달아날 것이지.

신부 (죽어 가면서 옅은 미소로) 신부가 되고 싶었어….

이연 다시 태어나면, 사랑 따윈 하지 마라.

신부 부탁이 있어. 저 사람, 나에 대해 좋은 기억은 하나도 남기지 말아 줘.

이연 콜.

이연이 곧장 신랑에게 다가간다. 신부의 몸 아스러지기 시작한다.
주위에서 비명 같은 외침! '여우다!' '사람이!! 여우!'
허물을 벗은 듯 웨딩드레스만 남기고, 신부의 시신 '여우의 사체'로 바뀐다!
사색이 된 신랑의 눈 똑바로 보며.

이연 지금부터 내가 하는 말 잘 들어. '네 신부'는 말이야….

이내 신랑의 눈에서 초점이 사라진다.

#14 결혼식장 / 복도 (낮)
지아 쪽 결혼식도 끝났다. 지아가 신랑인 동료 피디와 인사 나누는데.
저쪽 복도 소란해진다. 신랑 부모, 뒷목 잡고 주저앉는 등.
웨딩 홀 관계자가, 남은 하객들 달래며 현장 정리 중이다.
재환이 잽싸게 그쪽을 기웃거리다 온다.

지아 무슨 일이야?
재환 (호들갑) 옆방 결혼식 파투 났대요!!

'그래?' 별 관심 없는 듯 그쪽을 보다가, 어딘가에 눈길이 확 꽂힌다.

물밀 듯 식장 빠져나가는 사람들 틈에 '이연'이 섞여 있다!
순간, 주변 소음 사라진다! 이연의 움직임을, 눈으로 좇는 지아의 심장 소리뿐!

지아(E) (오싹해서) 누구더라?

재환 (두리번) 누구, 아는 사람이에요?

지아 (이연은 벌써 가고 없다. 팔에 돋은 소름을 털며) 아, 아냐….

재환 알아보고 올까요?

지아 뭘??

재환 '평화롭던 결혼식장은, 어쩌다 판도라의 상자가 됐나?' 혹시 알아요? 저기, 운명적인 아이템이 있을지.

지아 (생각에 잠긴 얼굴로, 그쪽 홀 응시하면)

#15 결혼식장 (낮)

잠시 후, 지아가 소동이 일어난 현장, 가만히 둘러보고 있다.
신부 죽은 자리에, 웨딩드레스만 나뒹군다.

재환 (빠르게 걸어 들어오며) 신부 도망갔대요!

지아 도망… (생각에 잠겨) 그래, 갈 수 있지. 근데 무슨 깨달음을 얻으면, 인생 유턴을 이렇게 비싸게 하냐.

재환 진정한 사랑이죠!

지아 남자 있었대?

재환 예, 그 남자가 신랑이랑 신랑 친구들 앞에서 '이 여자, 내 여잡

니다!' 그러자 신부가 기다렸단 듯이, 그 손을 잡고! '난 진짜 사랑을 찾아가겠어요!'

지아 확실해?

재환 목격자들 진술, 다 똑같아요!

지아 이상하다? (갸웃) 신부는 그 사랑의 도피, 원하지 않았을 텐데?

재환 네??

지아 (드레스 가리키며) '저항한 흔적'이 있어.

자세히 들여다보면, 새하얀 드레스 자락에 튄 몇 방울의 피! 그리고 치마 레이스, 살짝 찢어진 흔적!

재환 (!!!) 핏자국이네?!

지아 몸싸움이 있었던 거야.

재환 그런 얘기는 전혀 없었는데….

지아 뭣보다, 이 드레스가 왜 여기 있니?

재환 그야… 벗었으니까? (하다가) 그러게요? 그 여자 뭐 입고 갔지?

지아 '목격자 진술'이랑 '사건 현장'이, 묘하게 다른 얘기를 하고 있어.

재환 집단 최면이라도 걸린 거야, 뭐야….

지아 (눈빛 변해서) 그 세기의 로맨스 주인공, 얼굴 좀 봐야겠다.

재환 (알아듣고) 영상 수배해 볼게요! (하고, 달려 나간다)

혼자 남은 지아, 핸드폰으로 드레스 사진 몇 장 찍고. 나가려다가 뭔가를 발견하고, 쪼그려 앉아 드레스 다시 들여다본다.
웨딩드레스에 붙어 있는 그것, 몇 가닥 '동물의 털'이다.

#16 동물병원 (낮)

'방송 출연한 사진들' 자랑스럽게 붙어 있는 동물 병원.
수의사 신주가, 작은 밀봉 비닐에 담긴 털 요리조리 살펴보다가.

신주 '여우털'이네요.
지아 여우?!
신주 붉은 여우예요. 한반도 토종.
지아 토종 여우 멸종됐잖아요.
신주 (눙치는) 뭐, 여우 목도리도 있고….
지아 캐나다, 러시아, 우즈벡, 요새 다 수입이에요.
신주 (억지웃음) 어머? 우리 피디님이 모르는 게 다 있네? (핸드폰 검색하는) 2012년부터, 여우 복원 사업 시작했잖아요.

인서트 핸드폰 기사
'멸종 여우 40년 만에 부활 – 소백산에 토종 여우 13마리 방사'

지아 소백산에 방사한 여우 흔적이, 어떻게 이 근방에서 나왔죠?
신주 한 마리는 경북 영주 아파트 단지에서 잡혔고, 휴전선 넘어 개성까지 월북한 놈도 있어요.

지아 강남 결혼식장에 등장한 건, 일도 아니다?

신주 (너스레) 왜 멧돼지도 배고프면, 편의점 털고 막 그러잖아요.

지아 소백산 방사 여우, 전부 위치 추적 장치 달고 있어요. 아직까지 서울 도심으로 내려온 놈은 없고요. 참고로 나, 동물 프로 조연출 2년 했어요.

신주 !!!!!

지아 (동물 털 가리키며) 자, 그럼 이건 어디서 나왔을까요?

지아 사라진 후, 신주가 어디론가 전화를 걸고 있다.
'이연님, 제발 전화 좀 받으세요.' 초조하게 중얼거리며.

#17 공원 (낮)

비 갠 하늘 유독 화창하다.
이연이 복잡한 표정으로 벤치에 앉아 있다.
그네 밀어 주는 엄마와 아이, 허공을 떠다니는 아이들의 비눗방울, 커다란 풍선 들고 아장아장 걷는 아기 등, 행복하고 따스한 풍경.
그 속에서 이연만 이방인이다.
조금 전 '사람으로 살고 싶어…' 애원하던 신부 얼굴 떠오른다.
가차 없이 그녀를 찌른, 자신의 두 손을 본다. 괴롭게 마른세수한다.
그때, 아기가 풍선을 놓친다. 하늘 높이 멀어져 가는 풍선을 보며 울상이다.

이연이 아기 엄마가 한눈파는 것 확인하고, 그 하늘로 손을 뻗는다.
어느새, 잃어버린 풍선을 아기에게 쥐여 주는 이연. 아기는 쌩긋 웃고 멀어진다.
뒤에서 그 모습을 본 꼬마 하나, 불쑥 다가와 옆에 앉는다.

꼬마 (콧물 줄줄 흘리며) 아저씨, 외계인이에요?
이연 (나란히 앞만 보고 앉아, 덤덤하게) 아니.
꼬마 그럼 뭐예요?
이연 구미호.
꼬마 (천진난만한) 100살 넘었어요?
이연 1000살도 넘었지.
꼬마 여기서 뭐 해요?
이연 그냥, 누구 기다려.
꼬마 누구요?
이연 첫사랑.
꼬마 왜요?
이연 여우는 한 번 맺은 짝을 저버리지 않거든, 죽을 때까지.
꼬마 우리 엄마도 맨날 맨날 택배 아저씨 기다리는데. 두 밤 자면, 와요.
이연 나는 안 와. 백 밤을 자고, 천 밤을 자도.
꼬마 괜찮아요?
이연 안 괜찮아.
꼬마 (잠시 생각하다가) 내가 친하게 지내 줄까요?

이연 아니.

꼬마 왜요?

이연 코. 코 흘리는 남자, 별로야.

꼬마 (콧물 쭉 들이마시면)

이연 나랑 친구 먹기엔 사람 수명, 너무 짧고.

꼬마 ??

이연 인생 짧다는 소리야. 그니까 사느라 애는 쓰되, 견딜 수 없는 거 굳이 견디려고 하지 마. 견디기 힘든 사람, 사랑, 기타 등등. (가려고 일어서서) 오케이?

꼬마 (뜻도 모르면서 신나게) 오케이.

#18 내세(來世) 출입국 관리 사무소 / 앞 (낮)

이연이 '내세(來世) 출입국 관리 사무소' 현판 붙은 건물 앞에서 있다.

입구에 상갓집인양 '근조(謹弔)' 적힌 등 매달려 있고, 그 위로 <불법 체류 망자(亡子) 집중 단속 기간> 검은색 현수막 보인다.

#19 내세 출입국 관리 사무소 (낮)

곧장 문 밀고 들어선다. '딸랑' 하는 종소리와 함께, 안에서 향 피어오른다.

'하얀 국화' 을씨년스럽게 장식된 사무실. 한쪽 벽은 온통 철제 캐비닛이다.

살벌한 글자체로 '불법 체류 신고: 국번 없이 000'
'49재 지나면 자수해서 광명 찾자' '노잣돈 환전해 드립니다'
등 붙어 있다.
벽면에는 공개 수배된 수배자들 사진.
개중, 아까 죽은 '여우누이' 사진 (제목은 살인 용의자 수배) 보인다.
괴팍해 보이는 노파, 라지 사이즈 아메리카노 옆에 두고, 컴퓨터 작업 중이다.

이연 (신부 사진 '툭-' 떼고) 잘 있었나, 할멈?
노파 (타자 치느라 눈길도 안 주고) 한동안 코빼기도 안 비치더니만.
이연 바빴어, 덕분에. (하고, 다가가서) 천하의 탈의파가, 컴퓨터랑 씨름하는 모습을 보게 될 줄이야.

자막 탈의파(奪衣婆) - 이승과 저승의 경계 '삼도천'을 다스리는 신

노파 별 수 있냐, 시대 흐름을 따라야지. 저승도 주5일 근무제 도입해야 돼.
이연 내 문자 받았지?
노파 (컴퓨터 작업 쉬지 않고) 아··· 여우누이?
이연 왜 씹었어?
노파 네 눈엔 내가 죄인들 사연 팔이나 들어줄 만큼 한가해 보이냐? 위에서 잡아 오라면, 넌 그냥 잡아 오면 될 일.
이연 (수배 전단 거칠게 올려놓으며) 언제까지! 이 짓을 계속해야 되는데?
노파 (그제야 고개 들고) 미쳤냐? 결혼식장 뷔페에 쥐약 들었디?

이연 ‘병역의 의무’가 600년 넘게 계속되는데, 안 미치고 배겨?!

노파 (피식) 병역의 의무? 산신 자리 내팽개치고, 이리 살라고 누가 등 떠밀었냐? 그 계집아이, 환생을 조건으로 몸빵을 택한 건 너야.

하며 한쪽 손 펼치면, 그 손에 ‘작은 두루마리’ 생긴다!

노파 (읽는) ‘전직 백두대간 산신 이연은, 아음이 환생할 조건으로, 이승과 저승의 경계를 어지럽히는 자들을 단죄하여, 그 은혜를 갚을지어다.’ (빤히) 여우는 무슨 일이 있어도 은혜를 갚는다며?

이연 (노려보면)

노파 롸잇 나우, 제대할래?

반대쪽 손에서 불 피어난다!
계약서 태우려는 노파의 손목, 단호하게 붙든다! 노파가 고약한 미소를 짓는다! 불과 두루마리, 동시에 사라진다!

이연 (노려보다가, 이내 삐딱하게) 할멈은 지옥 갈 거야.

노파 뭐 인마?

이연 내가 정화수 떠 놓고 날마다 빌 거야.

노파 이 무엄한 놈이!!

이연 (책상 위, 영양제 병을 얄밉게 ‘툭-’ 치고) 글루코사민 작작 퍼먹어. 심보를 곱게 써야, 관절도 고와지지. (하고, 걸어 나간다)

말은 심술궂게 해 놓고, 걱정스레 그 뒷모습을 보는 노파.
남편 현의옹이, 포장 음식 들고 들어오는 길에 '연이 왔니?'

자막　　현의옹(懸衣翁) - 삼도천 문지기. 망자들 '죄의 무게'를 잰다.

이연이 '안녕하셨어요.' 가볍게 목례하고 간다.

현의옹　　벌써 가는 거야? (하고) 자기야, 떡볶이 드세요.
노파　　(이연 사라진 쪽 보며) 입맛 뚝 떨어졌어. 저 새끼 땜에.
현의옹　　너무 모질게 굴지 말아요. 죽어라 죽은 처자를 기다리는 저 속이 속이겠어?
노파　　또 또 물러 터진 소리 하고 자빠졌다.
현의옹　　당신은 사랑을 몰라.

#20　　동물병원 (낮)
신주가 거듭 전화를 걸며, 초조하게 병원을 서성이고 있다.
마침내 이연이 받았다.

신주　　(펄쩍) 이연님, 왜 전화를 이제야 받으세요?
이연(E)　　(성가신 듯) 뭔데?
신주　　코드 레드! 코드 레드!
이연(E)　　뭐냐고.
신주　　지금 어디세요?!

#21 방송국 / 외경 (낮)

#22 방송국 / 사무실 (낮)

<도시 괴담을 찾아서> 프로그램 명패 붙어 있는 사무실.
UFO니, 심령 현상이니, 전설 속 요괴들이니 하는 스크랩들 곳곳에 붙어 있다.
지아가 멸종 여우에 관한 자료 보고 있다. 책상 위에는 밀봉된 여우 털.
한쪽에서 팀장이 여유 있는 태도로 신문을 본다.
유령 같은 몰골로 작가가 나타난다.

작가 누가 또 내 대본 뜯어고쳤더라? 나랑 싸우자는 거지?
팀장 (머리가 지끈) 어우, 저것들 또 시작이야.
지아 (자료 보면서 입으로만) 내가 죽을죄를 지었어, 김작.
작가 그게 어딜 봐서 죽을죄 지은 자의 태도냐?
지아 싸울까?
작가 싸우자.
팀장 싸우지 마!!
작가 팀장님은 빠지세요.

그러고 있는데, '다녀왔습니다!' 재환이 노트북 들고 나타난다!

지아 찾았니?!

재환 (노트북 펼치며) 그게 좀 애매한데요.

작가 (!!) 그 사랑의 도피꾼?!

팀장 가져와 봐. 어떤 놈인지 얼굴 좀 보자.

팀장 자리에 펼친 노트북 화면 속 '우산에 가려진 남자' 모습.
이연이다.
우산에 놓인 자수 문양만 뚜렷하고, 얼굴은 '하관'만 보이는.

작가 빨간 우산에 자수까지, 취향 잔망스러운 거 보소.

재환 젤 잘 나온 각도만 추려왔는데… 이게 들어올 때, (화면 바꿔 주며) 이게 나갈 때예요.

찰나, 아까 결혼식장에서 본 '이연의 모습' 스쳐 간다!!

팀장 (김샜다) 우산에 얼굴이 완벽하게 가려졌네.

지아 (!!!) 잠깐만. 결혼식 끝나고는, 비 안 왔잖아!

작가 지능범이구먼!

지아 근데 들어올 땐 그렇다 치고, 나가는 그림이 왜 '혼자'야?

재환 없어요.

지아 뭐?

재환 영상을 다 뒤졌는데, 신부가… 식장을 나간 기록이 없어요!

지아 !!!!!

#23 한식당 우렁각시 (낮)

식탁 가득 전통 요리 차려져 있다.
이연이 우아하게 식사 중이다. 그 옆에서 신주가 답답한 듯.

신주 아, 제 말을 듣긴 하신 거예요?
이연 뭔 말?!
신주 '그 피디님'이 여우 털을 가져왔다니까요.
이연 들켰니?!
신주 설마요. 제가 이쪽 세상 몇 년찬데. 요샌 가끔 '난 사람인가, 여우인가' 존재론적 고민까지 들어요.
이연 자랑이다?
신주 하여튼 느낌이 싸~~해요.

이연이 카운터에서 신용카드 내민다. 푸근한 인상의 여주인이 공손하게.

우렁각시 맛있게 잡수셨어요?
이연 (무표정으로) 그럭저럭.
우렁각시 각시카드 할부할까요?
이연 일시불.

신주는 조금 떨어져서, 식당 TV를 멍하니 보다가.

신주 (다급히) 이연님!!

이연 (뒤도 안 돌아보고) 왜?

신주 저거, 저거!! (TV 가리키며) 저것 좀 보세요!

TV에 '우산을 쓴 이연의 모습'과 함께 제보 스크롤 나가는 중이다.

신주 맞죠? (발 동동) 어떡해요!!

이연 (말없이 화면 보면)

우렁각시 당분간 그 우산은 놓고 다니시는 게… (하는데)

이연 아니. (신주에게) 저 인간한테 전해. 잡을 수 있으면, 잡아 보라고.

하고, 돌아선다. '진심이세요?!!' 당혹스러운 얼굴로 뒤를 따르는 신주.

#24 방송국 / 로비 커피숍 (낮)

다음 날. 방송국 로비. 지아가 누군가를 기다리고 있다.
두꺼운 뿔테 안경에, 꾀죄죄한 차림을 한 남자 로비에 들어선다. '이랑'이다.
소심한 태도로 방송국 여기저기를 스캔하면.

지아 제보 주신 분 맞죠?

이랑 예? 아, 예!!

지아 도시 괴담을 찾아서 피디예요. (커피 두 잔 놓인 테이블에) 앉으세요.

이랑 (등 내보이며) 이따 여기다가 사인 하나 해 주세요. 제가 진짜 이 프로, 이십 번씩 돌려 보거든요. 흐흐….

지아 (곧바로 캡처한 이연 사진 내놓고) 보셨다고요.

이랑 (커피 쭉 마시고) 봤죠.

지아 누굽니까.

이랑 (주위 한 번 살피고) '괴물'이요.

지아 괴물?

이랑 그 사람은요. 늙지도 않고, 죽지도 않아요! 왜 드라마에 나오는 도깨비나 외계인, 아시잖아요!

지아 (이랑을 빠르게 훑는다)

이랑 (눈치 살피며) 내 말 안 믿죠?

지아 솔직히 말하면, 그렇습니다.

이랑 (흥분해서) 사람 무시하지 마요! 나 거짓말 같은 거 안 해!

지아 (차분하고, 상냥하게) 실례지만, 무슨 일 하세요?

이랑 노량진에서, 9급 시험 준비하고 있는데요.

지아 고향은?

이랑 전남 영암. 평~생 농사짓고 산 울 엄마 소원이, 아들 넥타이 매고 출근하는 거거든.

지아 (미련 없이 일어서며) 그럼, 살펴 가세요.

이랑 (??) 아직 내 얘기 안 끝났는데?

지아 프로필이랑, 신발이 안 어울려요.

이랑 예??

지아 세상에 어떤 고학생이, 400만 원짜리 커스텀 수제화를 신어요? 그쪽 악센트에 전남 영암은 없고. 내가 시간 낭비 안 해도

될 이유, 충분하죠? (하고, 돌아서는데)

이랑 '여우고개'요.

지아 (오싹해서 돌아보는) 여우고개?!

이랑 거기서 봤어요, 그 남자.

지아 (구미 당기지만) 신원 미상의 제보자 말을, 내가 어떻게 믿죠?

이랑 직접 확인해 보면 되잖아요.

#25 주차장 (낮)

이랑 얼굴에, 아까는 볼 수 없던 서늘한 미소 떠오른다.
주차장 기둥을 지나며, 뿔테 안경과 남루한 겉옷 사라진다.
순식간에 '본모습'으로 변해서 고급 외제 차에 올라타면.

유리 (운전석에서 반갑게) 다녀오셨어요?

이랑 (왠지 신난) 신발을 잘못 골랐어. 놓치지도 않고, 치고 들어오더라.

유리 (??) 근데, 왜 웃고 계세요?

이랑 나, 그 여자 마음에 들어.

유리 ('치-') 어디가요?

이랑 (섬뜩하게 웃으며) 머리에서 발끝까지 다.

유리 그럼 (신난 듯) 먹어 버릴까요? 머리에서 발끝까지 전부.

이랑 아직은 아냐.

#26 아이스크림 가게 / 안팎 (낮)

이연이 단골 아이스크림 가게를 찾았다.

알바 남 (밝은 미소로) 무슨 맛으로 드릴까요?

이연 민트초코.

알바 남 항상 민초만 드시네요. (건네며) 꾹꾹 눌러 드렸어요. 자주 오셔서.

이연 앞으론 오차 없이 정량으로 합시다.

알바 남 네??

이연 내가 '은혜'를 입으면, 꼭 갚아야 되는 피치 못할 사정이 있어서.

알바가 고개를 갸웃한다.
잠시 후, 이연이 창가 자리에 앉아서 아이스크림을 먹는다.
핸드폰 울린다. 받으며 눈살 찌푸린다.
이하, 가게 앞 도로변에 차를 세워 놓고 통화하는 이랑과 교차된다.

이랑 오랜만이야. 왜긴, 보고 싶어서 전화했지. 지금 뭐 해?

이연 (무뚝뚝) 바빠, 끊어.

이랑 에이, 안 바쁜 거 같은데?

길 건너 창가에 앉아서 아이스크림 먹는 이연 보인다.
방어적으로 가게 안을 한 번 훑는 이연.

이랑 우리 좀 만나.

이연 (단칼에) 거절한다.

이랑 (장난스럽게) 너네 집에다, 확 불 질러 버린다?

이연 600살 넘게 먹고, 초딩 짓 해 봤자 하나도 안 귀여워.

이랑 후회할 텐데.

이연 안 해.

이랑 요새도 기다리나? 그 죽은 여자 친구.

이연 (표정 싹 굳는)

이랑 내가 재밌는 소문을 들었는데 말야. 말을 해 줘, 말어?

이연 개수작 부리지 마라.

이랑 궁금하면 나오라니까. (뒷말은 들리지 않는다)

전화 끊고, 뭔가 찝찝한 얼굴로 손목시계 들여다보는 이연.
그 모습을 본 이랑, 짓궂은 미소 지어 보인다.
곧바로 그 앞을 떠나는 차량. 차 안에서 경쾌한 음악 울려 퍼진다.

#27 버스 정류장 (밤)

그날 밤, 지아가 한갓진 정류장에서 표지판 확인하고 있다.

인서트 플래시백

아까 이랑과 나눈 대화 스쳐 간다.

이랑 오늘밤에 내가 말한 데서 버스를 잡아타세요. 대신, 조건이 있어요.

지아 조건?

이랑 혼자 나오셔야 돼요.

정류장에는 순한 인상의 교복 차림 여고생(수영)이 버스를 기다리고 있고.
노숙자처럼 보이는 노인 하나, 비틀거리며 막걸리 병나발을 불고 있다.

수영 (카메라 흘긋거리다 수줍게) 언니, 피디예요?

지아 응.

수영 나도 꿈이 피딘데.

지아 웬만하면 다른 장래 희망을 가져 봐. 나 지금 22시간째 근무 중이야.

지아가 눈을 찡긋 하면, 배시시 웃는 여고생.
동시에 버스 들어온다. 여고생이 타고, 지아도 버스에 막 오르려는데.
노숙자 노인, 벌러덩 자빠지면서 '아이고, 나 죽네!!' 술주정 같은 신음한다.
버스 오르다 말고, 달려가 노인 부축한다. '괜찮으세요?'
가까이서 보니 해진 모자 밑으로 길게 칼자국 난 '애꾸눈' 섬뜩해 보인다.

버스 기사가 '탈거요, 말거요?' 무성의하게 묻는다.

지아　　탈 거예요! 잠시만요! (하고) 일어나세요. 병원 모셔다 드릴게요.

노인　　(확 뿌리치며) 놔!!

지아　　할아버지, 저 이 버스 타야 돼요. (하며, 일어서는데)

노인　　(다리 붙들고) 타지 마, 이년아!!

지아　　할아버지!

난감해서 버스 돌아보는데, 안에서 남자 승객 외치는 소리.
'거 적당히 하고 출발합시다!'
그 소리에, 결국 버스 문 닫힌다. 버스 곧바로 출발한다.
원망 섞인 눈빛으로 보면, 이쪽에는 눈길도 안 주고 창가에 앉는 승객.
그런데! 그 어깨에 둘러멘 붉은색 우산?!
'그놈이다!!!' 이연 얼굴을 보고, 지아의 안색 돌변한다!
급히 달리는 버스 쫓아서 뛴다! 하지만 버스는 매정하게 멀어진다!

#28　　버스 / 안 (밤)

여고생, 맨 뒷자리에 앉아 귀에 이어폰 꽂는다. 경쾌한 음악 흘러나온다.
그 시선으로 승객들 뒷모습 보인다. 승객은 기사 포함, 모두 일곱 명.

대각선 앞자리에 '등산복 차림의 부부' 도란도란 수다를 떤다.
달리던 버스, 이내 '터널' 진입을 앞두고 있다.

#29 버스 정류장 / 인근 (밤)

지아는 노인을 업고, 걷는 중이다.

지아 댁이 어디시라고요?
노인 저 앞에 당산나무까지만 걸어.
지아 근데 할아버지 보기보다 무거우시네요.

걷다 보니 점점 더 무거워진다. 마치 바위를 등에 진 듯.

지아(E) 이상해. 이상하리만치 무거워. 숨소리도 안 들리고.

'할아버지' 불러 본다. 노인, 아까부터 통 대답이 없다.
지아는 보이지 않지만, 등 뒤에서 '서늘한 표정'으로 지아를 내려다보는 노인!!
이내 등에 매달린 노인의 팔이, 숨도 쉴 수 없이 목을 조이는 것 같다! '아파요.' 신음하는 지아!!

#30 버스 / 안 (밤)

버스가 어두운 터널을 통과하고 있다.

여고생의 긴장된 시선으로, 버스 안의 묘한 기류 느껴진다.
그때! 어둠 속에서 뭔가 다가온다! 공포로 일그러지는 여고생의 얼굴!!

#31 버스 정류장 / 인근 (밤)

지아, 밭은기침을 하며 '제발 손 좀…' 괴로워하는데!
노인이 훌쩍 등에서 뛰어내리며, 아무렇지 않게 '다 왔다.'
과민했던 걸까. 눈앞에 목적지인 당산나무 보인다.

지아 (이마의 땀 닦고) 이제 술은 조금만 덜 잡수세요.
노인 고작 이런 걸로 생색낼 생각 마라. 신세는 벌써 갚았으니까.
지아 네??

#32 도로 (밤)

동시에! 터널을 막 빠져나온 버스, 전속력으로 중앙선 넘어간다!
이내 표지석 등을 들이받고 멈춰 선다!
차창에 핏자국 '팍-' 튄다!

#33 버스 정류장 / 인근 (밤)

지아가 바삐 손짓해서 지나가는 택시를 세운다.

택시　　어디까지 가시는데?
지아　　1002번 버스 경로 따라가요!

택시를 타려다 돌아보니, 노인은 그새 연기처럼 사라지고 없다.

지아　　(타고) 기사님! 방금 제 뒤에 있던 할아버지요.
택시　　누구요? 난 아가씨밖에 못 봤는데?

당산나무 옆에 우두커니 서 있는 '장승' 보인다!
세월에 풍화된 장승, 노인처럼 한쪽 '눈'이 훼손돼 있고!
그 앞에 누군가 바친 공물인 듯, 노인이 들고 있던 막걸리 병 놓여 있다!

#34　　도로 (밤)
지아가 사고 버스 창문에 튄 핏자국을 보며, 얼어붙었다.
택시 안에서 기사가 신고 전화 거는 소리.
'사고 났어요. 144번 도로. 예, 여우고개 맞아요!'
'여우고개…' 넋 나간 얼굴로 읊조리자, 악몽 같은 기억이 불쑥 되살아난다!

인서트 플래시백
1씬 지아네 일가족, 여우고개에서 사고를 당하는 순간!

3씬 가짜 엄마에게 가위를 찔러 넣던 어린 지아!
5씬 반파된 차량 앞에서 홀로 울고 있는 지아. '지금'과 같은 장소다.

'안 돼…' 정신없이 중얼거리다, 급히 버스의 수동 개폐 장치 누른다!
앞문 열린다! 마치 잠든 것처럼 쓰러져 있는 버스 기사와 승객들! '저기요!!!' 기사부터, 승객들 흔들어 보지만, 하나같이 미동도 없다!
맨 뒷좌석에 쓰러져 있는 여고생 보인다.
천천히 다가간다. 다리에 온통 피.
코 밑에 손을 가져가 본다. 이미 죽은 것 같다. 그 얼굴 안타깝게 바라보는데. 순간!! 여고생이 눈을 '번쩍' 뜬다!! 귀신이라도 본 듯 소스라치는 지아!!!

#35 도로 / 인근 (밤)

같은 시각, 사고 현장에서 조금 떨어진 도로.
이연이 서슬 퍼런 눈빛으로 피를 '뚝뚝' 흘리며, 어둠 속으로 사라진다.

#36 도로 (밤)

보슬보슬 밤비가 내린다.

버스 주위로 경찰들 현장 통제 중. 시신은 이미 수습된 후다.
지인인 백 형사가, 지아를 알아보고 다가온다.

백 형사 남지아, 네가 왜 여기 있냐?
지아 (충격으로) 백 형사. 너 오늘, 내 시신 수습할 뻔했다.
백 형사 뭔 소리야?
지아 탈 뻔했어.
백 형사 응?
지아 저 버스, 내가 탈 버스였다고.
백 형사 진짜야?!

경찰 하나가 백 형사에게 와서.

경찰 사망자 다섯에, 생존자 하납니다.
백 형사 그래?
지아 한 명이 모자라!
백 형사 뭐?
지아 일곱 명이었어! 이 버스에 탔던 사람!!
백 형사 확실해?
지아 똑똑히 봤어. 내가!

인서트 플래시백

버스 떠나는 순간, 지아가 목격한 창가의 이연.

지아　　'그 사람'만 없어. 시체도 아무것도.

백 형사　　내렸겠지.

지아　　아니, 이 버스는 중간에 안 섰어! 터널 통과하는 길엔 정류장 없거든!

백 형사　　(경찰에게) 확인해 봐.

지아, 쏟아지는 비를 고스란히 맞으며 '오소소' 몸을 떤다.

#37　　이연의 집 (낮)

다음 날. 불안한 얼굴로 인터넷 기사를 보는 신주.

'사람 잡는 144번 도로! - 사상자 6명 중 생존자는 1명'

이연이 외출복 차림으로 나타난다.

이연　　가자.

신주　　(걱정스레) 사람이 너무 많이 죽었어요.

이연　　그래서?

신주　　그냥 두시죠.

이연　　(냉정하게) 아니, 내 손으로 마무리해야 돼.

#38　　병원 / 여고생 수영의 병실 (낮)

지아, 유일한 생존자인 여고생의 병실에 들어선다. 환자 이름표에 '정수영'

수영은 큰 충격을 받은 듯, 초점 없는 눈으로 누워 있다.

지아 수영아, 나 알아보겠니? 정류장에서 만났었잖아.

수영 (두려운 얼굴로 천장만 보는)

지아 어쩌다 사고가 났는지 기억나니?

수영 (작게 고개 내젓는)

지아 그렇구나… (걸터앉으며) 무섭지? 혼자만 살아남았다는 게. (담담하게) 나도 옛날에 비슷한 사고를 당했거든. 그래서 혼자고.

수영 …

지아 맘만 먹으면 '비극'은, 엄청 편리한 방패가 될 수도 있어. 다들 동정을 퍼 주려고 난리거든. 근데, 난 네가 강해지면 좋겠다. (씩씩한 미소로) 피해자 말고, 피디 되는 게 훨씬 재밌어.

수영 (눈가 촉촉하게 젓는다)

#39 병원 / 앞 (낮)

가랑비 계속되고 있다.

병원으로 향하는 무채색 우산들 사이, '빨간 우산' 눈에 띈다.

이연이 이곳에 왔다.

#40 병원 / 여고생 수영의 병실 (낮)

지아, 자리에서 일어서며, 테이블에 명함 올려놓는다.

지아 필요하면 언제든지 연락해. (하고, 나가려다) 아 혹시, 그 버스에서 오른쪽 창가에 앉아 있던 젊은 남자 못 봤니? (핸드폰 사진 보여 주는) 이런 우산을 메고 있었는데.

수영 (숨 거칠게 몰아쉬다가, 몸서리치기 시작한다!!)

지아 봤구나, 너! 뭘 봤니? 뭘 봤길래 이렇게…!!

수영 (신음하듯) 올 거야.

지아 뭐?

수영 죽이러 와. (눈 부릅뜨고) 나도… 죽이러 올 거야.

지아 !!!!!!

#41 병원 / 로비 (낮)

지아가 빠르게 걸으며, 재환과 통화 중이다.

지아 재환아, 백 형사한테 말해서 병원으로 사람 좀 붙여 달라고 해. 그래! 버스 CCTV는?!

재환(E) 먹통이래요.

지아 (!!) 똑같네. 결혼식장도 그렇고, 이번에도. (사이) 도로 카메라는?

재환(E) 없어요. 터널 입, 출구 다.

통화하는 지아 곁으로, 한 무리의 사람들 스쳐 지나간다.
그 사이에, 이연이 자연스럽게 끼어 있다! 이연도, 지아를 못 본 상황!
이연은 지아를 지나쳐, 곧장 안내 데스크에서.

이연 어제 버스 사고로 입원하신 분 찾아왔는데요.

데스크 같이 오신 건가요?

이연 네? (하며 돌아보면, 사진으로 봤던 지아가 자신을 빤히 보고 있다!!)

지아 (전화기에 대고, 미소로) 찾았다!

이연 !!!!!

지아와 이연, 서로를 정면으로 마주 보는 모습에서!!

#42 병원 / 모처 (낮)

종이컵 커피 앞에 놓고, 마주 앉은 이연과 지아.
테이블 위에는 지아의 가죽 가방, 이연 옆에는 우산이 세워져 있다.

이연 (알면서 태연히) 방송국 피디가 나를 왜요?

지아(E) (이연의 '목소리'에 안색 싹 굳는) 이 목소리… (!!!!) 설마?!

이연 (자신을 뚫어져라 보는 지아의 시선, 피하지 않고 보면)

지아 왤까요?

이연 길거리 캐스팅, 그런 거 관심 없는데? 노래도 못 하고, 춤은 더더욱 못 춰요. 가진 재능이라곤 얼굴이 답니다.

지아 캐스팅은 맞는데, 장르는 그쪽이 아녜요.

이연 그럼?

지아 '여우고개'

이연 (표정 감추며) 공포물인가?

지아 일종의 도시 괴담이에요. 예를 들면, 1002번 버스에 타고 있던 승객 하나가 사라졌다. 마치 '증발'한 것처럼.

이연 듣자하니 웰 메이드는 못 되겠네. 게다가 나는 취향이 로코 쪽이라.

지아 (핸드폰 속 우산 사진 내놓는) 그럼 이건 어때요?

이연 (보고 아무렇지 않게) 원색이, 확실히 카메라 잘 받네.

지아 우연인지, 인연인지, 제가 그쪽을 세 번이나 뵙습니다. 처음엔 신부가 갑자기 사라진 결혼식장이었고, 두 번째는 1002번 버스, 세 번째는, 사고 피해자를 찾아온 이 병원이요.

이연 인연이라고 해 두죠. 근데 유감스럽게도, 난 애인 있어요. 보기와는 달리 순정파고. (하고, 자리에서 일어서는데)

지아 당신이 죽였어요?

이연 (굳는)

지아 (눈을 똑바로 보며) 아니면, 죽이러 왔나?

이연 (여유 잃지 않고 미소로) 죽이고 싶은 사람은 생겼습니다. 방금.

둘의 시선, 팽팽히 부딪친다.

#43 병원 / 주차장 (낮)

신주가 핸드폰을 들고 서성거린다.

'10분 내로 오신다더니. 왜 안 오시지?' 병원 쪽을 초조하게 흘긋댄다.

#44 **병원 / 모처 (낮)**

이연, 조금 날카로워진 말투로 지아에게 쏟아 낸다.

이연 대개 그런 경우 없는 질문을 할 땐, 준비물을 지참하지 않나? 증거라든가, 증인이라든가, 하다못해 경찰 신분증이라든가.

지아 맞네, 제가 너무 경우 없이 굴었죠? 죄송해요.

이연 마음에도 없는 사과는 됐고.

지아 커피, 손도 안 대셨네? (종이컵 밀어 주며 빤히) 드시지.

이연 모르는 사람이 주는 건, 안 받아먹어요. 세상이 워낙 흉흉해서. (하고, 일어서려는데)

지아 하나만 더요.

이연 뭡니까.

지아 이름. 이름이 뭐예요?

이연 글쎄, 재주껏 알아내 보든가.

그 말을 끝으로 우산 들고, 가 버린다. 난감해진 얼굴로 잠시 생각에 잠겼던 지아. '저기요!!' 급히 외친다.
이연이 돌아보면, 곧바로 지아의 가죽 가방 날아든다. 반사적으로 잡았다.

이연 선물입니까?

지아 제 명함이라도 받아 주세요. 그 속에 있어요.

이연 소개팅도 아니고… (다시 휙 던져 준다) 애프터 신청은 사양할게요.

사라지는 이연의 뒷모습 보며, 곧바로 어디론가 전화를 건다.

지아 재환아, 난데… 백 형사한테 지문 하나만 떠 달라고 해라. (이연의 손 닿았던 가방, 의미심장하게 보는) '가죽 가방'.

#45 도로 (낮)

이연, 신주가 운전하는 차를 타고 병원 빠져나가고 있다.

신주 어찌 보면 이것도 인연이네요. 20여 년 전에 목숨을 구해 준 꼬맹이가, 이연님 앞에 딱! 피디님은 기억도 못할 텐데 말예요.

이연 (생각에 잠겨서) 마음에 안 들어. 특히 '그 얼굴'.

신주 많이 '닮기는' 했죠? 저도 볼 때마다 깜짝깜짝 놀라요.

이연 너, 방송국 자문하는 거 그만 둬라.

신주 안 됩니다! 그건 제 생계와 직결된 문제예요!

이연 (흥) 그런 삼류 프로.

신주 유일하게 즐겨 보시는 프로잖아요. <도시 괴담을 찾아서>

이연 (못 들은 척, 앞만)

신주 (눈치 없이) 저번에 시청자 게시판에 글도 쓰셨잖아요. 저승사자 의상 고증 잘못됐다고.

이연 운전이나 똑바로 해.

#46 방송국 / 사무실 (낮)

작가가 흥미로운 얼굴로 묻는다.

작가 만났다며, 빨간 우산? 어때?

지아 미치겠어. 미치게 잡고 싶어.

작가 (지도 보여 주며) 여우고개에 대해서 좀 뒤져 봤어. 근처에 관악산 있지? 옛날엔 여기가 손꼽히는 여우 서식지였어. 전설에 따르면, 이곳을 지나던 강감찬 장군이 여우를 크게 꾸짖은 적도 있대.

재환 왜요?

작가 사람으로 둔갑한 여우가, 자꾸 나그네를 홀려서.

지아 그러고 보니… 또 여우네?

작가 '또'라니?

지아 (자료 챙겨 들고 나가며) 먼저들 들어가! 나 잠깐 들를 데가 있어!

#47 동물병원 (밤)

신주가 당혹스러운 얼굴로 지아를 마주 보며.

신주 여우가… 뭐, 왜요?!

지아 우리나라에서 야생 여우가 마지막으로 포획된 게 1978년이더라고요. 멸종 원인은, 아직도 '학계의 수수께끼'로 남아 있고요.

신주 60년대 산림녹화 사업, 70년대 쥐잡기 운동 때문이란 설이 있죠. (초조함 감추며) 물론 가설이지만….

지아 사료를 보니까 이런 기록이 나와요. '여우는 100살이 넘으면 사람으로 둔갑할 수 있다.' 1000살이 넘으면, 하늘과 통하여 신통한 재주를 갖게 되고…

신주 (말 자르며) 명색이 '실화' 베이스로 하는 프로잖아요. 좀 과하다.

지아 (쩝) 사실 오늘 용건은 그게 아니고요. (약장에서 졸레틸 약병 챙기며) 이것 좀 빌려 갈게요, 원장님.

신주 (!!) 동물 마취제는 왜요?!

'고마워요!' 인사하며 나가 버리는 지아. 신주가 놀란 가슴 쓸어내린다.

#48 병원 / 여고생 수영의 병실 (밤)

그 시각. 침상의 여고생, 악몽이라도 꾼 듯 '번쩍' 눈을 뜬다. 병실 불은 꺼져 있고, 복도로 난 창문 통해 희미한 빛 쏟아져 들어온다. 눈 밑까지 이불 끌어올리고 보면, 문밖에 어른거리는 수상한 그림자! '스르르' 문손잡이 돌아간다!
누군가, '또각또각' 하이힐 소리 내며, 방에 들어선다! '수영의 비명 소리'!!

#49 병원 / 여고생 수영의 병실 (밤)

지아가 연락 받고 병실을 찾아왔다. 병실에는 백 형사와 지아, 수영.

지아 (백 형사에게) 애 혼자 두지 말아 달라고 했잖아.

백 형사 자리 비운 게, 5분도 안 돼.

지아 못 잡았어?!

백 형사 우리 애들이 사람 그림자도 못 봤댄다 야. 꿈이라도 꾼 거 아닌가.

수영 아녜요! (지아에게 절규하듯) 언니, 나 여기 있기 싫어. 나가야 돼요!

지아 (가서 달래듯) 수영아…

수영 (귀에 대고) 여기 있으면… 죽어요, 나.

#50 지아의 집 / 지아의 방 (밤)

수영이 지아의 방을 둘러보고 있다. 지아가 실내복 들고 들어와서.

지아 내 건데, 맞을지 모르겠다.

수영 죄송해요. 폐를 끼쳐서.

지아 하룻밤인데 뭐.

수영 언니 가족들은요?

지아 (대수롭지 않게) 나 혼자니까 편하게 있어.

지아 나가면 '아, 혼자구나.' 중얼거린다. 그 얼굴에 서린 오싹한 미소!!

#51 병원 / 여고생 수영의 병실 (밤)

이연이 빈 병실에서 간호사와 얘기 중이다.

이연 언제 퇴원했습니까.

간호사 조금 전에요. (쪽지 전해 주며) 아, 이거. 손님이 찾아오면 전해 달래요.

이연 누가?

간호사 환자 데려가신 여자 분이요.

쪽지 펴 보고, 표정 굳어지는 이연. (쪽지 내용은 아직 보이지 않는다)
곧장 빠른 걸음으로 병실 빠져나간다.

#52 지아의 집 / 거실 (밤)

지아가 노트북 안고, 새우잠을 자다 부스스 깨어난다. 거실 불 꺼져 있다.
'잠들어 버렸네.' 하며, 스탠드 조명을 켜는 순간! '악!!' 소스라친다!!
수영이 어둠 속에서 자신을 빤히 바라보고 서 있다!!

지아 수영아!! 안 자고 여기서 뭐 해?

수영 생각이 났어요. 그날, 터널에서 무슨 일이 있었는지….

지아 !!!!!

#53 지아의 집 / 주방 (밤)

수영, 뜨거운 차를 마시며 '사고 당일의 기억' 털어놓는다.
취재 수첩 앞에 놓고, 메모하는 지아.

수영 버스가 터널로 들어갔어요… 이어폰 빼니까, 주위가 너무 조용해. (이하, 수영의 대사와 플래시백 교차된다)

플래시백

버스 안, 앞자리의 등산객 부부를 내려다보는 수영!
순식간에 부부의 목을 꺾어 버린다! 그 눈동자, 짐승처럼 변해 있다!
어둠 속에서, 이연이 빠르게 다가온다! 기다렸다는 듯이 이연에게 달려든다!

수영 (두려운 듯 눈을 감고) 전부 죽어 버렸어. 어둠 속에서… 그 사람이 다가와요.
지아 그 사람?
수영 우산을 멘 남자.
지아 (!!!) 그 남자가 무슨 짓을 했니?!
수영 저를 죽이려고 했어요! (몸 웅크리며) 너무 무서워서!!
지아 (곁으로 가서 토닥토닥) 괜찮아. 괜찮아질 거야.
수영 (웃음 꾹 참는)

그때! '쨍그랑-' 하는 소리! 지아가 찻잔을 깨트렸다.

'안 다쳤니? 발 올려 봐!' 주저앉아 수영의 발 살피고, 유리 조각 줍는 지아!
'저는 괜찮아요' 하면, 식탁 밑에서 지아의 목소리.

지아(E) (여전히 상냥하게) 근데 수영아. 넌 그 밤에 어디 가는 길이었니?
수영 네?!! 저야 집에…
지아 (수영의 뒤에서 몸 일으키며) 주소지 조회해 보니까 너네 집 가는 버스는 '반대편 정류장'이던데?
수영 (당황해서) 아, 그게 그날은 제가…
지아 (수영 어깨에 손을 얹고, 다정히) 아무 말이나 막 지껄이지 말고.

어느새 지아가 수영의 목에 '유리 조각' 겨누고 있다!!

수영 (울먹거리며 일어서서) 언니… 언제부터 알았어?
지아 사람은 말이야. 교통사고가 나면 본능적으로, 자기 몸을 보호하게 돼 있어. 근데 유일한 생존자의 몸에, 방어흔이 없더라?

인서트 플래시백
버스에서 수영을 발견하던 순간! 지아의 시선, 수영의 상처 훑는다!

지아 내가 원체, 기적 같은 걸 안 믿거든. (단호하게) 너 누구야?!
이랑 (이랑 얼굴로 바뀌는!!) 네가 아는 사람이기도 하고, 아니기도 해.
지아 (!!!!!!) 어떻게…!!

경악한 지아에게, 태연히 다가가는 이랑!

지아 진짜 수영이는?!
이랑 (어깨를 으쓱) 잡아먹었지.

뒷걸음질 치던 지아, 그 쇄골 부위에 겨누고 있던 유리 조각 찔러 넣는다!
눈 하나 꿈쩍 않고, 유리 조각 뽑아내며!

이랑 이런 걸로 나를 다치게 할 성 싶어?
지아 설마. 나는 그냥 나를 '미끼'로 삼은 것뿐야.
이랑 (??) 미끼??

하는 순간! 거칠게 집안으로 밀고 들어오는 이연!!
'이연?!!!' 외치는 이랑을 본체만체, 곧장 지아를 향해 간다.

이연 당신! 내가 애프터 신청, 거절한다고 분명히 말했을 텐데? (하고, 쪽지 펴 보인다)

인서트 쪽지
'지아네 집 주소'와 함께 '당신이 찾는 물건, 우리 집으로 가져가요.♡'

지아 이럴 타이밍 아닐 텐데?

동시에, 이랑이 뒤에서 이연을 급습한다! 이연이 곧바로 반격! 엎치락뒤치락하다가, 우악스럽게 서로 멱살을 잡고 마주한 두 사람!!

이랑 (도발하듯) 나, 보고 싶었어?
이연 (오만상) 죽고 싶냐, 아우야?
지아 (!!!!) 아우?!!
이랑 (싱글싱글) 말하자면 긴데… ('퍽!' 치고) 약간 콩가루 집안이랄까.
이연 가정 교육이, 이래서 중요해요!

두 사람 사이에 거친 몸싸움 벌어진다!
둘 다 비현실적인 속도와 근력!! 그 광경에 지아, 얼어붙는다!
사이에 'REC 화면' 거치 카메라 앵글로 그들을 짧게 비추고!

#54 지아의 집 / 마당 (밤)

이랑이 쫓기듯 뛰어나가면서, 싸움은 야외로 넓어진다!

이연 사람을, 몇이나 죽인 거냐?
이랑 나 지옥 갈까 봐 걱정돼서 그래?
이연 쪽팔려서 그런다.
이랑 너같이! 구질구질하게 살기 싫어서 그랬다, 왜?!
이연 나이 처먹고, 남 탓하는 게, 진짜 구질구질한 거야.

지아, 일각에서 둘의 싸움을 눈으로 좇는다. 힘은 호각이지만, 이연이 우세하다. 그런데 이랑이 코너에 몰린 순간!

이랑　타임, 타임!! (하고, 킥킥대며) 우리 싸우지 말고, 내기하자, 형.

이연　아직도 그 버릇 못 고쳤니?

이랑　다음 그믐까지 못 찾으면 '네 여자'는 죽는다.

이연　(한 대 얻어맞은 얼굴로) 뭐?!!

동시에 유리가 모는 승용차, 집 앞에 나타난다.

이랑　(눈 찡긋) 농담 아닌 거, 알지? (지아에게) 우린 또 보자고!

이랑이 시야에서 사라지면.
지아, 물을 게 아주 많은 얼굴로 이연한테 다가간다.

지아　저기요! 당신들 대체 정체가…!! (하는데)

이연　(차가운 표정으로) 잊어라. 나에 대한 모든 것을.

이내 지아의 눈빛 묘연해진다.

#55　방송국 / 사무실 (낮)

다음 날, 지아가 USB 손에 쥐고, 넋 나간 얼굴로 책상에 앉아 있다.

핸드폰 벨소리 울린다. 발신인은 '백 형사'다.

백 형사(E) 저번에 네가 의뢰한 지문 말야. 방금 확인됐는데…

지아 (들으며, USB를 꾹 쥔다)

#56 이연의 집 (밤)

이연이 집에 돌아왔다. 거실에서 말소리 같은 것 들린다.
'신주니?' 하며 거실로 들어서다가 멈칫.
거실 창문 열려 있고. 거실에 노트북으로 '동영상' 재생되고 있다.
지아네 집에서, 자신과 이랑이 몸싸움을 벌이던 그 장면이다!
'마음에 들어요?' 어디선가 들리는 여자 목소리!
창가에 지아가 서 있다!!

이연 여길 어떻게….

지아 이름 이연, 한국 나이 서른여섯. 보나마나 가짜 신분일 테고. 이쯤 반복되면, 우연 아니고 인연 맞네.

이연 (!!!) 기억이 남아 있어?

지아 뭔진 몰라도 나한텐 잘 안 통하나 보지?

이연 원하는 게 뭐야? (하며 노트북 '쾅!' 부숴 버린다!)

지아 원본은 여기. (하며, 창밖으로 USB 든 손 내민다) 원하면 와서 가져가.

위협적으로 그리 다가가는데!

지아가 창문에 걸터앉는가 싶더니 한 순간, 뒤로 몸을 던진다!

#57 이연의 집 / 앞 (밤)

아찔하게 추락하는 지아!
이연이 본능적으로 뛰어내려서 그녀를 받아 안는다!
그 밤하늘에 '보름달' 걸려 있다!
이연의 두 발 사뿐히 땅에 닿으면, 숨이 맞닿을 듯한 거리에 두 사람 얼굴!

지아 (질끈 감았던 눈을 뜨고) 역시, 사람이 아니었어.

지아의 시선 따라, 이연 등 뒤로 드러난 '아홉 개의 붉은 꼬리' 보인다!

이연 (분노로) 나를 시험한 것이냐.

지아가 서늘하게 웃어 보이면, 1999년 '그날의 뒷얘기' 짧게 보인다.

인서트 플래시백 4씬

이연이 두 눈을 가린 지아의 귓가에 속삭이던 장면.
'잊어라, 전부. 만약에 오늘 본 걸 잊지 않으면… 죽여 버릴 거야.'

지아 (이를 악물고) 나는, 너를, 기다렸어.

하고, 이연의 목에 주사기를 꽂아 넣는 지아!!
품에 안긴 자세 그대로, 팽팽히 서로를 노려보는 두 사람 모습에서!

1화 끝

2

나는 너를 기다렸다

#1 백두대간 (낮)

과거. 산신(山神)인 이연이 산 아래 굽어보고 서 있다. 그 곁에 집채만 한 호랑이.

이연(N) 이때로 말할 것 같으면 내 '리즈 시절'이었다.

가벼운 부채질로 바람 일으키면, 꽃잎 분분히 날리고, 새떼 일제히 날아오른다. 이어 대지를 적시는 시원한 빗줄기.

이연(N) 나는 백두대간의 주인이자, 비바람을 다스리는 산신이며, 전설의 고향에 나오는 잡종 여우들하곤 처음부터 격이 다른 구미호… '였는'데.

다른 날.
아름드리나무 아래서 낮잠 자는 이연의 머리를 '개처럼' 쓰다듬는 손.

이연이 설핏 눈을 뜬다. 한복 차림의 낯선 소녀(아음)다.

이연 (서늘하게) 죽고 싶으냐?

아음(아역) 이상하다? 우리 집 삽살개는 이렇게 하면 되게 좋아하는데.

이연 네 이놈!! (으름장) 내가 누군 줄 알고 감히.

아음(아역) 너 여우지? (손 내밀며) 나는 아음이야.

이연 !!!!

두려운 빛 하나 없이 그저 환하게 웃는 소녀.
햇살 탓이었을까. 문득 그 미소를 눈부시게 바라보는 이연이다.

이연(N) 딱 한번 과거를 AS 할 수 있다면, 나는 주저 없이, 이 순간으로 돌아가리라. (톤 바꿔서) 그 아이가, 절대 나를 찾지 못하게.

(시간 경과)
아음의 모습, 지금의 지아와 같은 얼굴로 성장해 있다.
그녀가 '이연'의 이름을 거듭 불러 온다.
한 날은 화창하게 웃으며. 여우비 내리던 어떤 날에는 붉은 우산 씌워 주며, 숨 멎을 것 같은 거리에서.
그렇게 둘이 함께한 아름다운 나날이 빠르게 스쳐 간다.

이연(N) 혹자는 말한다. '백두대간을 뒤흔든 희대의 스캔들'이었다고. 인간에게 마음을 내준 산신이라니, 지금 같으면 청문회 감이었지만, 난 아무래도 좋았다. 그녀가… 내 숲에 깃드는 것이 좋았다.

애타게 서로를 마주 보던 모습.
죽어 가는 아음을 마주한 이연의 모습으로 바뀐다. 무음으로 절규하는 이연.

이연(N) 짐작하다시피 이 러브 스토리는 비극으로 끝난다. '누군가' 그녀의 인생을 훔쳤다.

#2 삼도천 (낮밤 무관)
사공도 없는 거룻배, 아음을 태우고 삼도천을 넘어간다.
뱃전에 삼도천 노파가 뒷짐 지고 서 있다.
배를 따라, 정신없이 강가를 내달리는 이연. 배는 가뭇없이 멀어진다.

이연(N) 삼도천을 넘어가면 영영 다시 볼 수 없으리라. 잡을 수 없었지만, 차마 보낼 수도 없었기에 나는… '공권력'을 남용하기로 했다.

이연의 눈빛, 서슬 퍼렇게 변하면! 삼도천 얼어붙기 시작한다!
'덜컹-' 강을 질러가던 거룻배 멈춘다! '네 이노오옴!!!!!!' 노파의 일갈!

이연이 그 앞에 무릎을 꿇는다! 이어 아음을 마주하고!
'다시 태어나라. 내가 꼭 찾아낼 테니까.'
아음을 향해 나직이 날숨을 분다! 신비한 빛이 그녀 입으로 흘러들어 간다!
아음의 등 뒤로 '여우' 모양을 한 신비한 빛이 그녀를 감싼다!

#3 몽타주

시대를 바꿔 가며, 아음(지아)과 닮은 얼굴을 한 여인들이 나타난다. 애 업고 가는 남루한 한복 여인, 애절하게 붙잡았다가 돌아서는 이연.
승복에 고깔을 쓴 여인도 그녀는 아니었다.
경성의 닮은꼴에게 신비로운 연기 내뿜자, 담배 연기로 화답하기도.

이연(N) 몇 번인가 닮은꼴을 만나기도 했지만, 내가 준 여우 구슬은 없었다.

플래시백 1화 4씬
어린 지아에게 '아음, 아음이니?'
이연이 입에서 신비로운 연기 뿜어낸다. 그 연기, 곧장 사그라진다.
'아니구나. 넌… 그 아이가 아냐. 오늘 본 건 잊어라. 전부. 만약에 그렇지 않으면, 죽여 버릴 거야.'

플래시백 1화 엔딩

'나는, 너를, 기다렸어!' 하며, 이연의 목에 주사기를 꽂아 넣는 지아!!

이연(N) 그때 그냥, 죽여 버릴 걸 그랬나.

#4 이연의 집 / 거실 (밤)

이연이 가물가물 눈을 뜬다. 지아가 자신의 얼굴을 빤히 들여다보고 있다. '처음 만났을 때의 아음'처럼.

이연 (놀라서 벌떡) 죽고 싶으냐.

지아 목숨이 아까웠음, 여기 죽치고 앉아서 꽃차나 마시고 있었겠어? (식탁 위 찻잔 가리키는) 한 잔 할래?

이연 그 버라이어티한 사고를 치고, 다음 대사가 뭐? 차 한 잔?!

지아 (태연히 차 따르며) 원래 남녀가 그 정도 스킨십을 하면, 차도 마시고, 밥도 먹고 그러지 않나. 요새 지고지순한 캐릭터, 잘 안 먹히더라고.

이연 먹히든 안 먹히든, 본인이 아쉬운 쪽일 때는 자존심이나 자존감, 둘 중 하나는 내려놓고 오는 게 예의 아닌가.

지아 아쉬운 게 어느 쪽인지는, 끝까지 듣고 판단해.

이연 대신, 끝까지 내 생각이 변함없으면, 날 시험한 대가를 치르게 될 거다.

지아 대가?!

이연 네 눈. (사이) '보지 말아야 할 것을 본' 그 눈을 가져갈 거야.

지아 !!!!! (잠시 망설이다가) 콜.

긴장한 모습으로 찻잔을 내려놓는 지아.

#5 합동 장례식장 / 안팎 (밤)

허름한 장례식장에 등장하는 슈퍼 카.

검은 정장 차림을 한 이랑과 유리다. 차에서 내리려다 말고.

이랑 여우라고 광고할 일 있니?

유리 네??

이랑 꼬리.

유리의 등 뒤로 '새하얀 꼬리' 비죽 나와 있다.

'앗!' 유리가 귀엽게 웃으며 꼬리를 말아 넣는다.

중년 남자가 잽싸게 차문을 연다.

유리가 '버스 사고 유가족 분들 찾아왔는데요.' 하면, '세상에. 어떻게 이 누추한 곳까지.' 굽실거리며 둘을 안내하는 중년 남.

유리 이랑님, 재벌 딸내미는 조의금 얼마 내야 돼요?

이랑 우리가 여기 왜 왔니?

유리 (웃음 꾹 참고) 이랑님이 죽였으니까?

청년1 (조금 떨어진 곳에서, 이랑의 얼굴 확인하듯 본다)

이랑 저분들 불행을 구경하러 왔지. 좋은 걸 감상할 때는, 성의껏 값을 치러야 되지 않을까?

유리 (5만 원 뭉치 꺼내 들며) 그럼 나 이만큼 내고, 밤새 구경할래요.

#6 이연의 집 / 거실 (밤)

지아가 굳은 얼굴로 입을 열기 시작한다.

지아 (얼굴을 빤히) 똑같아. 21년 전이랑.

이연 내 동안의 비결이 궁금한 건 아닐 테고.

지아 넌 뭐야?

이연 (태연히) 구미호.

지아 (눈 빛내며) 사람으로 둔갑한 여우였구나!

이연 무슨 리액션이 이렇게 성의 없어? 무릇 인간이라면 스크림 정도는 나와 줘야… (하는데)

지아 아니, 있을 줄 알았어. 이 세상 어딘가에, 너 같은 존재가. 내 손으로 잡으려고 괴담 프로에 뼈를 묻었고.

이연 (미소로) 네가 잡은 건지, 잡힌 건지는, 본론을 듣고 판단해 보자고.

지아가 자세를 고쳐 잡는다.

지아 21년 전 여우고개. 우리가 마주친 그날, 무슨 일이 있었던 거야?

이연　(이죽거리는) 피 냄새를 맡고 갔다가, 어린앨 하나 구했는데, 이제 보니 그 애가, 은혜를 원수로 갚으려고 하네?

지아　(!!!) 나를 구했다고? 왜…

이연　내가 아는 애랑 닮아서. 뭐 착각이었지만.

지아　우리 엄마 아빠는?

이연　(심드렁) 죽었겠지, 뭐.

지아　시체도 안 나왔어. (간절히) '당신'이, 내가 쥔 유일한 단서야. 제발….

이연　(짠하다는 듯 쯧쯧) 부모를 잃어버렸구나. 근데 어쩌나. 미안하지만, 댁의 어린 시절 추억 같은 거, 관심 없는데?

지아　미안하지만, 세상에 알려지면 곤란하겠지?

도발하듯 펼친 손바닥에 USB 보인다.

지아　예정대로면, 다음 주 수요일 밤에 방송을 탈 거야. 반반한 그 얼굴, 모자이크 없이 생생하게.

이연　뭐 하자는 플레이야?

지아　힘으론 안 돼. 보아하니까 법이 통할 상대도 아니고. 근데, 난 절박해.

이연　근데 어쩌지? 난, 진부해.

가볍게 손짓하면, 지아의 '한쪽 눈' 순식간에 하얗게 멀어 버린다!!!

지아 (충격으로 작게 신음하는) 아…

이연 (담담하게) 자고로 협박은 힘 있는 놈이 하는 거야. 이렇게. (하며, 다른 쪽 눈을 향해 손짓하려는 순간!)

지아 틀렸어.

이연 ??!

지아 난 협박 아니고 '도박'이었거든.

하고, 주저 없이 자신의 찻잔에 USB 던져 넣는다!

지아 여우는 은혜를 입으면 꼭 갚는다며?

이연 !!!!

지아 (단호히) 당신이 사람이든 여우든, 뭐든 상관없어. 내가 보고 들은 건, 전부 다 지울 거야. 단, 내 부모를 찾은 후에.

'한쪽 눈으로' 한 치의 물러섬 없이 이연을 본다.
팽팽히 그 시선을 받던 이연, 이내 못 말리겠다는 듯 쓰게 웃는다.

#7 합동 장례식장 (밤)

중년 남, 상주들에게 유리 소개한다. 유리가 '얼마나 상심이 크세요.' 예의 바르게 인사하고, 조의금 봉투 챙긴다.
이랑이 조금 떨어진 곳에서, 자신이 만든 비극의 풍경을 감미롭게 바라보는데.

청년1이 다가와서.

청년1 당신이 왜 여기 있어?

이랑 누구시더라?

청년1 모즈백화점. 기억 안 나?!

이랑 (반가운 듯) 아, 맞다.

#8 <플래시백> 백화점 / 간이 분수대 (낮)

'소원을 빌어 주세요.' 적힌 간이 분수대. 분수대에 동전이 수북이 쌓여 있다.

청년1이 동전 꺼내 들고, 애타는 얼굴로 뭔가를 빈다.

막 동전 던지는데, 뒤에서 누가 지나가며 팔을 '툭' 친다.

동전은 분수대 못 가서 떨어진다. 돌아보면 이랑이 당황한 표정으로.

이랑 미안해요.

청년1 괜찮아요. (하고, 다시 주머니 뒤적이는데, 동전이 없다)

이랑 (손바닥에 한 움큼 동전 보여 주며) 여기요.

청년1 (하나 집는) 고맙습니다.

하고, 분수대 겨냥하면, 이랑도 그 옆에서 성의 없게 동전을 던진다. 던지는 족족 골인이다. 청년1, 신경 쓰이는 듯 그쪽을 한 번 보고, 동전을 던진다. 빗나갔다.

이랑이 친절하게 동전 건네준다. '감사합니다.' 하고, 자세 잡으면.

이랑　무슨 소원 빌었어요?

청년1　그쪽은요?

이랑　(그리운 듯) 형이 하나 있어요. 우리 형… (동전 정확히 던져 넣고) 남은 인생, 너덜너덜해지면 좋겠다.

청년1　?!!

이랑　진짜 나쁜 새끼거든요. 안 보고 살면 좀 괜찮아질 줄 알았는데, 아냐. 내가 밤에 잠을 못 자. 그래서 그냥 쭉 질척대려고요. 둘 중 하나가 죽을 때까지. (하고) 뭐 빌었어요?

청년1　(살짝 경계심 풀린) 저는… 여자 친구랑 결혼하게 해 달라고.

이랑　(김새는) 되게 소박하다.

청년1　엄마 아빠가 죽어도 허락을 안 하시거든요.

이랑　(눈 빛내며) 어머, 내가 도와줄까요?

청년1　그쪽이 뭔데요?

이랑, 시선은 청년한테 둔 채, 보지도 않고 동전을 던진다.
그런데! 정확히 분수대에 꽂히는 동전!

이랑　(싱긋) 기적이랄까, 뭐랄까.

청년1　!!!!

#9 합동 장례식장 (밤)

이랑이 청년1에게 다정히 말한다.

이랑 아무튼 결혼 축하해요. 이제 반대하는 부모도 없고.

청년1 혹시 당신이 그랬어?! (격하게) 당신이! 우리 엄마 아빠…

이랑 (말 자르며) 설마요. 상상력 너무 풍부하시다.

청년1 그…그 동전은 뭐야?!

이랑 운이 좋았겠죠. 나도, 당신도.

하고, '씩-' 웃는다. 광기 어린 그 미소에, 청년1의 눈에 공포가 서린다.

#10 아이스크림 가게 (밤)

이연이 차가운 표정으로 아이스크림 먹고 있다.

맞은편에 앉아 '빈 마취제 병' 들고 안절부절못하는 신주.

이연 그 여자가 갖고 있던데.

신주 세상에! 마취제라니… (흥분해서 벌떡) 이건 엄연히 살인미숩니다!!

이연 앉아. 오버하지 말고.

신주 네, 앞으론 소지품 간수 잘 할게요. 근데요. 왜 '기억'이 안 지워졌을까요, 피디님?

이연 드물긴 한데, 이쪽 스킬이 잘 안 먹히게 패치된 인간들 있잖아. 옛날 무녀들 같이.

신주 근데도, 그냥 보내 주셨다고요? '눈'도 돌려주고?!

이연 뭐 룰은 룰이니까.

신주 따박따박 은혜 갚는 까치도 아니고. 우린 언제까지 그런 전근대적인 계약 관계에 얽매여야 하는 겁니까.

이연 '갚을 건 갚는다.' 올드한데, 낭만적이잖아. 여우의 품격이기도 하고. (하고, 아이스크림 먹는다)

신주 저주이기도 하죠. 은혜를 크게 입으면 입을수록, 우릴 꼭두각시로 만들어 버리는 주문이니까. (조심스레) 마음에 걸리세요? 아음 아가씨랑 닮아서….

이연 수백 년 동안, 닮은꼴은 몇 번이나 만났다.

신주 그분들 돌아가실 때까지, 제가 쭉 지켜봤죠.

이연 여우 구슬은 없었어.

신주 (훌쩍) 하늘도 참 무심하시지….

이연 (부러) 신주야. 그렇게 아들 군대 보낸 엄마 같은 표정 짓지 마. 되게 못생겨 보여.

#11 지아의 집 (밤 → 낮)

지아가 방울토마토 그릇 끌어안고 앉아, 오래된 영상을 보고 있다. 엄마가 홈비디오로 찍은 거친 화면.

지아네 집 마당이다. 곳곳에 색 고운 꽃들 피어 있다. 옆에 '김밥' 접시 놓여 있고. 지아(아역)가 지금과 비슷한 자세로 앉아서 '큐브'를 맞추고 있다.

어마어마한 속도로 큐브를 완성한다.

옆에서 시간 재던 아빠가 '58초!' 외친다.
지아가 배시시 웃으며 큐브 내민다. 아빠가 큐브 흩뜨려 주면 다시 맞추기 시작.

엄마(E) 지아야, 아빠랑도 좀 놀아 줘라.
지아(아역) (빠르게 손 놀리며) 아빠 기록 깰 거야.
아빠 과연 그렇게 될까?

지아의 팔에 장난스럽게 개미 올려놓는 아빠.
'으아!!' 소스라치며 큐브 던져 버리고, 아빠 품을 파고든다.

지아(아역) (카메라 보고 이르는) 엄마!!
엄마(E) (터져 나오는 웃음 참으며) 두 분 페어플레이 하세요.
아빠 아빠가 잘못했어. (김밥 쏙 입에 넣어 주는) 내 마음이야. 받아 주라.
지아(아역) ('치-' 하다가, 맛있게 오물오물)
아빠 (엄마에게 접시 들고 다가오는) 우리 여보도, 맛있는 내 특제 김밥.

영상 보는 지아, 눈가 촉촉한 채로 토마토 먹으며, 실없이 웃기도.

엄마(E) 자기야, 카메라 의식하는 거 엄청 티 나거든?
아빠(E) 티 많이 났어?

지금과 달리 '어린 지아'의 얼굴, 마냥 행복해 보인다.

화면 가득, 지아(아역)의 환한 미소에서, 화면 조정 중인 영상으로 바뀐다. 집 안에는 '치지직-' 하는 TV 잡음 뿐.
지아가 촉촉해진 눈 훔치고, 리모컨 찾아든다.
그런데 막 TV를 끄려는 순간! 화면에 나타난 '부모' 모습!!!
놀라서 토마토 그릇 떨어트린다!
화면 속 두 사람, 표정 없는 얼굴로 이쪽을 바라보고 있다.
'엄마?! 아빠!' 믿기지 않는 듯 불러 본다.
엄마가 '공처럼 생긴 둥근 물체'를 안고 있다. 그것을 '툭' 떨어트리면. TV 밖으로 통통 튀어와 지아 발치에 멈춘다!
조심스럽게 그것을 잡아든다. 그러자 검은 실이 잔뜩 돋아나는가 싶더니… 이내 '사람의 머리'로 바뀐다! '악!' 외마디 비명 내지르면!!
소파에서 영상을 보다, 잠시 잠들었던 모양새로 깨어나는 지아! 날은 이미 밝았고, TV는 꺼져 있다.
'꿈이었구나!!' 섬뜩한 악몽의 여운으로 숨을 고른다.

#12 내세 출입국 관리 사무소 / 앞 (낮)

이연이 커피를 사 들고 나타난다. 어깨에 우산을 메고 있다.

#13 내세 출입국 관리 사무소 / 브리핑 룸 (낮)

노파가 뒤에서 지켜보는 가운데. 현의옹이 '지옥도' 그려진 파워포인트 띄운다. 손님들은 '1화의 버스 사고 사망자들'이다.

현의옹 여러분은 여우고개에서 버스 사고로 사망하셨어요. 그건 저승 사자들이 충분히 브리핑했을 테니 중략하고. 여러분은 이제부터 저승 시왕들을 뵙고, 살아생전 죄의 무게를 심판 받아요.

망자들 (두려운 얼굴로 웅성)

현의옹 쫄지 마세요. 착하게 살았으면 쫄릴 거 하나 없어요. 염라대왕 아시죠? 저기 계신 제 와이프가 염라대왕 누이에요.

노파 (싸늘하게 보는)

현의옹 무섭지 않잖아요? (하핫) 저는 무서워요.

노파 (혼잣말처럼) 저놈의 영감탱이, 혓바닥에 쟁기질을 해 버릴라.

누군가 노파를 '툭' 친다. 이연이다. '나 좀 봐.'

#14 방송국 / 로비 (낮)

지아의 출근길. 젊은 청원 경찰이 '안녕하세요, 피디님?' 깍듯하게 인사한다. 가볍게 인사 받고. 지아는 통 잠을 못 잔 얼굴로 작가와 통화 중이다. '나 일층인데, 커피 마실 사람?'

#15 내세 출입국 관리 사무소 / 노파의 사무실

이연과 노파, 마주 앉았다. 노파가 이연이 사 온 커피에 입을 대기 무섭게.

이연 아음이, 다시 태어났어?

노파 !!!!

이연 맞구나?

노파 (일부러 쌀쌀하게) 이제와 찾아서 뭘 어쩔 건데?

이연 복수하려고. 덕분에 병역의 의무가 어언 600년…

노파 거짓말은 팔열지옥이다. 지옥 불에 바비큐 돼 볼래?

이연 싫어. 남잔 머리빨이야.

노파 한때는 산신 노릇하며 날고 기던 놈이 어쩌다….

이연 추억팔이 작작하고. 어디야?

노파 낸들 아니?

이연 할멈의 '천리안'은 세상일 훤히 내다볼 수 있잖아. 혹시 말야. '그때 그 얼굴'로 태어날 수도 있나?

노파 환생은 원래 랜덤이야. 사내아이가 아니길 기도하지 그래?

이연 오 마이 갓. (하다가 진심으로) 남자든 여자든, 미녀든 추녀든, 하다못해 인성 쓰레기라도 괜찮아. '환갑'만 안 넘었음.

노파 환갑이래도 네놈에 비하면 갓난아기야.

이연 싫어. (시선 피하며) 금방… 죽어 버리면 어떡해. 겨우 만났는데.

#16 방송국 / 로비 엘리베이터 (낮)

지아, 작가, 재환이 커피를 손에 들고, 엘리베이터에 오른다. 함께 탄 앞 씬의 청원 경찰, 핸드폰으로 로또 용지 맞춰 보느라 정신없다.

작가 얼굴이 왜 이렇게 푸석푸석해?

지아 시체 봤어, 꿈에서.

작가 직업병이네.

재환 근데요. 저도 어제 꿈에 어떤 여자가, 검은 소복을 입고 막 '엉엉' 소름끼치게 우는데.

작가 처녀 귀신?!

재환 아뇨, 그게 '작가님'이었어요.

작가 진짜 나였어?

재환 네. 왜요?

작가 (살짝 굳은 얼굴로) 나 '이빨 빠지는 꿈' 꿨거든.

재환 엄마야! 그거 안 좋은 꿈 아녜요?!!

지아 넌 귀신도 안 믿는단 애가 미신은 되게 열심히 믿네? (작가에게) 얘 말, 신경 쓰지 마. 이빨 빠지는 꿈은 '재물 운'을 뜻하기도 한대.

작가 다행이다!

작가 안도하는데, 뒤에서 듣던 청경이.

청경 작가님, 그 꿈 저한테 파시면 안 돼요?

작가 네??

청경 (로또 용지 보여 주며, 수줍게) 로또 사려고요.

#17 내세 출입국 관리 사무소 / 노파의 사무실 (낮)

말없이 이연을 바라보던 노파, 진지한 얼굴로 입을 연다.

노파 연아.

이연 (보면)

노파 찾지 마라.

이연 뭐?

노파 그것이, 또 한 번 네 운명을 뒤집어 놓을 거다.

이연 상관없어.

지체 없이 자리를 털고 일어선다.

이연 남편 작작 갈구고, 배달 음식 좀 줄이셔. 아, 이건 오다 주웠는데.

노파 (받아서 보면 '립스틱'이다) 입술연지?

이연 (그새 나가며) 나 당분간 못 온다.

립스틱 손에 들고, 안타깝게 이연의 뒷모습 보는데.
이연이 돌아보며 '아, 민원 하나만 해결해 줘.'

#18 방송국 / 사무실 (낮)

지아가 이연에게 걸려 온 전화를 받고 있다.

지아 우리 부모님… 사주? (주위 살피는) 아, 문자로 보낼게.

곧바로 이연의 답장. '일단 좋은 소식도, 나쁜 소식도 아님.'

초조해진 얼굴로 급히 메시지 보낸다. '우리 좀 만나!'
이연에게서 '오후 1시, 한식당 우렁각시'

#19 한식당 우렁각시 / 외경 (낮)

지아가 살짝 긴장한 얼굴로 식당 찾아든다.

#20 한식당 우렁각시 / 카운터 (낮)

어딜까 두리번거리는데, 여사장이 말을 건다.

우렁각시 이연님 찾아왔죠? (안내하며) 이쪽이에요.
지아 감사합니다.
우렁각시 복 받으셨네요.
지아 네?
우렁각시 (빙긋) 사람을 데려온 건, 처음이시거든요.

'무슨 뜻일까.' 의아한 얼굴로 사장을 한 번 보고, 내실로 향한다.

#21 우렁각시 / 내실 (낮)

테이블에 한정식 차려져 있다. 이연은 이미 식사 중이다.

이연 (무심하게) 왔어?

지아 (앉자마자) 그… 아까 물어본 사주 말이야.

이연 명부에는 없어.

지아 그게 무슨 뜻이야??!!

이연 '망자'가 아니란 거지. 그쪽 부모.

지아 (!!!!!) 살아 있다고? 어디에?!

이연 (어깨 으쓱) 그것까진 내가 모르고. (태연히 식사하는) 좀 들지? 그쪽이 사는 건데.

지아는 젓가락에 손도 못 대고, 감정을 추스른다.

이연 (먹으며 놀리듯) 하긴, 입맛이 확 도는 얘긴 아니지?

지아 아니, 고마워… 충분히. (하고, 애써 묵묵히 밥 먹기 시작한다)

이연 (슬쩍 보다가) 괜찮은 거 맞나?

지아 (북받치는 감정 누르며, 씩씩하게) 내가 찾을 거니까. 살아 있을지도 모른다고 했는데. 아무도 안 믿어 줬거든. 아무도.

이연 (좀 의외라는 듯 보면)

지아 마취제 일은 미안했어. 진심으로.

이연 사과할 줄도 아네.

지아 내가 생각해도 진상이야. (피식) 이해해 달란 말은 안 할게.

이연 아니, 이해할 수 있어. 나는.

이번에는 지아가, 의외란 얼굴로 이연을 빤히 본다.

#22 동물병원 (낮)

신주, 어린 강아지의 앞발을 쥐고, 비밀스런 얘기 나누듯 속닥이고 있다.
보호자가 걱정스런 얼굴로 나타나서.

보호자 맞죠?! 장염이죠?!
신주 보호자님, 어제 떡볶이 시켜 드셨어요?
보호자 네? 네!
신주 남은 떡볶이 훔쳐 먹었어요.
보호자 그거 매운 맛 5단곈데! 콩이야!!
신주 설사약 처방해 드릴게. 오늘 하루는 굶기고, 물이랑 약만 먹이세요.
강아지 (신주를 향해 '깡깡-' 짖으면)
신주 (강아지한테) 스읍- 개기지 마시고요. 당연히 간식도 안 돼요.
보호자 근데, 딱 보면 뭐 먹었는지 나와요?
신주 저는 얘네들 말을 알아들을 수 있거든요.

#23 우렁각시 / 내실 (낮)

지아, 밥 먹는 이연을 말없이 바라보다가.

지아 실례지만 말이야.
이연 실례되는 질문은 사절이야. 특히 '프라이버시' 관련.
지아 오케이. 질문 바꿀게. 세상에, 너 말고 여우가 또 있는 거지?

이연 (말없이 냅킨 들어 입가를 닦으면)

지아 (긍정의 의미구나) 설마! 다들 사람 모습을 하고?!

이연 이 도시를 전전하고 있지. 니들과 똑같이, 부동산 대란이며, 작금의 경제 위기를 걱정하면서.

지아 !!!!

#24 동물병원 (낮)

강아지 보호자가 지갑을 꺼내 든다.

신주 혹시 결제는?

보호자 여기요. (하면서, 카드 내밀면)

신주 (그 어느 때보다 환한 미소로) 현금으로 하시면 DC 해 드릴게요.

#25 우렁각시 (낮)

지아와 이연, 식당을 막 나서고 있다. 지아는 살짝 흥분했다.

지아 그럼 신돈 말야. 고려 승려 신돈이, 여우란 게 팩트야?!

이연 (대답 대신 어깨를 으쓱)

자막 『고려사』에는 공민왕 때의 승려 '신돈'이 늙은 여우라는 기록이 나온다.

지아 오 마이 갓.

이연 (카운터 앞에서) 계산.

지아 (우렁각시에게 카드 내밀며) 다른 건?! 여우 말고, 다른 것도 있어?

이연 있지. 대체로 니들이 상상도 못하는 곳에.

우렁각시 (의미심장한 미소로 이연에게) 오늘은 식사 어떠셨어요?

이연 괜찮네.

#26 방송국 / 사무실 (낮)

팀장이 시계를 보고 일어나서 우렁차게.

팀장 밥 먹자. 한식당 우렁각시!

재환 어우 삼계탕 지겨운데. 메뉴 좀 바꾸면 안 돼요?

팀장 삼계탕에 인삼주 한 잔 딱 하면, 이 삼복더위에 얼마나 몸에 좋겠니?

작가 솔직해지세요. 거기 사장님한테 마음 있으시죠?

팀장 김 작가 미쳤어?! (쿨럭) 그 집이 재료를 다 국내산으로만 써서 그래!

그 속을 다 안다는 듯 웃는데, 작가의 핸드폰 울린다.
재환이 '무슨 전화예요?' '엄마가… 돌아가셨대.' 하며 주저앉는 작가!

#27 방송국 / 앞 (낮)

지아와 이연, 나란히 걷고 있다. 이연이 방송국 앞에 멈춰 서서 시원스레.

이연 자, 여기서 헤어집시다. '다시는' 만날 일 없었으면 좋겠네?

지아 왜?!! '우리 부모님, 어딘가에 살아 있다' 그걸로 끝이야?

이연 첫째, 나 그렇게 한가한 놈 아냐. 둘째, 피치 못해서 섞여 살고 있지만, 네가 속한 세상이랑, 내가 속한 세상은 엄연히 달라.

지아 알아, 아는데…

이연 (말 자르며) 옛날에도 '세상의 비밀'을 엿본 사람들이 있었어. 대부분 미쳐 버리거나, 명(命)을 단축했지.

지아 상관없어! 걸리적거리지 않을게! 내 앞에서, 사라지지만 마.

지아가 이연의 옷깃을 붙든다.
그때, 지아의 전화벨 요란하게 울린다.
'재환아, 내가 지금 전화 받기가 좀…' 하다가 얼굴 굳어진다.

지아 (끊고) 동료가 상을 당했대. 이빨 빠진 꿈을 꿨다더니.

이연 꿈?

지아 나도, 후배도, 다들 악몽을 꿨거든.

이연 '전염성 있는 악몽'이라… (잠깐 생각에 잠겼다가) 진짜 보고 싶어? 내가 사는 세상?

#28 방송국 / 복도 (낮)

잠시 후, 지아가 아까의 '청원 경찰'과 함께 스튜디오 향하고 있다.

청경 3번 스튜디오 맞으세요?

지아 네, 분명히 거기다 장비를 두고 왔는데, 없네요.

두 사람, 스튜디오 앞에 멈춰 선다.

#29 방송국 / 스튜디오 (낮)

청경이 손전등을 들고, 안으로 들어선다. 안은 어둡고, 인기척 하나 없다. 지아가 따라 들어오며, 슬그머니 문 닫는다.
청경, 손전등 비추며 물건을 찾는다. 구석에 놓여 있는 삼각대 보인다. '피디님 혹시 이건 가요?' 삼각대 들고 돌아보면.
지아가 실수인 양, 주머니에 있던 '동전들' 쏟아 낸다.
쏟아지는 동전을 보고 청경의 눈빛 돌변한다!
본능적으로 엎드려서 동전들 집어 삼키기 시작!!
지아가 겁에 질려 뒷걸음질 친다! '뭐야, 저거…!!'
그 소리에, 청경이 고개를 '번쩍' 든다! 짐승처럼 달려든다!
그 순간! 번개 같은 발길질로 놈을 후려치는 이연!
'이연?!!!' 이연을 알아본 청경이 주춤하나 싶더니, 이내 무섭게 덤벼든다!
짧은 몸싸움 끝에 청경 쓰러진다!

이연 너, 언제 출소했냐? (그 손을 꾹꾹 밟고) 네 입으로 손 씻는다고 했어, 안 했어?!

청경 아악!! 나는 아무 죄도 없어요!!

이연 그래? 그럼, 나만 나쁜 놈이네? (하고, 우산 손잡이 칼 꺼내 들면)

청경 (싹싹 비는) 살려 주시오!!

이연 (칼끝으로 심장 겨누며) 그래야 될 이유, 하나만 대 봐.

청경 (바들바들 떠는데)

이연 없으면 죽어. (하고, 칼 손잡이에 힘을 준다!!)

청경 악!! 그짝 동생이 알려 줍디다! 여기 오면 배불리 먹을 수 있다고!

이연 이랑. 그놈이?!

지아 (충격 받은 얼굴로) 저 사람… 뭐야?!

이연 불가살이.

자막 불가살이(不可殺伊) - 세상이 어지러울 때 나타난다는 전설 속 동물

지아 불가살이? 전설에서 '악몽을 먹고 산다'는 그거?!

이연 (끄덕) 그래서 방송국같이 사람 많은 데를 좋아하고. (동전 한 개 들어 보이며) '쇠'를 먹이면 정체를 드러내.

찰나! 쓰러져 있던 청경이 지아의 발을 낚아챈다!
무서운 기세로 놈에게 끌려가는 지아!
지아를 방패 삼아 이연을 위협한다! 그런데 이연은 표정 하나 변화 없다!

이연 (팔짱 끼고 다가가며) 자, 여기서 질문.

청경 오지 마!!

이연 너한테 하는 말 아니거든? (하고) 거기 '인질' 분 대답해 봐. 이 타이밍에 나한테 걸리적거리는 거 말고, 뭘 할 수 있지?

지아 (!!) 나는… (할 말을 고르는데)

이연 (말 자르며 단호하게) 넌, 아무것도 못 해.

순식간에 청경의 팔 꺾어 버리고, 놈을 제압하는 이연!
청경은 기절한다! 축 늘어진 청경의 팔 붙잡고, 지아에게 차갑게.

이연 네가 속한 세상으로 돌아가. 어둠에 길들여진 인간은, 인간도 뭣도 아닌 존재가 된다.

그 단호함에, 지아도 차마 이연을 붙잡지 못한다.

#30 서해 바다 (낮)
드넓은 서해 바다. 선장과 선원 셋을 태우고 조업 중인 작은 고깃배 보인다.

자막 서해 앞바다 장산곶

나이 지긋한 선원1, 2와 젊은 선원3.

선원1은 한쪽에서 담배를 비벼 끄고, 선원2, 3은 그물을 턴다.
선원3이 생선 골라내다 말고, 미역을 털어 미역귀 베어 문다.

선원1 (혀를 차며) 뱃일도 못 하는 놈이 배 창시는 따박따박 고픈갑다.
선원3 (불퉁해서) 벌써 점심 때 한참 지났소. 속 비면 멀미 난단 말이요.
선원1 저 느자구 없는 놈, 언제 뱃놈 구실 할라나.
선원2 딱 자네 거시기 짝이구먼. 흐흐.
선원1 야, 이 썩을!!

선원1, 2가 마주 보고 낄낄댄다.
그런데! 볼멘 얼굴로 미역뭉치 잡아 올리던 선원3 소스라 친다!!
손에 잡힌 물체, 미역이 아니라 '사람 머리카락'이다!! 놀라서 던져 버린다!
백골이 된 사람 머리, 숱 많은 더벅머리가 미역처럼 나부낀다!

선원3 (혼비백산해서) 미역!! 미역이 사람!! 성님, 시체요!! 시… 읍!!
선원2 (그 입 틀어막고) 입 조심해! 배에선 시체란 말 입에 담는 거 아녀!
선원1 (조타실에 대고 익숙하게) 선장님!! '야인'이요. 야인이 왔구먼요.

자막 야인 - 바다에서 발견된 시체를 가리키는 뱃사람들만의 은어

선장 정중히 뫼셔라.
선원1 예. (하며, 소주와 종이컵을 찾는다)

선원3 (겁에 질려서) 저걸 싣고 간다고요?! 그냥 던져 버립시다.

선원2 야인을 만나면, 육지로 모시는 게 바닷법이다. 안 그럼 물귀신이 돼 갖고 배를 쫓아온다 안 하냐.

선원3 미신이잖아요!

선원1 (뒤통수를 '빡-' 갈기며) 미신?! 화의도 놈들이, 그 짓거리 했다가 어장 싹 말아먹은 거 모르냐?

선장, 백골 머리 앞에 소주잔 두고 '난바다에서 고생하셨소.' 소주를 채운다. 그러다 멈칫. 얼굴 자세히 들여다본다.
치아에 '독특한 모양의 금니' 두 개 번쩍인다.

선장 이 앞니, 이거 금이빨 때려 박은 모양이… 서 씨 아냐?!

그 소리에 선원들 '진짜 물귀신'이라도 본 듯한 모양으로 굳는다!

#31 허름한 갈매기살집 (밤)
백 형사가 혼자 앉아 고기를 구워 먹고 있다.

지아 (앉자마자 빠르게) 머리, 누구 거야? 신원 나왔어?

백 형사 밥 좀 먹고 하자. 나 오늘 첫 끼다. 대한민국 사건 사고는 다 쑤시고 다니냐?

지아 이번엔 '사적인' 이유야.

백 형사	사적인 이유? (하다가) 너 설마, 아직도 너네 부모님 찾아다니니?! 남지아, 정신 차려.
지아	용건만 하자. 잔소리는 킵 해 놔.
백 형사	(분위기 파악하고) 이번엔 발로 뛰어야겠다. 머리 주인은 찾았는데. 그 사건, 해경이 가져갔어.
지아	사인은?
백 형사	아직. 피해자 신원은 나왔다더라.
지아	누구야?

#32 선착장 (밤)

선원들이 백골을 구급 대원들에게 인계한다. 백골은 방수포로 덮여 있다.

지아 또래의 젊은 여자, 거기 매달려서 통곡한다. 애간장 끊어지도록 '아빠!!' 주위에서 여자 만류하면서, 구급차 멀어진다.

여자, 주저앉아서 서럽게 우는데, 누군가 손수건 건넨다. '이랑'이다.

#33 이연의 집 (밤)

이연이 가운 차림으로 책을 읽으며, 에스프레소 머신에서 커피를 내린다.

커피 홀짝이는 것도 잠시, 이랑의 경고가 머릿속을 헤집는다.

인서트 플래시백 1화 54씬

'다음 그믐까지 못 찾으면 네 여자는 죽는다.'

이연 (벌떡 일어나 냉동실 문 열며) 아직도 고민 중이야?

아까의 '청경'이 냉동실 안에 반쯤 얼어붙은 채, 오들오들 떨고 있다.

청경 살려 주시오!!

이연 살려 준다니까? 말을 하라고, 걔 어디 있는지.

청경 나는 모르오.

이연 너 이렇게 고지식한 타입이었니? 그래놓고 21세기를 살아가겠다고?

청경 이래 죽으나, 저래 죽으나 마찬가지요.

이연 이랑이 그래? 내가 걔보다 싸움 잘하거든? (청경 핸드폰 주며) 걸어.

청경 (들고 망설이는데)

이연 생각 바뀌면 얘기해. (하고, 냉동실 문을 툭 닫으면)

청경 (문 사이에다 발 끼우고) 할게요!! 하면 되잖소!

잠시 후 '외출복'으로 갈아입은 이연이 거울을 보고 나갈 채비를 한다. 한쪽에서, 청경이 이랑과 통화하는 목소리.

청경 예예, 전데요… 그게 일이 좀 틀어졌어요.

#34 횟집 (밤)

밤바다 보이는 횟집. 이랑이 해산물에 술을 마시고 있다. 소주 한 잔 쓰게 비우고 잔 내려놓으면, 눈앞에 이연이 앉아 있다.

이연 술 마시고 있었어? (잔 뺏어 들고) 나도 한 잔 주지?

이랑 아까 그 전화, 너였냐?! 어쩐지 목소리가 좀 싸하더라니.

이연 (안주 집어먹고) 너 많이 컸다? 비린 건 입에 대지도 못 하던 게.

이랑 여유 있는 척 하기는. 이 밤에 허겁지겁 여기까지 온 거 보면, 어지간히 마음 급하신 모양인데?

이연 (대꾸도 않고 소주 마신다)

이랑 (도발하는) 내 말 맞지, 그 여자 다시 태어났지?

이연 (무표정으로 보면)

이랑 (놀리듯) 죽었게, 살았게?

이연 (흔들림 없이) 살아 있어. 죽일 생각이었으면, 내 앞에 시체부터 갖다 놨겠지. 게다가 '내기'라면 환장하는 놈이, 이런 이벤트를 포기할 리가 있나.

이랑 근데 '소중한 이벤트 경품'에 기스가 난다면?

이연 (서늘하게) 털 끝 하나만 건드려 봐.

이랑 건드리면 어쩔 건데? (눈을 빛내며) 말해 봐. 나 설레 죽어.

이연 너 그거 애정 결핍이야. 왜 몰라? 브라더 콤플렉스.

이랑 (흥분해서) 닥쳐! 다 너 때문이잖아!

이연 왜죠?

이랑 고작 '인간 여자' 하나 때문에, 산신의 지위를 버리고! 산을 등지고! 그리고!

이연 그래… '너'를 버렸다.

이랑이 새삼 상처 받은 얼굴 감추며, 무섭게 형을 노려본다.

이연 네가 듣고 싶었던 말이 그거 아냐?
이랑 꺼져. 내 눈앞에서 당장.
이연 삐졌니?
이랑 (무섭게 멱살을 잡고) 장난은 여기까지야. 여잔, 내 손에 있고.
이연 버르장머리 하고는. (가볍게 힘을 줘서 그 손 풀어 버리고, 일어서며) 일찍일찍 다녀. 과음하면 속 아야 하니까 술 작작 먹고.
이랑 미친놈. 여자가 어디 있는지 알기는 하고? 가르쳐 줄까 말까?
이연 필요 없어. 넌 집 놔두고 여기 와 있고, 오늘 이 동네에서 사건 사고가 난 곳은, 딱 한 군데밖에 없더라?

이연 사라지면, 굳었던 이랑 얼굴에 심술궂은 미소 떠오른다.

#35 지아의 집 (밤)
지아가 짐을 꾸리며 재환과 통화 중이다.

지아 아니, 혼자 가도 상관없어. 어차피 헌팅 차원이라.
재환(E) 장비는 다 챙기셨어요?
지아 (카메라 확인하며) 응, 넌 김 작가 잘 챙겨 주고, 장례식장 잡히는 대로 연락 줘. (하고, 전화 끊는다)

마지막으로 벽에 붙은 '부모 실종 기사' 챙겨 넣는다.

#36 백화점 / 횟집 (밤)

유리가 백화점에서 쇼핑 중이다. 이랑에게 걸려 온 전화 교차 된다.

유리 (전화 받고) 정말요?! 이연이 미끼를 물었나 보죠? 근데, 그렇게 까지 해야 되나? 그냥 죽여 버리면 되잖아요.

이랑 (다정하게) 그럼 너도 나한테 죽어.

유리 너무해.

이랑 가족이잖아, 그놈은.

유리 (시무룩해서) 난 가족이 없어서 잘 모르겠어요.

이랑 돈 많은 엄마 아빠, 내가 선물해 줬잖아.

조금 떨어진 곳에 잘 차려입은 부부. '모즈백화점 회장 내외'다. 아버지가 유리를 보며 환하게 웃는다.

유리 저것들은 사람이잖아요. 나도 갖고 싶다. '진짜' 가족.

이랑 바보야. 혈육이라고 다 가족이 아냐. 진짜 가족은, 서로를 꾸준히 난도질하면서 완성해 가는 거지. 노력을 해야 돼. 나처럼.

#37 여객선 (낮)

작은 규모의 여객선이 물살을 헤치며 나아간다.
이연이 복잡한 얼굴로, 바다를 보고 서 있다.
화면 넓어지면, 옆에서 이연의 얼굴 요리조리 들여다보는 지아.

지아 아깐 몰랐는데 (이연의 목 가리키며) 설마 그거 귀미테야?
이연 (성가신 듯 감추면)
지아 누굴 찾으러 간다고? 사람? 아니면 여우?
이연 각자 개인플레이 합시다.
지아 말해 봐. 내가 직업이 직업인지라, 사람 찾는 덴 일가견이 있으니까.
이연 극구 사양할게. 그러는 댁이야말로 왜 하필 여긴데?! 이산가족 찾기는 어쩌고.
지아 그래서 말인데 '불가살이'인가 하는 그 전설 속 동물이 보여주는 꿈은, 다 사실이야?
이연 사실과 거짓이 교묘하게 섞여 있어. 거기 홀리길 기다리는 거고.
지아 그러니까 '사실'이 들어 있긴 한 거네.
이연 그게 이유라면 돌아가. 함부로 '귀 기울이면' 안 돼.
지아 어쩌나, 벌써 와 버렸는데.

뱃머리에 섬이 보이기 시작한다. 나란히 서서 섬을 마주하는 두 사람.
이연의 시선, 문득 지아에게 머문다.

이연(E) 같은 배, 같은 섬, 그녀와 같은 얼굴을 한 여자. 내 본능이 끊임없이 말을 건다. 이 조합은 '뭔가가 잘못'됐다고. (불길한 얼굴로) 대체, 저 섬엔 뭐가 기다리고 있는 거지?

#38 어화도 선착장 (낮)

배가 섬에 도착했다. 두 사람 뭍으로 내려선다.
이연은 우산 하나 둘러멨고, 지아는 삼각대와 카메라 가방, 배낭까지.
이연이 하선하다가 선원1과 어깨 부딪친다. 이연은 쳐다보지도 않고 '실례.' 선원1이 호전적인 눈빛으로 이연을 쏘아본다. 선원2도 선착장을 서성인다.
선장이 '해풍 맞고 자란 귀한 쑥이니까 조심히 부쳐 주시오.' 택배 건네고. 주민들 몇이 양손 무겁게 배에서 내린다.
할머니2가, 할머니1에게 쪼르르 달려가.

할머니2 (봉지 확인하고) 왜 죄다 곰보빵이야?! 단팥 든 거 사 오라니까!

할머니1 주는 대로 처먹어!

할머니2 (빵 우물우물 먹으며, 농담처럼) 망할 년.

할머니들 웃음소리 뒤로 하고, 지아가 누군가를 찾아 두리번거린다.
수수한 차림, 순한 인상을 한 젊은 여자가 지아 앞에 나타난다.
피해자의 딸(20대 후반, 서평희)다.

평희 기다리고 있었어요.

지아 서기창 씨 따님 맞으시죠. (명함 주며) 전화 드린 남지아 피디에요.

그와 동시에, 와글와글하던 선착장이 약속이나 한 듯 조용해진다.

평희 (이연을 보고) 일행이세요?

지아 아뇨, 이쪽은…

이연 일행입니다. 방송국, 그… 스탭.

지아 (입 모양으로 '왜?!')

이연 (태연히 어깨 으쓱)

평희 저희 집으로 가시죠.

지아와 평희 앞장서면, 이연이 뒤를 따른다.
이연이 눈만 살짝 돌려, 자신의 등 뒤를 본다.
지아는 모르지만 '수많은 눈들'이 일제히 그들을 좇고 있다!

#39 평희의 집 / 마당 (낮)

여느 시골 마을에서 볼 법한 아담한 집.
평희가 '보리차라도 좀 드릴까요?' 하면서 부엌으로 들어간다.

지아 아까는 개인플레이 하자면서?

이연 내 맘이야. 신경 꺼.

지아 (어이없는) 뭐 이런 놈이.

평희 들어오세요.

#40 평희의 집 / 방 (낮)

오래된 텔레비전, 한쪽에 개어 놓은 이부자리 등 살림살이 단출하다. 작은 소반에 보리차 두 잔 올라와 있고. 벽에는 아버지와 딸 사진 몇 개. '아빠 사랑해요' 붙은 싸구려 카네이션 바구니, 소중히 놓여 있다.

지아는 삼각대에 카메라 올려놓고 앉아서, 딸과 얘기 시작.

이연은 별 관심 없는 듯 방을 둘러본다.

지아 아버님이 혼자 사셨나 보네요?

평희 예, 저는 반도체 공장 다니면서 인천 살았고요. 아빠는 배 타셨고.

지아 실종은, 사고였나요?

평희 풍랑에 배가 뒤집혔대요.

지아 (메모하며) '해상 사고로 실종됐던 아버님 시신 일부가, 한 달 만에 돌아왔다?' 경찰은 뭐래요?

평희 부패가 심해서 모른대요. (울컥) 선박 스크루에 걸리면, 몸이 절단되는 사고가 가끔 있다고.

지아가 티슈 건네준다.

이연은 평희 뒤쪽에 앉아서, 한가로이 제 핸드폰 들여다보고 있다.

지아 아버님이랑 마지막으로 연락하신 게 언제에요?

평희 사고 난 날 아침에, 전화 왔었어요. (핸드폰 건네며) 받진 못했는데.

지아가 '음성 메시지' 클릭한다.
배 위에서 걸었는지, 파도 소리 들린다.
수더분하지만 따뜻한 음성, 메시지 남기는 게 어색한지 중간중간 헛웃음 짓는다.

평희 부(E) 평희냐? 밥은 잘 먹고 다니고? 안 바쁘면 한번 다녀가거라. 아빠가 너 줄라고 박대랑 소라랑 싸 놨다. 허허… 거 요새 꿈에, 죽은 네 엄마가 자꾸 뵌다. 네 손을 잡고, 바삐 어딜 갈라 그러더라. 딸내미가 보고 싶은가… (하다 뚝 끊긴다)

지아 어머니는요?

평희 암으로 돌아가셨어요. 어쩌다 그런 꿈을 꾸셨는지.

이연(E) '마중' 나온 거지.

지아와 평희, 동시에 돌아본다. 이연이 무심한 얼굴로.

이연 천수를 다하고 죽은 사람이 보이는 건, 데리러 온 거거든. 아마도 그날 죽을 사람은 (평희 가리키며) 그쪽이었을 테고.

평희 네?!!!

이연 아버지 덕분에 살았네.

지아 (그만 하란 신호를 보낸다)

이연 (!!!!) 라는… 설이 있더라고. 나는 잘 모르는데.

#41 간이 슈퍼 / 앞 (낮)

구멍가게 앞에 펴 놓은 간이 테이블. 선원1, 2가 소주를 마시고 있다.

선장이 무뚝뚝하게 선짓국 한 접시 내놓으며, '적당히들 마시고 가.' 하고, 안으로 들어간다.

선장 사라지자 눈 번들거리며.

선원1 서울 방송국에서 뭣을 캘라고 이 시골짝까지 왔을까.

선원2 평희 그년이 뭘 꼰지른 게지.

선원1 내 그년을 확 그냥! 바다에 던져 갖고, 고기밥을 만들어 버릴라!

선원2 목소리 낮춰, 이 사람아!!

선원1 (씩씩거리며 소주 들이마신다)

선원2 (선지 퍼 먹으며) 생각하면 할수록 찜찜하단 말이야. 왜 하필 그 놈 머리통이 우리 그물에 실려 왔냐 이거야.

선원1 (주전자를 입에 대고 물 콸콸 마시다가) 근데 진식이 그놈은? 머리통 나온 뒤로 쭉 안 보이지 않…

선원2 (그 소리에, 섬뜩한 눈빛으로 먼 곳을 본다)

#42 선원3의 집 (낮)

선원3(진식)이 집안에서 정신없이 문단속을 하고 있다!
이내 구석에서 머리를 감싸 쥐고, 덜덜 떤다!
'아냐… 난 아니야…' 영문 모를 말을 끝없이 되뇌면서.

#43 평희의 집 / 마당 (낮)

지아와 이연이 짐을 챙겨 들고, 마당에 나와 있다.

평희 민박집 말고 저희 집에 계세요.
지아 감사합니다.
평희 저 방이에요. 저는 잠깐 볼 일이 있어서… (하고, 보자기에 싼 꾸러미 들고 나간다)

지아가 방문 열어 본다. 남는 방은 1개뿐이다.

이연 (어느새 나타나서) 상당히 좁고 지저분하군. 인테리어도 구식이고.
지아 난 괜찮아. 출장 다니다 보면 익숙해서.
이연 '내가' 안 괜찮은데?
지아 미안하지만 방은 한 개고, 난 취재원 옆에 붙어 있어야 돼.
이연 그럼 난?
지아 (뒷산 가리키며) 저기 산 있네, 산. 다큐 보니까 '굴 파는 게' 특기라더만.
이연 나는 좀 모던한 타입이라. (하며, 자신의 짐을 툭 던져 넣고) 보일러

없는 데선 못 자.

지아 (질세라, 자기 짐 던져 넣는다) 절대 못 나가.

방문 앞에 선 채로 기 싸움을 하는 두 사람.

#44 간이 슈퍼 / 안 (낮)

잠시 후, 이연이 슈퍼 냉동실에 고개 들이밀고, 아이스크림을 고른다. 이내 신경질적으로 안채를 두드린다. 선장이 '뉘슈?' 하면서 방문 열면.

이연 손님인데요. 왜 여기 아이스크림 중엔 민트초코가 없죠?

선장 (짜증) 거 아무거나 골라 잡숴.

이연 서비스 마인드가 엉망이구먼.

#45 간이 슈퍼 / 앞 (낮)

그 사이, 지아가 카메라 들고 선원1, 2에게 '안녕하세요?' 밝게 인사한다.

두 사람, 불안한 표정 감춘다. 테이블 위의 소주병 꽤 늘어 있다.

지아 실례지만… 이번에 그 '머리' 발견한 어르신들 맞죠?

선원1 (퉁명스럽게) 누가 방송국에다 신고했습디까?

지아 (상냥한 미소로) 아녜요. 뉴스 보고 왔어요. 잠깐 앉아도 될까요?
선원2 (선원1과 시선 교환하고) 그러슈.

테이블에 자연스럽게 카메라 올려놓고, 의자 끌어다 앉는 지아.

지아 돌아가신 서 씨 아저씨랑 친하셨어요?
선원1 친하고 말고 할 게 뭐 있나? 같은 부락이라 오며가며 보는 거지.
선원2 딱 이웃지간, 그 이상도 이하도 아녜요.
지아 에이, 제가 듣기론 고깃배도 쭉 같이 타셨다던데?
선원2 (얼굴 굳어지는)
선원1 맨입으론 그렇고, 서울 처녀가 따라 주는 술 한 번 먹어 봅시다. (소주병 건네며) 분 냄새 맡은 지 하도 오래돼 놔서.

선원1이 낄낄대지만, 차분히 술 따라 주는 지아.
잔을 채우고 넘치도록 들이 붓는다. 선원1에게 술 쏟아진다.

선원1 (벌떡 일어서서) 에이 씨X!!
지아 (태연히) 아이고, 제가 정이 넘쳐 가지고.
선원1 (주먹 치켜드는) 외지 년이 감히 여기가 어딘지 알고!!

그 소란에 이연이 슈퍼 안에서 이쪽을 내다본다. 딱히, 도와줄 기색은 없다.

지아 저 치실 거면, 몸을 조금만 이쪽으로 틀어 주심 안 될까요?

(카메라 한 번 보고) 앵글이 잘 안 나와서.

선원2 (보면 테이블 위의 카메라, 녹화 중 표시 떠 있다)

지아 우리 또 이런 센 그림, 환장하거든요.

선원1이 지아를 무섭게 노려본다. 선원2가 '가세!' 그를 끌고 가 버린다. 그 모습을 지켜본 이연, 살짝 감탄하는 표정으로.

이연 대체 뭔 깡이래.

지아 새삼스럽게.

#46 동네 / 고샅길 (낮)

지아가 앞장서서 걷고, 이연이 그 뒤를 밟듯이 걷는다.

지아 왜 따라오는데?

이연 따라가는 거 아닌데?

지아 나 취재 중이거든?

이연 나도 그 비슷한 거 하는 중이거든?

지아 (길 터 주며) 그럼 해.

이연 (팔짱끼고, 안 움직이는) 난 가능하면 날로 먹을 생각이야. 네가 해.

지아가 어이없다는 듯 흘겨보는데, 주민 한 사람 지나간다. '어머님, 실례합니다!' 지아가 말을 걸자 달아나 버린다. 한쪽에서 할머니1, 2가 대문 앞에서 생선을 말리고 있다.

'말씀 좀 여쭐게요' 하기 무섭게 집으로 들어 가 버리는 노인들.
그 대문에 매달려 발을 동동 구르는 지아에게.

이연 (이해 안 가는 얼굴로) 왜 그렇게 어렵게 일을 해?
지아 시골 어르신들, 마음 여는 게 쉬운 줄 아나.
이연 내가 물어보면, 다 술술 불던데.
지아 뭐, 비결이라도 있어?
이연 대답할 때까지, 손가락을 하나씩 부러뜨리면 돼.
지아 (!!!!)
이연 딱히 영양가도 없어 보이고. 난 간다.
지아 어딜?!
이연 눈 달리고, 귀 달린 게 어디 사람뿐일까.

#47 숲 (낮)

이연이 가벼운 걸음으로 산을 오른다. 이번에는 지아가 뒤를 따른다. 오르다 보니 거리가 꽤 벌어졌다.
'무슨 걸음이 저렇게 빨라?' 뒤쳐질세라 부지런히 쫓아 오른다.
숲의 한 지점에 이르러서 보면, 이연이 눈을 감고 가만히 귀 기울이고 서 있다.
그 앞에 아름드리나무. 둥치에 색 바랜 천 매달린 '오래된 새끼줄' 보인다.

지아 무슨 소리라도 들려?

이연 (눈 감은 채로) 쉿.

바람의 소리라도 듣는 걸까. 그 모습, 조금 신비롭게 바라보는 지아.

이연 (눈을 뜨고) '죽은 숲'이야.
지아 ??
이연 숲을 지키던 정령들이 전부 떠났단 뜻이야.
지아 왜 그런 건데?
이연 사람들한테 잊혀지고 버려져서.

그런 두 사람을, 누군가 나무 뒤에서 엿보고 있다. '작고 새하얀 맨발'만 보인다.
바스락 소리. '누구냐.' 이연이 위엄 있게 소리친다.
잠시 정적이 흐르더니, 맨발에, 낡은 색동 한복 입은 소녀가 모습을 드러낸다.

소녀 (공손히 한쪽 무릎을 꿇고) 숲의 옛 주인께 인사 올립니다.
이연 나를 아느냐.
소녀 먼발치에서 한 번 뵌 적이 있어요.
이연 '당산나무의 영(靈)'이로구나.
지아 !!!!!!
이연 여기서, 무슨 변고가 일어난 것이냐.
소녀 모릅니다.

이연 몰라?

소녀 이 섬은 변했어요. 집집이 터를 잡고 살던 성주신, 터주신들까지 전부 떠나서, 제게 마을 일을 귀띔해 줄 자가 없습니다.

이연 언제부터냐.

소녀 한국 전쟁이 끝난 직후에요. 태풍을 틈타, 섬에 '부정한 것'이 들어왔는데, 저는 볼 수도, 막을 힘도 없었어요.

이연 혼자서 외로웠겠구나.

소녀 떠나고 싶어도 나무에 발이 묶여서 옴짝달싹할 수가 없어요.

이연의 시선, 나무를 얽매고 있는 새끼줄에 머문다.

지아 (새끼줄 들여다보며) 혹시 이거 때문이야?

이연 것 좀 풀어 줄래?

영문은 알 수 없지만, 주머니칼을 꺼내 새끼줄 잘라 내기 시작하는 지아.

#48 바닷가 (낮)

인적 없는 바닷가. 무당이 물에다 흰 천을 던져 넣으며, 곡을 하고 있다. 물에 빠져 죽은 사람을 위로하는 '넋 건지기 굿'이다. 밥그릇에 생쌀 가득 담겨 있고, 그 위에 '사람 모양으로 오린 한지' 올라가 있다.

무당 넋이야~ 넋이로다~ 오냐 오냐 오늘~ 물로 가신 망자님~ 혼이 되고 고혼 되고 넋이야~~

피해자의 딸 평희가, 꿇어 앉아 비통한 얼굴로 지켜보고 있다.

#49 숲 (낮)

지아가 줄을 전부 잘라 냈다. 소녀의 표정 환해진다.

소녀 고맙습니다. 덕분에 자유로워졌어.

지아 뭔진 몰라도 뿌듯하네요. 근데 웬만하면 신발 신고 다녀요. (안쓰럽게 보며) 예쁜 발이 상처투성이야.

소녀 (그런 지아를 그윽하게 보다) 아가씨는 내 숲과 인연이 있네요.

지아 네? 저 여기 처음인데.

소녀 섬의 북쪽으로 가세요. '첫 번째 답'이 거기 있을 거예요.

'무슨 소릴까.' 갸웃하는 사이, 소녀는 빛으로 사라진다.

지아 (!!!!) 우와, 사라져 버렸다.

이연 잘했어. (잘린 새끼줄 멀리 집어던지며) 사람들이 강한 염원을 갖고 묶은 물건이라, 사람이 풀어 줘야 했거든.

'동서남북' 방위 헤아리고, 빠르게 북쪽으로 향하는 지아.

#50 바닷가 (낮)

생쌀을 담은 그릇(용왕밥)이 바다에 떠내려간다.
평희가 바다에 대고 손 모아 빈다.

평희 우리 아빠, 시신 좀 돌려주세요. 장례라도 고이 치러 드리게… 제발.

무당 (사방에 소금 뿌리고) 서해 용왕님, 용궁 할매, 용궁 할배. 이 젊은 것을 가엾게 여기사, 이녁 아비 몸뚱이를 돌려주시오. 이렇게 비나이다. 비나이다.

문득 곡소리 '뚝' 그친다. 무당이 넋 나간 얼굴을 하고 있다.

평희 왜요?

무당 (초점 없는 눈으로) 없어… 바다엔 없단다. (몸을 서서히 떨며) 몸뚱이가 머리보다 먼저 왔어야, 네 애비!!

평희 ?!!!!

#51 사굴 / 앞 (낮)

이연과 지아, 해식 동굴 앞에 도착했다.
지아 손목시계의 나침반 똑바로 북쪽을 가리킨다.
손 글씨로 조악하게 만들어 놓은 게시판 보인다.

자막 장산사굴(蛇窟) - 주의하시오. 밀물에는 동굴이 물에 잠깁니다.

지아 장산사굴? 처음 듣는 이름인데.

이연 (어슬렁거리다) 난 가서 밥이나 먹어야겠다. (하는데)

지아 움직이지 마!

이연 ?!!!

지아 잠깐만… 거기 그대로 서 있어!

이연 (고개도 못 움직이고 입만 달싹) 뭐야.

지아 어디서 본 거 같아, 이 장면.

이연 '얼음'이 돼 있는데, 지아가 주머니 뒤져 뭔가를 꺼내 든다!

지아 여기야. 이 사진을 찍은 데가, 여기였어!!!

지아가 들고 있는 부모님 사진 보인다.
사진 속 표지판, 흐릿해서 글자는 안 보이지만, 틀림없이 '똑같은 풍경'이다!

이연 진짜, 인연이 있긴 있었네.

지아 나 임신한 지 얼마 안 됐을 때라고 했어! (눈빛 형형해져서) 여기 있었던 거야. 엄마 뱃속에서 '나'도! 엄마 아빠는 이 섬에 왜 왔던 걸까.

#52 평희의 집 / 문간방 (밤)

지아는 '부모님 사진' 앞에 놓고 앉아, 깊은 생각에 잠겨 있고.

이연은 아랫목 이부자리에 편안히 누워 있다.

이연	(이불 냄새를 맡고 오만상) 이 이불, 안 빤 거 같아.
지아	그러게 시설 좋은 민박집 놔두고, 고집을 왜 부리는데?
이연	넌 몰라도 돼. (하고, 돌아눕는다)
지아	(그 뒷모습 보다가) 근데 있잖아. 나 '지방간' 있다?
이연	??
지아	만성이야.
이연	댁의 간 건강을 내가 왜 알아야 되는데?
지아	구미호라며. 혹시라도 간이 먹고 싶다거나….
이연	그딴 거 입에도 안 대거든?
지아	진짜??
이연	간디스토마 몰라?

지아가 '픽' 웃는다. 찰나, 그 위로 '아음'의 웃는 얼굴 겹쳐 보인다. 가슴이 덜컥 내려앉는 이연.

이연	(시선 피하며) 웃지 마. '그 얼굴'로.
지아	(얼굴 들이대는) 내 얼굴이 뭐, 왜?
이연	(이불 확 뒤집어씌우고) 넌 몰라도 돼.
지아	야, 싸우자!

#53 한식당 우렁각시 (밤)

신주가 식사 중이다. 맞은편에 우렁각시, 손거울 들여다보며 소녀처럼.

우렁각시 어머 어머, 다시 태어난 각시 찾겠다고 기어코 섬까지 가셨어?!
신주 생긴 거랑 다르게 순정파시잖아요.
우렁각시 여우는 한 번 맺은 짝이랑 평생을 간다더니… 로맨틱하다!
신주 로맨틱은 무슨. 것 때문에 무슨 대가를 치렀는지 아시잖아요.
우렁각시 살다 보면 한 번쯤, 그렇게 목숨 걸고 싶은 상대를 만나기도 하잖니.
신주 저는 절대! 사랑 같은 데 목숨 안 걸 거예요. 이연님 지킬 거야!
우렁각시 뭐 그것도 사랑이라면 사랑이지.

#54 평희의 집 / 문간방 (밤)

밤이 깊었다. 이연, 벽에 기대 잠든 지아를 가까이서 바라보고 있다. 잠시 망설이다가, 입에서 훅 연기 뿜어낸다. 다시 한 번 확인하려는 듯이.
그 연기, 21년 전처럼 지아의 입술에 닿자마자 사그라져 버린다.
'나는 뭘 기대한 걸까…' 쓴웃음이 난다.
지아에게 이불 덮어 주고 방을 나서는 이연.

#55 평희의 집 / 마당 (밤)

이연이 툇마루에 걸터앉아 밤하늘 올려다본다. 그 얼굴, 신산하기 그지없다.
문득 삼도천 노파의 목소리 스쳐 간다.
'찾지 마라. 그것이, 또 한 번 네 운명을 뒤집어 놓을 거다.'

#56 평희의 집 / 문간방 (낮)

아침이 밝았다. 지아가 잠에서 깬다.
눈 비비며 보면, 이연 자리 비어 있고, 자신의 몸에 가지런히 이불 덮여 있다.

#57 동네 / 모처 (낮)

지아가 이연을 찾으러 나왔다.
저만치에 할머니1, 2와 마주 앉아 있는 이연이 보인다.
그들 앞에 '플라스틱 바구니' 놓여 있고. 할머니들 얼굴에 화색이 돈다.

할머니1 세상에, 이 귀한 '산삼'을!!
할머니2 (떨리는 손으로 어루만지며) 이게 다 돈이 얼마야?
지아 (놀란 얼굴로 다가가면)
이연 (바구니 제 앞으로 확 끌어다 놓으며) '이 여자'랑 얘기가 먼저야.
지아 (이연 옆구리를 툭) 반말은 하지 마시고.
이연 일흔넷이래. 나한테는 애기야.

할머니1　(산삼에 눈을 고정한 채 안절부절, 지아에게) 뭣이 궁금한디?

지아　왜 다들 그 '머리'에 대해서, 그렇게 함구하시는 거예요?

할머니1　(살짝 겁에 질려) 그…그것은… (툭 치며) 자네가 해.

할머니2　(고민하다가) 절대 우리한테 들었단 소리 하면 안 되네.

지아　약속드릴게요.

할머니2　그러니까… 그것이 '처음' 있는 일이 아녀. (주위 둘러보다가, 목소리 낮춰서) 왜 '사람 모가지' 말야.

지아, 이연　!!!!!!!

#58　동네 / 모처 (낮)

지아가 다급한 얼굴로 재환과 통화한다.

지아　재환아!

재환(E)　피디님 놀라지 마세요.

지아　(충격으로) 비슷한 사건이 진짜 더 있었어? 피해자는?!

#59　도서관 (낮)

재환이 옛날 신문들 앞에 놓고, 경악한 얼굴로 말한다.

재환　네 명 다, 신원불상의 여자들이요!

지아(E)　언제야?

재환　맨 처음이 1954년이에요.

#60 동네 / 모처 (낮)

'대체 이 섬에서 무슨 일이 일어난 거야?!' 중얼거리는데.
걸어오던 선원3이 지아를 보고 뒷걸음질 친다.
'저기요! 평희 씨 아버지랑 같은 배 타셨던 분 맞죠?'
선원, 정신없이 뛰기 시작한다.

#61 숲 (낮)

인적이 없는 숲속. 지아가 겨우겨우 선원을 따라잡았다!
'왜 도망가시는 거예요?'
'썩 꺼져라, 귀신아!' 선원이 망치를 꺼내 휘두른다!!
첫 번째 가격이 지아의 어깻죽지에 빗맞는다!
겁에 질린 얼굴로, 거듭 망치를 휘두르는 선원!
지아가 막다른 곳에 몰렸다! 망치가 정면으로 날아든다! 눈 질끈 감는데!
어느새 이연이 나타나, 그 망치를 대신 맞는다!
이연 눈빛에 살기가 돈다! 선원을 무지막지하게 제압하는데!
지아가 '죽이지 마!'
이연 멈칫하면, 다친 몸 이끌고 부리나케 달아나는 선원!!

#62 평희의 집 / 마당 (낮)

이랑, 사람 없는 평희네 집 툇마루에서 여유 있게 통화 중이다.

이랑 유리야. 내가 갖고 싶은 게 생겼는데 말야… 그래. (짓궂게 웃으며) 여기? 여긴 이제 막 개장했어. 귀신의 집!

그 위로, 동네 주민의 비명 소리 선행된다.

#63 몽타주

선원1, 변기 물에 머리를 박고 죽어 있다! 그 곁에 생수통 수십 개 나뒹군다!
검은 머리카락 뭉치 '칵!!' 토해 내고, 쓰러지는 선원2의 모습!

#64 숲 (낮)

지아가 나무 아래서 숨을 고른다. 다친 어깻죽지에서 피가 배어 나온다.
어디선가 풀잎을 뜯어 온 이연이, 상처를 들여다본다.
'별로 안 다쳤어…' 일어서려는 지아를 단호히 앉히고.
손으로 짓이긴 풀잎을 상처에 올려 준다.

지아 뭐야?
이연 민간요법.
지아 뜨거워….
이연 엄살은.
지아 (괴로워하며) 뜨거워 죽겠어.

그런데! 이연의 손이 닿은 자리부터, 지아의 어깨를 뒤덮은 무수한 흉터들!!
마치 팔 전체를 '비늘'이 뒤덮고 있는 듯한 모양!
'뭐야 이거…' 이연, 경악하는데!
다친 쪽 손으로, 이연의 목을 '콱' 조르는 지아!! 무시무시한 악력이다!!

지아 (지금껏 본 적 없는 섬뜩한 미소로) 오랜만이야. 이연.
이연 너… 뭐냐?!!
지아 '나'야. 네가 기다리던 그거.
이연 뭐?!!!
지아 (다른 쪽 손으로 이연의 얼굴 그립게 어루만지며) 근데 있잖아. 나 '왜 죽였어?'
이연 !!!!!

마치 '전혀 다른 사람'이 돼 버린 것 같은 지아!
얼어붙은 채로, 그런 지아를 마주 보는 이연의 얼굴에서!

2화 끝

3

용왕님의 비밀

#1　간이 슈퍼 / 안 (밤)

깊은 밤. 간이 슈퍼의 문, 반쯤 열려 있다.

자막　12시간 전

불 꺼진 슈퍼 안에, 냉장고 불빛만 퍼렇게 명멸한다. 냉장고 텅 비었다.
바닥에 나뒹구는 1.5리터 생수병들. 그 위로, 갈증에 '헉헉-' 대는 선원1의 신음 소리.

#2　간이 슈퍼 / 화장실 (밤)

선원1, 마지막 생수병 탈탈 털어 마시며 나타난다. 눈이 붉게 충혈돼 있다. 병 거칠게 내던지고, 세면기 수도를 튼다.
수돗물 흘러나오면, 게걸스레 입을 갖다 대는데. 입 대자마자 물줄기 '뚝' 그친다.

'씨X' 욕설을 내뱉으며, 수도꼭지 들여다본다. 뭔가, 구멍을 틀어막고 있다. 끄집어내자, 손가락 끝에 감겨 나오는 이물질! '머리카락 뭉치'다!! 소스라치며 털어 낸다!
미친놈처럼 두리번거리다, 변기에 머리 처박고, 벌컥벌컥 물 들이켠다!
변기 속에서 본 앵글로, 그 얼굴에 누군가의 '머리카락'이 닿을 듯 말 듯!
선원1이 물속에서 눈을 '번쩍' 뜬다! 공포로 일그러진다!
검은 머리카락, 변기를 가득 채울 듯 차오른다! 선원1, 몸부림친다!

#3 바닷가 / 모처 (밤)

바위틈에 고인 바닷물에 뭔가 떠오른다.
묘하게 죽은 선원을 닮은 조악한 저주 인형.
머리카락 몇 올 붙어 있고, 가슴팍에 붉은색으로 '사(死)' 자가 적혀 있다.
인형을 주워 들고, 어둠 속에서 보일 듯 말 듯 미소 짓는 사내. 이랑이다.

#4 간이 슈퍼 / 화장실 (낮)

날이 밝았다. 지아가 바닥에 눕혀 놓은 선원1의 시신 들여다보고 있다.

시신은 물기가 마르지 않은 채, 배가 살짝 부푼 모양새.
슈퍼 주인인 선장이 혀를 차며.

선장 쯧. 누가 뱃놈 아니랄까 봐, 곧 죽어도 물에 빠져 뒤졌네.

지아 '익사'했다고요? 저 변기에서?!

선장 아, 내 손으로 건졌다니까? 보시오, 이놈아 배 남산만한 거! (옆에 생수병을 툭툭) 웬종일 물을 처마시더만.

지아 선장님은 지금 바로 경찰 부르고, 이 화장실 폐쇄해 주세요.

선장 (핸드폰 꺼내며) 사람 목숨 참 부질없다. 그리 악착같이 살아와 놓고.

지아 무슨 말씀이세요?

선장 일전에 '은하호'라고, 고깃배 뒤집어졌을 때, 거 타고 있었잖아.

지아 (!!) 그럼, 돌아가신 평희 씨 아버님이랑 같이?!

선장 서 씨랑 모두 넷이 탔지. (전화기에 대고) 거, 경찰이죠?

통화하면서 선장 나가면. 이연이 바나나우유 '쭉쭉' 빨면서 들어온다.

이연 (시체 가리키며 무심히) 되게 스페셜한 밤이었나 봐? (가까이 와서) 욱!! (입 틀어막는다)

지아 왜?

이연 (인상을 팍) 비린내!

지아 무슨 비린내?

이연 썩은 생선 냄새 같은 거 나잖아, 얘한테.

지아 (??) 아니. 아직 시신도 부패되기 전이고.

이연, 시신 여기저기 냄새를 맡는다. 선원의 꼭 쥔 주먹 앞에서 멈칫한다.
주먹 펴 보려는데, 사후강직이 시작된 듯 굳어 있다.
힘으로 주먹을 열면, 죽은 선원의 손에 쥐어져 있는 '한 줌 검은 머리카락'

지아 머리카락?!! (죽은 선원을 보며) 이분은 백발인데.
이연 바다 냄새. 그리고… (눈 감고, 가만히 머리카락 냄새 맡다가) '그 집 이불'에서 나던 냄새가 희미하게 섞여 있어.
지아 그 집? 설마… 평희 씨?!
이연 (끄덕)

#5 바닷가 / 모처 (낮)
쪼그려 앉아 있는 평희의 뒷모습 보인다.
무슨 의식을 치르는 양, 옆에 작은 동물의 뼛조각 흩어져 있고.
각각 선원2, 3의 특징을 닮은 '저주 인형' 위로, 제 손가락 찔러 핏방울 떨어트린다.
'툭, 툭' 불길하게 떨어지는 핏방울.

#6 간이 슈퍼 / 화장실 (낮)

지아가 '이것 좀 봐 봐.' 하면서 핸드폰 내민다.
<은하호 실종 선원들, 28일 만에 기적적으로 생환>이라고 적혀 있는 기사.
막 구조돼서, 담요 덮어쓴 선원1, 2, 3의 사진 실려 있다.

이연 (사진 속 선원1 가리키는) 어? 이거, 이 남자네.
지아 침몰한 은하호엔 4명의 선원이 타고 있었어. 3명은 살아 돌아왔고, 한 사람은…
이연 '머리'로 돌아왔다?
지아 (끄덕)
이연 보아하니, 이 남자 하나로 끝나진 않겠네.
지아 사람이 또 죽을 수도 있단 거야?!!
이연 (우유 '쪼옥-' 마시며 끄덕)
지아 (다급히) 그럼 이러고 있음 안 되지!
이연 왜?
지아 막아야 될 거 아냐!
이연 싫은데?
지아 뭐?!
이연 '면상'이, 하나같이 맘에 안 들어.

'아 좀!!' 지아의 외침과 함께, 핸드폰 속 선원들의 사진 클로즈업된다.

#7 선원3의 집 (낮)

대낮인데 빛도 들지 않는 집. 신문지로 창문까지 모조리 막아놨다. 간이 텐트 속에서, 선원3이 각종 공구 앞에 놓고 벌벌 떨고 있다.
텐트 앞에 '사람 그림자' 어룽거린다!! '누구야?!!'
'진식아, 나여.' 하는 따뜻한 목소리.
'서 씨?! 서 씨 아저씨?!' 그림자는 답이 없다.
조심스럽게 망치를 들고 나와서 보면, 아무도 없다.
그런데 그의 등 뒤에 '누군가' 서 있다!
서서히 돌아보는 선원3의 시선 따라, 사내의 전신이 보인다!
'머리'가 있어야 할 자리가 텅 비어 있다!!
목 없는 남자를 피해, 미친놈처럼 비명을 지르며, 집안을 빠져나간다!!
빈 집에 걸려 있는 '용왕무신도' 보인다.

#8 선원2의 집 (낮)

'같은 용왕무신도' 걸려 있는 집.
'배고파…' 정신없이 중얼거리는 목소리.
선원2가 냉장고 앞에 웅크리고 앉아, 걸신들린 것처럼 소의 생간을 퍼먹고 있다!
그 입술, 생간의 핏빛으로 붉게 물들어 간다!

#9 선원2의 집 / 앞 (낮)

이연과 지아, 선원2의 집 앞에 도착했다.
지아가 살짝 긴장한 얼굴로 대문을 두드리려고 손을 뻗으면.

#10 선원2의 집 (낮)

생간을 퍼먹던 선원2가 문 두드리는 소리에.
소매로 피 묻은 입술 훔치고, 허리 뒤춤에 식칼 꽂으며 '누구요?!!'
이연과 지아가 집 안에 모습을 드러낸다.

선원2 (경계하는 얼굴로) 뭐야, 니들?

이연 왜 이래, 초면인 것처럼? (목 잘린 손짓) '모가지'랑 같은 배 타고 있었다며?

선원2 (!!!) 내 집에서 나가. 꺼지라고!!

이연 (태연히 의자에 앉으며) 나는, 내가 나가고 싶을 때 나가.

선원2 새끼, 여기가 어딘지 알고 곤조야.

하며 등 뒤의 식칼에 손을 대면, 서늘하게 웃는 이연.
이어 번개 같은 동작으로 손목을 낚아챈다.
가볍게 손가락 꺾으면, 선원2가 고통스럽게 비명 지른다.

이연 지금부터 내가 묻는 말에 예쁘게 대답해. 안 그러면 손가락 하나씩 아작난다.

지아 (놀랐지만, 말리지 않는)

이연 배에서, 무슨 짓 했어?

선원2 풍랑이!! 고깃배 옆구리를 치고 갔어! 일기예보가 씨발, 틀려 갖고!!

이연 근데 왜 세 놈만 돌아왔어?

선원2 서 씨는 파도에 홀랑 떠밀려 가고, 우리는 바다를 빙글빙글 떠돌다가…

이연 떠돌다가?

선원2 (생각하고) 기억이 안 나, 그 뒤론! (손에 힘을 주자 비명) 진짜로!! 악! 눈 떠보니까 육지였다고!!

이연 오케이, 새끼손가락.

진짜로 손가락 부러뜨리려는 이연을, 지아가 손짓으로 만류한다.

지아 (선원 마주 보고 차분히) 두려우셨죠.

선원2 (보면)

지아 위태위태한 구명정 위에서 '물도, 식량도 없이' 꼬박 28일. 사람 미치기 딱 좋은 조건이죠. 따가운 8월 햇빛이 사정없이 몸을 때리면서, 피부엔 경도 화상. 온종일 배가 출렁거려. 먹은 것도 없는데 토할 거 같아.

선원2, 악몽이 되살아나는 듯 몸을 떨기 시작한다. 태연히 몰아붙이는 지아.

지아 어금니 꽉 물고 구조를 기다리는 것도 하루 이틀이지, 생각할수록 화가 나… '왜 나야?! 왜!!'

'닥쳐!!' 절규하듯 외치며, 이연한테 잡혀 있던 손을 '우득' 잡아 빼는 선원!

지아 (아랑곳 않고) 닷새쯤이 고비였어요. 그동안 비 한 방울 안 왔으니까. 제일 먼저, 탈수 증세가 시작됐을 겁니다.

선원2가 두 귀를 틀어막으면, 그를 둘러싼 배경 '배 위'로 바뀐다!

#11 구명보트 위 (낮밤 무관)

선원2, 지금과 같은 자세로 배 위에 앉아 있다.
오랜 표류에 지친 듯, 탈진 직전의 선원들 보이고.
선원1, 정신 나간 것처럼 바닷물을 손으로 떠 마시고 있다.

선원2 (손 내리치며) 미쳤어? 죽을라고 환장했냐!!
선원1 어차피 우린 뒤졌어!
선원3 (머리 감싸 쥐고) 아악! 난 죽기 싫어!!

평희 부, 구석에서 조용히 신음한다. 한쪽 다리, 다쳐서 축 늘어져 있다.

평희 부 (구겨진 딸 사진 소중히 어루만지며) 우리 평희가 걱정할 것인데.

선원2 (다친 평희 부를 곁눈질) 배고파….

선원1 (서늘한 눈빛 주고받는) 목말라….

#12 선원2의 집 (낮)

지아의 얘기 계속되고 있다.

지아 근데, 묘하죠? ('구조된 날 사진' 들어 보이며) 28일을 굶은 것 치곤 체중 손실이 너무 적어.

이연 와이파이도 안 뜨는 망망대해에서, 배달 어플은 아닐 테고.

지아 (선원에게 바짝) 뭐 먹었어요?

선원2 아니야… 난… 난 아냐!!

#13 구명보트 위 (낮밤 무관)

선원3이 '난, 절대 여기서 안 죽어.' 하며 평희 부 뒤에서 부스스 일어난다!

손에 둔기를 들고 있다! 선원1, 2도 광기 어린 눈으로 몸을 일으킨다! 이어 '퍽!!!' 하는 소리와 함께 암전!

그 위로 게걸스럽게 뭔가를 뜯고 삼키는 소리, 선연히 들린다!

#14 선원2의 집 (낮)

그 기억에, 고통스레 머리를 쥐어뜯던 선원2의 눈빛, 이내 묘하게 변한다.
'배고파. 히히… 미치겠네… 배고파 죽겠어.'
'제정신인가.' 이연과 지아의 표정도, 심상치 않게 변한다.
'고기다, 고기!' 식칼 꺼내 들고, 지아에게 달려든다!
이연이 놈을 내리친다!
거듭 제압당하면서도 '내 놔, 고기!!' 끈질기게 지아에게 들러붙는 선원!
그러다 갑자기 목소리가 안 나오는 듯 '켁켁!!!'
목을 쥐고 밭은기침을 하더니, '컥-' 뭔가를 뱉어 내고 그대로 쓰러진다!
'검은 머리카락 뭉치'다!!
다가가서 선원을 들여다보던 지아, 경악해서 '죽었어!!'

#15 바닷가 / 모처 (낮)

평희가 '아빠…' 가슴을 쥐어뜯으며, 소리 없이 울고 있다.
누군가의 발이 그 앞에 와서 딱 멈춰 선다. 귓전에 와 닿는 달콤한 목소리.

이랑 그만 울어. 네 소원은 이뤄졌으니까.

조심스레 고개 들어, 역광으로 서 있는 남자를 바라본다. 이랑이다.

이랑 이제 하나 남았다. (온화하게 눈을 맞추면서) 근데 그 대가로, 넌 나한테 뭐 줄 거야?

이번엔 무슨 일을 벌이려는 걸까. 속을 알 수 없는 이랑의 미소에서.

#16 내세 출입국 관리 사무소 (낮)

삼도천 노파, 식은 피자로 점심을 때우며, 바삐 컴퓨터 작업 중이다.
'어떤 놈이 자꾸 명부를 뒤흔드는 게야!!!' 책상 '쾅!!' 내리친다!
현의옹이 '여보! 왜 그래요!!' 헐레벌떡 뛰어나온다. 손에 물뿌리개 들고 있다.
노파가 '또야!' 짜증을 내면, 현의옹이 컴퓨터 들여다본다.
<표 3-1. 전국 시·도·자치별 사망자 현황>이라는 제목을 단 파일. 화면에 '빨간색 오류' 표시 깜박깜박 떠 있다.

현의옹 아이고, 오류 났네.
노파 또 죽었어. 명부에도 없는 것들이.
현의옹 너무 히스테리 부리고 그러지 마요, 여보.
노파 (도끼눈 뜨고) 뭐, 히스테리?!
현의옹 아니 아니, 스트레스! 발음이 헛 나왔네. (노파 어깨 주무르며) 이건 엄연히 업무상 스트레스죠.
노파 당신, 나 일하는 동안 뭐하고 있었어?

현의웅 (움찔)

노파 드라마 봤지?

현의웅 ('헉!') 아닌데요? (물뿌리개 내보이며) 의령수에 물 주고 있었는데요?

자막 의령수(衣領樹) - 망자의 옷을 걸어서 '죄의 무게'를 측정하는 나무

노파 세 시간 동안? 나무 한 그루에?

현의웅 (말 돌리는) 자기야, 지금 내 근태가 문제야? 명부가 이 지경인데?

노파 (그건 그렇다)

현의웅 내가 지역별 사망자 통계, 금세 다시 뽑아 올게요! (쪼르르 사라진다)

노파 (오류 난 화면 심각하게 보며) 대체, 무슨 변고가 일어나려는 게냐.

#17 선원3의 집 / 안 (낮)

'이 그림. 여기도 있네.' 지아의 시선, 벽에 붙은 '용왕 그림'에 머문다.

어둠 속에서 마주한 그림 속 노인, 왠지 모르게 으스스하다.

핸드폰으로 그림을 촬영한다.

지아(E) 취재를 다니면서 숱한 민속화를 봤지만, 이렇게 오싹한 느낌이 드는 그림은 처음이다. 왜지? (홀린 듯 그림 보며) 이 그림엔 뭔가가… 빠져 있어.

빠르게 핸드폰으로 검색을 하는데.
뒤에서 '빵!!' 하고 뭔가 터지는 소리! 지아 소스라친다!
돌아보면 이연이 막 '짱구과자' 봉지를 터뜨린 참이다.

지아　　놀랐잖아!
이연　　쏘리.
지아　　(어이없는) 이 와중에 과자가 넘어가니?
이연　　왜? 내가 좋아하는 과자야.
지아　　사람이 둘이나 죽었어.
이연　　(태연히 과자 먹으며) 그래서?
지아　　'그래서'보다는 좀 더 상식적인 리액션 없어?
이연　　임란 호란을 겪고, 단 50년 동안 조선 인구가 얼마나 날아간 줄 알아?
지아　　??
이연　　350만. 웬만한 상조 회사보다 장례 많이 본 놈이야 내가.
지아　　350만이 죽어 나가도, 그중에 심금을 울린 죽음 하나쯤 있을 거 아냐.

순간 말문이 턱 막힌다. 있다. 물론 그에게도.
무심히 정곡을 찌르고, 그림을 보는 지아.
그런 지아를 바라보는 이연의 시선… '저 얼굴'이었다.

지아　　이것 좀 봐 봐. 아까 그 집도 똑같은 그림이 걸려 있었잖아.
이연　　(와서 보면)

지아 용왕의 초상, 맞지?

이연 맞는데, 1도 안 닮았어.

지아 봤어?!!

이연 산신 노릇할 때. 지금으로 치면 '리더십 특강' 같이 들었거든.

지아 (!!!) 근데 이 그림. 내가 아는 용왕무신도랑 좀 달라. (핸드폰 캡처한 용왕 그림 보여 주는) 봐 봐. 이게 보통의 용왕 그림.

인서트 일반적인 용왕무신도

지아 뭐가 다른지, 알겠어?

이연 틀린그림찾기야 뭐야?

지아 '발'이 없잖아.

이연 발?! (벽에 그림을 빤히) 그러고 보니…

지아 '발 없는 용' 그게 뭐겠어?

이연 (!!!) 이거, 용이 아니라 '뱀'이구나!

지아 (끄덕) 이무기!

이연의 얼굴, 전에 없이 심각하게 굳는다!

#18 섬 / 우물가 (낮)

우윳빛 안개 피어오른다. 인적 없는 풀숲 지나, 어딘가를 찾아드는 이랑.

일각에 '버려진 우물' 보인다. 둘레에 금줄 둘러쳐 있다.

흥미로운 시선으로 우물 바라본다.

우물 뚜껑이며, 금줄에 검붉은 얼룩 희끗희끗하다. 말라붙은 핏자국이다.

뒤에서 들리는 인기척. 돌아보면 2화의 '무당'이다.

무당 　이랑님이시죠? 기다리고 있었습니다.

이랑 　'여기' 진짜 그게 잠들어 있다고?

무당 　예, 배덕한 신. 부정한 자들의 왕. '이룡(螭龍)'이시옵니다.

이랑 　웬일이야. 나 방금 진짜 오글거렸어. 이름 앞에다 저 세상 수식어 막 갖다 붙이면 구렁이가 용 되니?

무당 　(그 불경한 말투에 인상이 꿈틀)

이랑 　(우물에 걸터앉아) 옛날에 이연이랑 맞짱 뜨다 객사했다지? 그 인간 여자랑 같이.

무당 　계집의 몸속에 들어가시기 전, 무녀인 저희 가문에 '몸의 한 조각'을 맡기셨지요.

이랑 　오~ 올인은 안 하는 타입이구나? 나랑은 반대네. 그나저나 준비는 다 됐니?

무당 　양띠 여자, 산 제물, 그리고…

이랑 　이연은 나한테 맡겨. 넌 묘지에 가서 '송장의 피와 살을 먹고 자란' 달맞이꽃 좀 꺾어 와라.

하고, 여유 있게 자리 뜨는데, 무당이 그 뒤에다 대고.

무당 　하나만 여쭙겠습니다.

이랑 (보면)

무당 이연과는 피를 나눈 형제가 아닙니까.

이랑 형제지. 정확히는 '배다른 형제'지만.

무당 그분이 깨어나면, 이연은 살아남지 못할 겁니다.

이랑 그래서?

무당 어찌하여 형제의 적을 도우시는지요.

#19 선원3의 집 / 앞 (낮)

이연이 지아의 손목 붙들고, 집 밖으로 나온다.

지아 왜 이러는데?!

이연 넌 이 길로 짐 싸서 나가. 가능한 빨리, 이 거지 같은 섬에서.

지아 뭐?

이연 예감이 별로 안 좋아.

지아 (진지해진) 무슨 뜻이야?

이연 여기 있으면 죽기 딱 좋다고.

지아 너, 사람 구하러 온 거 아니라며. 난 왜 열외야?

이연 그건… 네가 알 거 없고.

지아 난 내가 모르는 이유로 집에 갈 생각 없어.

이연 간이 배 밖으로 나온 건 충분히 알겠는데, 이건 용기 아니고 광기야.

지아 미치지 않았으면 '구미호'랑 여기서 이러고 있진 않았겠지.

이연 이게, 내가 해 주는 마지막 경고야.

지아 조언은 고마운데, 내 인생, 아홉 살 때부터 미제 사건이었어. 옷장에 숨어 봤자, 세상 안 달라지고, 부모님 안 돌아오더라. 그러니까 이연은, 이연이 만나러 온 사람 찾아. 난, 우리 엄마 아빠가 이 섬에 왜 왔는지 알아야 돼.

흔들림 없는 그 눈빛을 마주 보는 이연의 시선에서.

#20 섬 / 우물가 (낮)

이랑이 서늘한 미소를 지어 보인다.

이랑 왜 혈육의 적을 돕느냐. 동업자를 100프로 안 믿는 건 좋은 자세야.

무당 (살짝 당황해서) 그것이 아니옵고… (하는데)

이랑 산신일 때의 이연을 본 적 있나?

무당 풍문으로만 들었습죠.

이랑 읊어 봐.

무당 국토를 다스리는 네 명의 산신 가운데 가장 무자비한 자. 감히 누구도 그의 숲을 함부로 수탈하지 못하여 백두대간은 부침 없이 풍요로웠다죠.

이랑 흠… 말이 좋아 산신이지 우리 형, 이타심이라곤 눈곱만큼도 없는 놈이거든? 근데 말이야. 사과 하나를 갈라 먹어도 나한테는 항상 '큰 쪽'만 줬어.

무당 ?!!!

이랑 지금도 기억난다니까. 그때 그 풋사과의 단맛이.

무당 (의외인데) 헌데 어찌하여…

이랑 그놈이, 사과를 갈라 주던 그 다정한 손으로 내 배를 갈랐지 뭐야.

옷깃 들치면, 이랑의 몸에 커다란 칼자국 보인다.

무당 !!!!

이랑 이 흉터하곤 비교도 안 되게, 내 마음에 스크래치가 났지 않겠어?

무당 해서 이연을!

이랑 명색이 여우인데, 은혜는 제대로 갚아 줘야지. (섬뜩해진 얼굴로 떠나며) 난 지옥 갈 거야. 꼭 이연이랑 같이.

#21 도서관 / 안 (낮)

서가 구석. 재환이 옛날 신문들 잔뜩 쌓아 놓고, 지아에게 전화를 건다.

재환 피디님, 시키신 대로 도서관에 오긴 왔는데요. 예. 찾아야 되는 게 '시체'예요? 그러니까 토막 시체 말씀이신 거죠? (당황스러운 듯 머리를 긁적)

#22 동네 / 모처 (낮)

지아가 평희의 집 근처에서 통화 중이다.

지아 ‘어화도’를 키워드로 놓고, 사건 사고는 싹 다 뒤져 봐. 뭐든 걸리면 바로 연락 주고.

재환(E) 뭘 찾으시는 건데요?

지아 이 동네 할머니들 얘기가, 마음에 걸려서.

인서트 플래시백 2화 59씬

산삼 바구니 앞에 두고, 할머니들 얘기를 듣던 순간.
할머니2가 ‘그러니까… 그것이 ‘처음’ 있는 일이 아녀. 왜 사람 모가지 말아야.’

매서운 눈빛으로 평희의 집 향하는 지아.

#23 바닷가 / 내세 출입국 관리 사무소 (낮)

바닷가에서 삼도천 노파와 통화하는 이연의 모습 보인다.

이연 할멈. 혹시 ‘그때 그놈’ 소식 들은 적 있어?

노파 그놈이 누군데?

이연 (잠시 망설이다) 이무기 말이야.

노파 (!!!) ‘그것’은 네 손으로 숨통을 끊어 놓지 않았더냐.

이연 그랬지.

노파 헌데 왜?

이연 그냥 노파심에서. 만에 하나라도, 아음이 다시 태어난 세상에 그딴 걸 같이 둘 순 없잖아.

노파 아주 열녀 났네. 그런 게 튀어나오면 내가 모를 리가… (하는데)

이연 (슈퍼 쪽으로 빠르게 걸음 옮기며) 알았어, 끊어.

전화 '뚝' 끊긴다. 끊긴 전화에 대고 '이런 시건방진 놈이 있나…' 하다가 왠지 모르게 찝찝해지는 노파다.

#24 평희의 집 / 마당 (낮)

지아가 평희의 집으로 들어선다. 평희가 마당에서 책을 읽고 있다.

지아 평희 씨.

평희 오셨어요?

지아 (가까이 가며 상냥하게) 무슨 책이에요?

평희가 책을 들어 보인다. 문고판 '모비딕'이다. 문득 지아의 눈빛 변한다.

평희 왜요?

지아 너, 평희 아니지?

우뚝 굳었던 평희가 이내 '킬킬' 웃는다. 그 얼굴, 이랑으로 바뀐다!!

지아 (경악해서) 네가 어떻게…!!

이랑 독서하기에 이만한 환경이 없어서? (서늘하게) 그나저나 '혼자'네?

지아 (당황스러운 표정 감추며) 근처에… 있어!!

이랑 없어. 그놈 냄새는 내가 또 기막히게 맡거든.

지아 너구나?! 선원들 죽인 게.

이랑 얘 생사람 잡는 거 봐. 증거 있어?

지아 그 책.

이랑 (신난 듯) 이거? 취향이 좀 클래식하지?

지아 모비딕은 '실화'를 모티브로 쓴 소설이야. 19세기에 난파된 고래잡이배.

이랑 그 배가 어떻게 됐는데?

지아 먹고… 먹혔어. (노려보며) 평희 씨 아버지랑 똑같이. 네가 그 책을 읽고 있는 게, 절대 우연이 아니란 소리지.

#25 간이 슈퍼 / 안채 (낮)

선장이 한가로이 과일 깎아 먹으며 TV 보고 있다.

부서져라 방문 거칠게 열린다! 이연이다!

선장 아이고 놀래라! 간 떨어질 뻔 했네!

대꾸도 없이 방안을 들여다보는 이연. 그 벽에도 '용왕 그림' 붙어 있다.

이연 이것들 봐라. 여기도 있네? (하더니, 신발 신은 채로 방에 들어선다!)

선장 뭔 짓이야?!

이연 (과도 집어 들고) 질문은 내가 해.

선장 (버럭) 당최 이것이 뭔 짓이냐고!!

하는 순간! 이연이 '과도'를 던진다!
선장을 아슬아슬하게 비껴가서 그림 속 '용의 눈'에 박히는 칼!

이연 질문은 나만 한다니까? (칼 뽑으며) 대답이 시원찮으면, 평생 그물은 못 잡게 될 거야.

선장 (긴장한 얼굴로 끄덕)

이연 저 그림, 뭐야?

#26 평희의 집 / 마당 (낮)

지아와 이랑, 팽팽히 대치 중이다.

이랑 근데 말이야. 범인이 나라면 동기가 있어야 되잖아. 뭐지? 정의구현?

지아 아까까진 긴가 민가 했는데, 이제 알 거 같아.

이랑 ??

지아　　선원들의 죽음은 일종의 '불꽃놀이'야.

이랑　　불꽃놀이라….

지아　　요란한 사건 사고로 주의를 끌면서, 우리의 눈과 귀를 가리고 싶어 해, 넌.

이랑　　내가 왜?

지아　　아마도, 이 섬에 온 '진짜 목적'을 숨기기 위해서.

이랑　　(정곡을 찔렸다. 가볍게 손뼉 치는) 훌륭해. 인간 여자치곤 꽤 스마트하단 말야. 답을 맞혔으니까, 상을 줘야겠네?

지아에게 다가와 허리춤에 손 갖다 댄다. 그 손 뿌리치는데! 순식간에 주머니에서 지아 부모 사진 낚아채는 이랑!

이랑　　부모 소식 찾고 있지?

지아　　내 놔!!

이랑　　(빙글거리며) 왜? 꿈에서 봤잖아?

지아　　네가 그걸 어떻게?!

이랑　　말만 해. (속삭이는) 혹시 알아? 내가 답을 갖고 있을지.

지아　　진짜… 찾아 줄 수 있다고?

이랑　　물론. (교활한 미소로) 들어줄까, 그 소원?

짧은 순간, 미친 듯이 갈등하는 지아 얼굴에서.

#27　　간이 슈퍼 / 안채 (낮)

이연이 서슬 퍼렇게 묻는다.

이연 저 그림, 뭐냐고 물었다.

선장 (긴장해서) '용왕님'이잖소. 옛부터 풍랑도 재우고, 뱃사람들 고기 몰아다 준다고, 풍어제 크게 올리고 그랬수다.

이연 거짓말.

선장 바다 농사는 원래 사람이 짓는 게 아니라 안하요!

이연 (선장의 눈 빤히 보다가) 에이, 그냥 자르자.

선장의 한쪽 손목 붙잡고, 당장이라도 자를 듯 힘을 주는데!

선장 아악!! 진짜라니까!!

이연 (반신반의로) 그림은 어디서 났어?

선장 동네 할매가 육지 오일장서 사 와 갖고 쫙 돌렸지라. 마을 사람들 다 붙잡고 물어보시오!

속을 꿰뚫듯 그의 눈 잠시 보다가, 방을 나서는 이연.

이연 (과자 하나 집어 들고) 방금 그 장면은 잊어버려.

하자, 선장의 눈빛 묘연해진다.

이연 (과자 내밀며) 계산.

선장 (!!!) 엄마야, 언제 오셨대? 천원이요.

이연 (말없이 지폐 건네고 나가는데)

선장 (뒤에다 대고) 헌데, 방송국에서 몇이나 온겨?

이연 ??

선장 방금 전에도 이쁜 외지 총각 하나가 평희네 집을 물어쌌드만.

이연 총각? (하다가 굳는, '이랑이구나!!')

#28 평희의 집 / 마당 (낮)

이랑, 흔들리는 지아에게 유혹하듯이 속삭인다.

이랑 딱 한 마디만 하면 돼. '예스' 라고.

지아, 눈을 질끈 감는다.
답을 예상하듯 이랑, 자신만만한 미소 지어 보이는데.

지아 (단호하게) 사양하겠어.

이랑 (!!!!) 왜지?

지아 '여우는 은혜를 입으면 꼭 갚는다'며. 바꿔 말하면, 빚을 졌을 때도, 공짜가 아니란 소리겠지?

이랑 (들켰다. 이내 여유 있게) 어우, 팍팍해. 계속 이렇게 팍팍하게 굴 거야, 우리 사이에?

지아 '우리 사이'니까, 그럼 충고 한마디 할게. 남의 불행 위에서 함부로 주사위 굴리고 그러지 마. 사람들은 너 같은 놈을 '양아치 새끼'라고 불러.

이랑 (어린애처럼 버럭) 너! 내가 천박한 걸 얼마나 싫어하는데! 한 번만 더 날 그렇게 부르면 그냥 죽여 버릴 거야!

지아 왜 나야? 왜 하필 내 옆을 맴 돌면서… (하는데)

이랑 너랑 말 안 해! (하고, 씩씩대며 나가다가) 대신 나도, 충고 한마디 해 줄게. 이연을 너무 믿진 마.

지아 무슨 뜻이야?!!

이랑 그놈이 원하는 걸 찾으면, 넌 지옥을 보게 될 거야.

(시간 경과)

이연이 급히 집으로 돌아온다.

지아 (약간 넋 나간 얼굴로) 갔어.

이연 (빠르게 훑고) 사지는 멀쩡하고. 이랑 그놈이 뭐래?!

지아 우리 부모님, 찾아 줄 수도 있다고.

이연 그래서?!!

지아 난 치킨도 양념 후라이드 반반 말고, 딱 하나만 파는 타입이야.

이연 뭔 소리야?

지아 깠다고 네 동생. 난 '이쪽 여우'한테 베팅했으니까.

이연 (만족스레) 누가 배운 여자 아니랄까 봐. (하고) 그게 다야?

지아의 귀에 '이연을 너무 믿진 마.'라던 이랑의 목소리 맴돈다.

지아 (짧게 고민하다) 그게 다야. 근데 둘이 형제라며?

이연 형제지.

지아　　왜 그렇게 못 잡아먹어서 안달이래?

이연　　외동이라 잘 모르겠지만, 원래 형제지간이란 게, 총만 안 들었지, 느와르에 가까운 법이야.

지아　　또 말 빙빙 돌린다? 것도 비밀이야?

'아, 배고프다.' 딴청 피우며 이연이 자리를 뜬다. 그 뒤에다 대고.

지아　　너야말로, 이 길로 짐 싸서 나가는 게 어때?

이연　　뭐?!

지아　　네 동생 말이야. 뭔가 특별한 이벤트를 준비하고 있는 모양인데.

이연　　(태연히) 그거 기다리고 있는 중이야, 난.

#29　　한식당 우렁각시 (낮)

화려한 정장 차림을 한 유리가 임원들 몇을 데리고, 식사 중이다.

신주가 그쪽에 시선을 주고 있는데.

우렁각시　　(옆에 와서, 작게) 못 보던 얼굴이지?

신주　　'토종 여우'는 아녜요.

우렁각시　　그럼?

신주　　해외파겠죠.

우렁각시 외국물 먹어 그런가 신수가 아주 훤하네. 몸에 두른 게 다 얼마야?

우렁각시가 유리의 액세서리며, 가방 눈여겨본다. 하나같이 고가품들.

신주 예약은, 누구 이름이에요?

우렁각시 (명단 확인하고) 기유리? 모즈백화점 이사래.

신주 딱 봐도 자수성가할 타입은 아닌데.

우렁각시 복권이라도 맞았나.

신주 요즘 세상에 돈과 권력의 냄새를 풍기는 여우는 둘 중 하나죠. 이연님 같이 혈통 있는 금수저거나, 아니면 금기를 어기고, 사람의 인생을 훔쳤거나.

마치 그 얘기를 듣기라도 한 듯, 이쪽을 흘긋 바라보는 유리. 신주와 눈 마주치자 싱그럽게 웃는다.

#30 평희의 집 / 마당 (낮)

이연과 지아, 나란히 마당을 보며 앉아, 컵라면으로 허기를 달래고 있다.
울긋불긋 꽃 피어 있는 마당, 아름답고 고즈넉하다.

지아 이러고 있으니까 아침나절 사건 사고가 다 꿈같아. 이런데서 매일매일 단조롭고, 지루하게 살면 얼마나 좋을까.

이연 좋으면 여기로 귀농하든가.

지아 (흘기고) 너야말로 자연이 그립지 않아?

이연 별로. 백화점도 없고. 딴 건 몰라도, 아메리카노랑 민트초코 아이스크림은 포기 못 해.

지아 뭔 여우가 이래?

이연 사는 거 다 똑같아. 시골 할멈들 몸빼 바지가 꽃무늬라고 그네들 속살도 꽃무늬겠니. 털어 보면 다들 독하고, 징글징글한 세월 쏟아져 나와.

지아 너도 그래?

이연 (보면)

지아 그냥… 그렇게 긴 세월을 어떤 무늬로 살아왔나.

이연 그러는 넌? 뭐가 그렇게 오랫동안, 부모를 기다리게 만들었는데?

지아 난 단순해. 보고 싶어서. 우리 엄마랑 아빠.

이연 나도 그래. '보고 싶은 사람'을 기다리고 있어.

의외라는 듯 그런 이연의 옆얼굴 잠시 보다가.

지아 첫사랑? 사람 아니면 여우? 그렇게 미련 많은 얼굴을 하고, 어쩌다 헤어진 거야?

이연 (말없이 라면 국물만 홀짝)

지아 말 안 해 줄 거지? (하는데)

이연 (컵라면 탁 내려놓고) 그놈의 첫사랑이 하필 사람이었는데, 죽어

버렸고, 그래서 미련하게도, 미련을 못 버렸다, 됐냐?

지아　기다리고 있다면서?! 그러니까… 죽은 사람을 기다리는 거야?!

이연　약속했어. 다시 태어날 거라고.

지아　!!!!

뭔가 더 물을 틈도 없이 '아, 잘 먹었다.' 하면서 가 버리는 이연이다.

#31　한식당 우렁각시 / 여자 화장실 (낮)

거울 앞에서 립스틱 고쳐 바르는 유리.

핸드백에 립스틱 챙겨 넣고, 화장실 나선다.

#32　한식당 우렁각시 / 내실 앞 (낮)

테이블로 돌아가지 않고, 내실 쪽으로 향한다. 문에 손 갖다 대자마자.

신주　거긴 관계자 외 출입 금지에요.

유리　(돌아보고 발랄하게) 어머, 실수.

신주　실수 아닌 거 같은데.

유리　좀도둑질이나 할 만큼 없어 보이지도 않잖아.

신주　(의심스러운 듯 훑는데)

유리　통성명이나 할까요, '같은 종'끼리? (손 내밀고) 난 유리예요.

신주 (안 잡는) 엄밀히 말하면 종은 다르죠. 그쪽은 러시아산인가?

유리 (손 거두며 빙긋) 눈썰미가 좋네.

신주 한국엔 어떻게 왔죠? 혹시…

유리 (거침없이) 맞아요, 밀수. 러시아제 마카로프 권총 사이에, 9시간이나 끼겨서 날아 봤어요? 비행기 랜딩하자마자, 밀수업자 얼굴에 총질을 하고 싶더라니까.

신주 (살짝 당황해서) 고…고생이 많았겠네요.

유리 그러니, 겉모습만 보고, 자수성가할 타입이네 아니네 품평을 하면, 섭섭하겠어요, 안 하겠어요?

신주 그건… 난 저기 그러니까, 확인할 의무가 있어요.

유리 내 성공 비결이 궁금하다?

신주 그래요.

유리 별 거 아닌데? (눈 깜짝할 새, 볼에 입 맞추고) 이렇게 달콤하고. 또.

신주 !!!!

유리 살벌하게?

훅 달아올랐던 신주 얼굴, 순식간에 굳는다!
옆구리에 닿는 금속의 감촉! 유리가 옷 틈으로 마카로프 권총 겨누고 있다!! 신주의 목걸이 (호리병 모양) 확 낚아채고!

유리 (상큼한 미소로 감사의 러시아어) 블라가다류 바쓰.

#33 섬 전망대 / 한식당 우렁각시 내실 (낮)

마을이 한눈에 내려다보이는 전망대. 주위에 상록수 고고하게 서 있고. 이연, 혀를 '끌끌' 차며 신주와 통화 중이다.
아까의 충격으로, 내실 구석에 쭈그려 앉아 있는 신주와 교차된다.

이연 넌 어떻게 그걸 털리니?!

신주 전 망했어요. 그 목걸이가 없으면 동물들 말귀를 알아들을 길이 없는데.

이연 '수의사계의 명의'니 뭐니 재고 다니더니 꼴좋다. (듣다가) 뭐? 도둑이 치명적? 세상에서 제일 한심한 게 말이야, 여자한테 눈이 멀어가지고.

신주 (억울한 목소리로) 근데, 여자한테 눈 멀어서 인생 조진 건 이연님도 마찬가지잖아요.

이연 뭐 인마?!

신주 그나저나 어떡하죠?

이연 뭘 어떡해? 신원도 안다며? 쳐들어가!

신주 못 가요. 그 여자 총 있어…

이연 그깟 총이 대수니?

신주 저 옛날에 포수 총에 꼬리 날아간 뒤로, 트라우마 생긴 거 아시잖아요. (징징) 그러니까 빨리 좀 올라오세요.

이연 잔말 말고, 가서 찾아 와!!

#34 바닷가 / 모처 (낮)

흰 천이 바닷바람에 나부낀다.

무당이 바닷가 모래에, 흰 천을 매단 대나무 가지 꽂고 있다.

상서로운 눈으로 먼 바다를 본다.

5개씩 두 줄로 늘어선 그것, 마치 문(門)을 만들어 놓은 것처럼 보인다. 무속에서 용왕을 모시는 이른바 '용왕길'이다.

#35 섬 전망대 (낮)

이연의 시선, 부러진 상록수 가지에 머문다.

'얜 또 왜 가지를 부러뜨려 먹고 난리야….'

이연이 두 손으로 가지를 감싸면, 거짓말처럼 가지가 붙기 시작한다. 성가신 듯 손수건 꺼내서, 부러진 부위를 동여매 준다. '됐다. 이제 잘 먹고, 잘 살아라.' 무심히 나무를 어루만지는 손길.

이내 바람이 거세게 분다. 불길한 눈으로 먼 곳을 보는 이연.

이연(E) 북서풍이 분다… '뭔가'가 오고 있어.

#36 동네 / 모처 (낮)

도서관의 재환에게 전화가 걸려 왔다.

재환(E) 피디님 놀라지 마세요….

지아 (충격으로) 비슷한 사건이 진짜 더 있었어? 피해자는?!

#37 도서관 (낮)

재환이 옛날 신문들 앞에 놓고, 경악한 얼굴로.

재환 네 명 다, 신원불상의 여자들이요!

지아(E) 언제야?

재환 맨 처음이 1954년이에요. 8월 13일.

지아(E) 1954년??

2화에서 당산나무의 영이 했던 말 스쳐 간다.
'한국 전쟁이 끝난 직후 태풍을 틈타 섬에 '부정한 것'이 들어 왔는데. 저는 볼 수도, 막을 수도 없었어요.'

지아 차례로 불러 봐.

재환 61년 8월 25일, 79년 9월 6일, 그리고 87년 9월 7일이요! 주기가 워낙 넓어서 그렇지, 이거 완전 연쇄 살인 아네요?!

#38 동네 / 모처 (낮)

지아가 수첩에 날짜를 휘갈겨 써 놓고, 빠르게 뭔가 계산한다.

지아 요일은?

재환(E) 순서대로 금요일, 금요일, 목요일, 월요일이요.

지아 요일은 아니고. 전부 8월에서 9월 사이… (생각하다) 어?! 잠깐만!

핸드폰 달력을 확인해 본다.

심각해진 얼굴로 펜을 다시 집어 든다. '7월 15일'이라고 적는다.

재환(E)　뭔데요?! 피디님? 피디님!

지아　음력.

재환(E)　네?!

지아　음력으로 7월 15일. 내 계산이 맞다면 전부… 같은 날이야. '오늘'이 음력으로 그날이고.

재환　얼른 그 기분 나쁜 섬에서 나오세요! 여보세요?! 피디님?!! (보면 전화 끊겨 있다. 걱정스레) 대체 뭘 파고 계신 거야.

동동거리는 재환 눈앞에 펼쳐진 '옛날 신문' 보인다.

제목　<외딴섬에서 발견된 토막 시신 - 어화도에서 무슨 일이?!>

#39　숲 (낮)

2화 엔딩에 이어. 선원3이 지아에게 망치를 휘두른다!

지아 어깻죽지에 빗맞는다! 겁에 질린 얼굴로, 거듭 망치 휘두르는데!

지아 앞을 가로막으며 나타나는 이연!

선원3 달아나면, 지아 상처에 짓이긴 풀잎 올려 주는데!

지아 뭐야?
이연 민간요법.
지아 뜨거워….
이연 엄살은.
지아 (괴로워하며) 너무 뜨거워. 네 손… 뜨거워 죽겠어.

그런 지아의 어깨를 뒤덮은 무수한 비늘!!
지아가 순식간에 이연의 목을 조르며!

지아 오랜만이야… 이연.
이연 너… 뭐냐?!!
지아 '나'야. 네가 기다리던 그거.
이연 (!!!!!) 뭐?!
지아 (다른 쪽 손으로 이연의 얼굴 그립게 어루만지며) 근데 있잖아… 나 '왜 죽였어?'
이연 !!!!!

인서트 플래시백
이연의 기억이 명멸한다. 아음이 그를 부른다. '이연…' 속절없는 그 이름, 뼈와 살에 새길 듯 애절한 목소리로.
찰나! 짐승의 본능이라도 깨어난 걸까.
그녀의 심장에 손톱을 찔러 넣는 이연 모습, 마치 '살인귀'처럼 보인다!
그랬다. 이연이, 그녀를 죽였다!

이연 (얼어붙은 채 지아를 보다가) 너 누구야.

지아 그러게. 날 놔주지 그랬어.

이연 너 뭐냐고.

지아 우리 '악연'은 끝났어야 했다. 삼도천 넘어가는 배를 네가 붙잡지만 않았다면 말야.

이연 !!!!!!!!

'설마…' 이연이 미세하게 몸을 떨다가.

이연 아니. 그 여잔, 나만 알아볼 수 있는 '표식'을 갖고 태어난다. (슬프지만 단호히) 너한텐 없어.

지아 (피식) 넌 정말이지 아무 것도 몰라. 이연.

지아의 눈에서 초점이 사라진다. 이내 '뜨거워…' 작게 신음하면, 비늘 모양의 흉터가 거짓말처럼 사라진다.

이연(E) 흉터가 사라졌어?!

원래의 지아로 돌아왔다.

지아 나한테 뭐 한 거야? (비늘 있던 자리 어루만지며) 뜨거워서 죽을 뻔했잖아.

이연 (혼란스러운) 너 누구야?

지아 누구긴 누구야.

이연 대답해.

지아 왜 이래?!

이연 누구냐고!

지아 (심상찮은 기색에) 나 지아야. 지아라고!

이연 (허무하고, 복잡한 마음으로) 기억을… 못 해?! 너, 방금 전에…

하다 말고 위협적인 눈빛으로 돌덩이 주워 든다! 지아 움찔한다!
곧바로 내던진다! 지아를 아슬아슬하게 비껴간다!
가볍게 그것을 받아 쥐고 '이랑'이 모습 드러낸다!
손에 살짝 힘을 주면, 가루가 되어 으스러지는 돌덩이!

이랑 캐치볼 같은 걸 하기엔 너무 늙지 않았나?

이연 그러기엔, 우리 사이가 너무 막장이지. 난 데드볼이었어.

지아를 사이에 두고, 팽팽히 노려보고 선 형제. 찰나, 이랑이 지아에게 덤벼든다! 나중에 알게 되지만 지아의 핸드폰을 슬쩍 하려는 것! 난폭하게 막으며 이랑을 가격하고!

이연 (지아에게) 여기서 떨어져.

지아 (꼼짝도 못 하고 얼어붙어 있는데)

이랑 뭐야? 둘이 사귀어? (하고, 또 지아에게 다가가려 하면)

이연 (이랑 막아서며) 빨리!!

지아가 빠르게 내달려, 둘에게서 멀어진다!

지아를 뒤쫓으려는 이랑을 막으며, 둘 사이에 몸싸움 벌어진다!
이하, 치고받고 싸우며!

이랑 비켜!
이연 싫은데? 나랑 놀아.
이랑 이거 '가정 폭력'이다 너?
이연 호로 자식은 좀 패 가며 키우라던데, 내가 그걸 못 해서 여우 새끼를 개새끼로 만들었잖냐.
이랑 그 새끼 거리로 내몬 놈이 누군데, 틈만 나면 유기견 취급이네?
이연 내 동생, 올 크리스마스 선물로 입마개 사 줘야겠다.

#40 무당의 집 / 앞 (낮)
지아가 숲을 헤매고 있다. 주머니 뒤져 보니 핸드폰이 없다.
'핸드폰이 어디 갔지?' 불안하게 중얼대는데.
폐가를 방불케 하는 허름한 집 보인다. 주위에 잡초 무성하다.
낡은 지붕 귀퉁이에 꽂혀 있는 '작은 깃발(오방기)' 외에는, 집 주인이 무속인이라는 것을 짐작할 수 없는 모양새.

무당 누구요?
지아 (돌아보면)
무당 못 보던 얼굴인데.
지아 (꾸벅) 서울 방송국에서 왔어요. 여기… 사세요?
무당 (부끄러운 듯) 예….

지아 마을로 가려면 어느 쪽으로 가야 돼요?

무당 (손짓하는) 저기 재 넘어가는 게 지름길이에요.

지아 감사합니다. 근데, 여기 산 지 얼마나 되셨어요?

무당 오래됐죠. (의미심장한 눈빛으로) 아가씨가 상상하는 것보다 훨씬.

지아 (부모 사진 보여 주며) 혹시 이분들 본 적 없으세요? 옛날에 여기서 찍은 건데.

무당 글쎄… (갸웃하다가) 아!! 이 여자분 '임산부' 아닌가?

지아 맞아요!! 기억하세요?!

#41 무당의 집 / 마당 (낮)

마당 한쪽에 '깨진 거울' 세워져 있고, 곳곳에 거미줄 둘러쳐 있다. 툇마루에서 향 한 자루 피어오른다.

지아가 김 모락모락 나는 찻잔 사이에 두고, 무당과 마주 앉았다.

지아 (마음 급한 듯 부모 사진 보며) 얘기도 나눠 보셨어요?

무당 (끄덕)

지아 이 섬엔 왜 왔대요?!

무당 (찻잔 밀어 주며) 식기 전에 들어요.

지아 (마지못해 홀짝 마시는 척)

무당 배 속에 애가 거꾸로 들어섰다든가, 목에 탯줄을 감고 있다든가. 암튼 순산하게 해 달라고, 사굴서 용왕님한테 기도하고 갔어요.

지아 (표정 바뀌는) '용왕님'이요?

무당 얼마나 영험한지 사라호 태풍 때도 우리 섬만 멀쩡했다니까요. 옛날엔 제사 크게 올리고 그랬는데.

지아 제사? 일종의 풍어제 같은 건가요?

무당 (기특한 듯) 젊은 사람이 그런 것도 다 알고.

지아 그 제사는 언제예요?

무당 '백중날'이요.

지아 (눈빛 변하는) 백중날! 음력 7월 보름이네요? 제사는, 아주머니가 직접 올리셨고.

무당 (당황하는) 뭐?!!

지아 보니까 이 섬에 딱 한 집만, (지붕 모퉁이 가리키며) '오방기'가 걸려 있더라고요.

지아 손짓 따라, 낡은 깃발 클로즈업된다.

자막 오방기 - '삶, 죽음, 질병, 재물, 조상'을 상징하는 다섯 색깔 깃발

지아 집주인이 무속인이란 뜻이죠. 제가 이걸로 밥 벌어먹고 사는 직업이라.

무당 (입술 깨문다)

지아 그리고 아주머니, 아까 그 사진 속 임산부, 의사예요. (일어서서) 애가 이상하면 사굴 말고 병원을 갔을 겁니다.

무당 앉아 봐. 차차 얘기할 테니까.

지아 얘기는 경찰이랑 하시고.

무당 (찻잔 만지작, 태연히) 아가씨는 여기서 못 나가.

지아 차, 안 마셨어요. 모르는 사람이 주는 건 안 받아먹거든.

들은 척도 않고, 빠른 걸음으로 무당집 빠져나가는 지아!
그런데!! '풀썩-' 하고 다리에 힘이 풀린다!

지아 내가… 왜 이러지….

무당 차가 아니고 '향'이었거든.

지아의 의식 가물가물해진다! 희미해져 가는 의식 사이로 '깨진 거울'에 비친 무당 모습 보인다!
거울 속에는, 같은 옷을 입은 '백발의 노파'가 앉아 있다!
노파, 까맣게 썩은 치아 드러내고 비죽 웃는다!

#42 숲 (낮)

싸우다 말고, 이랑이 꾹 참았던 웃음을 터뜨린다.

이연 (차갑게) 웃어?

이랑 (시계 보고) 이만하면 시간은 충분히 번 것 같고. 아직도 모르겠어? '그 여자'가, 왜 하필 이 섬에 오게 됐는지.

이연 뭐?!

이랑 그 여잔, 제물이 될 거야.

이연 !!!!!

이랑 시간이 별로 없는데? (슬쩍한 지아 핸드폰 들어 보이며) 참고로 전화는 못 받아요.

#43 숲 / 모처 (낮)

이연이 빠르게 지아를 찾아 나선다!

'어디냐…' 지아의 냄새 따라가다가 우뚝 멈춰 선다.

'왜지? 냄새가 완전히 사라졌어!'

불안한 눈빛으로 먼 곳을 보는 이연!!

#44 무당의 집 / 앞 (낮)

무당이 집 앞에 노란 가루를 뿌린다.

옆에 뿌려 둔 광주리에 '달맞이꽃' 보인다.

#45 숲 / 모처 (낮)

해가 서서히 지고 있다. 이연, 멈춰 서서 지는 태양을 올려다본다.

이연(E) 조금 있으면 일몰이다. 조금만, 조금만 버텨 주라…

애타게 뭔가를 기다리는 이연이고.

#46 무당의 집 / 마당 (밤)

해가 떨어졌다. 무당의 집에서 경쾌한 금속음 들린다.
무당이 마당 한쪽에 쪼그려 앉아 식칼을 갈고 있다.
한쪽에, 의식 없이 축 늘어져 있는 지아 보인다.

무당 네 어미도 너처럼 제 발로 이 섬에 찾아 들어왔지. 애를 배고는 매일 똑같은 꿈을 꿨다더라. (칼 들고, 내려다보며) 배 속에 있던 네가, 네 어미를 꾄 것이야.

그 순간, 지아가 눈을 '번쩍' 뜬다.

#47 숲 / 모처 (밤)

이연이 밤하늘을 올려다본다. 그 얼굴에 은은한 달빛 쏟아진다.
기다렸다는 듯이 사방에 대고.

이연 내 본디 산신이자, 너희 초목산천의 주인이다. 숲의 길잡이들아. 이 어둠을 걷고, 나를 그 여인에게 인도해 다오.

하지만, 사위는 괴괴한 침묵뿐. 아무 일도 일어나지 않는데.
'젠장, 모양 빠지게스리…' 쓰게 웃으며 머리 쓸어 넘긴다.
그 순간! 숲에 소슬거리는 바람 소리!

인서트

전망대에 늘어선 상록수들.

앞 씬에서 '손수건' 묶어 둔 나무, 미세한 바람에 가지를 살랑 흔든다. 그 속에서 작은 '불빛' 한 점 날아오른다.

이어 꼬마전구처럼 이연의 주위를 밝히는 '작은 불빛'!

이내 숲이 화답이라도 하듯 수많은 불빛들 점점이 날아오른다! '반딧불이'다!

이연의 주위를 밝히던 그들, 어디론가 이연을 인도한다!

#48 섬 / 우물가 (밤)

무서운 힘으로, 지아를 끌고 가는 무당!

한 손에는 지아, 다른 한 손에는 아까 갈아 놓은 식칼을 들고 있다!

무당이 내던지듯 지아 내려놓으면, 그 앞에 '낡은 우물'!!

지아의 얼굴 공포로 굳는다!

무당이 우물 앞에 도열한 양초에 불을 붙이는 사이!

일어나려 몸부림쳐 보지만, 손발에 힘이 들어가지 않는데!!

무당 (뒷모습으로, 다 안다는 듯) 소용없다.

지아 당신이지? 이 섬에서 나온 여자들 시체!

무당 (돌아보며) 다 소중한 희생이었단다.

지아 까고 있네. 아줌마, 그건 그냥 살인이야.

무당 제물이 되거라. 너는 '아주 특별한 아이'란다.

지아 ?!!!

무당 (그리운 얼굴로, 우물에 대고) 내 얼마나 오래 기다렸는지.

곧바로 지아를 우물에 처넣으려 한다!
필사적으로 버티지만!! 약 기운 때문에 수세에 몰리는 지아!
무당이 우악스럽게 식칼 치켜드는데!

이연 멈춰라.

이연이 얼음장 같은 표정으로, 경계선 너머에 서 있다.

지아 이연?!

이연 그 여자한테, 손대지 마. (단호하게) 사지를 찢어 버린다.

무당 옛 산의 주인과는 무관한 일이요. 가던 길 가시지요.

이연 '산송장' 주제에. 누구냐, 너한테 분에 넘치는 수명을 준 게.

무당 (빙긋)

이연 무엇을 섬기느냐 물었다.

무당 네놈은 어차피 나를 못 막아. 사방이 달맞이꽃이거든.

그 말대로, 경계선 넘자마자 이연의 발에서 '불티'가 타오른다!
신음도 내지르지 않고, 넘어가려 애쓰는데!
무당이 식칼을 '퍽-' 내리친다! '악!!!' 지아의 외마디 비명 소리!
지아가 맨손으로 칼날을 움켜쥐었다! 손에서 피가 '뚝뚝' 떨어진다!

찰나에 지아를 우물로 떠밀어 버리는 무당!!
막 추락하는 순간! 지아가 입구 붙잡고, 아슬아슬 우물 속에 매달린다! 그 모습을 보는 이연의 눈앞에!
과거, 이연의 품에 안긴 채 죽어 가던 '아음' 얼굴 스쳐 간다!
이연의 눈빛 돌변한다! 그 등 뒤로 드러나는 꼬리!!!
우물에 매달린 채 무당과 사투 중인 지아!
한 점 바람 불어 양초 불빛 흔들린다!

#49 몽타주

마을에, 숲에, 바닷가에 비가 내리기 시작한다!
숲에서는 새떼 일제히 날아오른다!
멀리, 집채만 한 파도가 몰려오는 것 보인다!

#50 섬 / 우물가 (밤)

우물가에 세찬 비가 내린다! 무당이 당황한 기색 감추지 못한다! 달맞이꽃 가루로 그려 놓은 경계선, 이미 희미해져 있다!
보란 듯이 그 경계 넘어가는 이연!
뒷걸음질 치던 무당이, 식칼을 들고 이연에게 달려든다!
'흙으로 돌아가라.' 이연이 읊조리면, 무당 머리 위로 '쾅-' 벼락 내리친다!
무당이 있던 자리, 검게 그을린 뼈와 흙, 옷가지만 남는다!
동시에 우물을 붙잡고 있던 지아의 손, 미끄러진다!!

그 순간, 지아의 팔을 붙드는 이연!
가볍게 들어 올리면, 지아가 우물 밖으로 빠져나온다!

#51 내세 출입국 관리 사무소 (낮)
삼도천 노파, 놀라서 막 불을 붙이려던 담배를 떨어뜨린다!

노파 이놈이!!!
현의옹 (화들짝 놀라서) 왜 그래, 자기야?!
노파 이연이… '사람'을 죽였어.

#52 섬 / 모처 (밤)
이랑이 쏟아지는 비를 피하고 있다.
비오는 하늘 올려다보며, 속을 알 수 없는 희미한 미소 지어 보인다.

#53 섬 / 우물가 (밤)
이연이 한쪽 무릎을 접고 앉아, 지아와 눈을 맞춰 온다.
그 시선, 피하지 않고 마주 본다. 처음으로, 지아의 마음에 작은 파문이 인다.
둘 사이로 재잘재잘 비가 내린다.

이연 걸을 수 있나?
지아 한쪽 팔만 빌려줘.

잡고 일어서는데, 다리에 힘이 풀린다. 마취 기운이 채 가시지 않았다.
이연, 두말없이 지아를 안아든다.

지아 (살짝 어색한 기분에) 저 여잔, 뭐였던 거야?
이연 (무당의 잔해 보며) 인간. 더 살고 싶어서 발버둥 치던 평범한 인간.
지아 아우! 저거 아주, 내가 죽빵을 날려 주려고 했는데!
이연 저기요. 방금 죽을 뻔 하셨거든요?
지아 안 죽었잖아.

도란도란 이야기를 나누며, 앵글 밖으로 멀어지는 두 사람.
인적 없는 우물가에 비만 스산하게 내린다.
카메라, 서서히 우물로 다가가면.
흐르는 비에, 우물 입구에 묻어 있던 지아의 피 씻겨 내려간다.
시커먼 우물 속으로 빨려 들어가는 핏자국.

#54 마트 / 평희의 집 앞 (밤)
신주가 장을 보고 있다. 장바구니에 인스턴트식품이 잔뜩.
가로등 아래서 통화 중인 이연과 교차된다.

신주 아니, 이연님! 상황이 아무리 급박해도 그렇지. 그 뒷감당을 어쩌시려고요!

이연 잔소리 할 거면 끊어! (듣고) 벌을 내리면 받아야지.

신주 그래서 인간 여자랑은 함부로 얽히지 마시라니까!

이연 그 여자가, 아음의 전생을 알고 있어.

신주 네? 피디님이요?!

이연 정체가 뭔진 모르지만, 당분간 지켜보려고.

신주 아휴, 이 바닥에서 이연님 러브스토리가 얼마나 유명한데요! 보나마나 동생분이 수작 부렸겠죠!

자신만만하게 답하는데, 마트 안내 방송 요란하게 나온다. '오늘만 특가! 오늘만 이 가격! 마감 세일 시작합니다!!'

이연 너 어디야?! 마트니?!

'천도복숭아' 매대 앞에서 움찔하는 신주. 그 앞에 직원 아줌마 서 있고.

신주 (불쌍한 척) 아까 일로 좀 우울하기도 하고. (복숭아 만지작) 여긴 저만의 무릉도원이고.

이연 또 내 카드 가져갔지?!

신주 (손에 카드 쥐고 있다) 네? 이연님, 잘 안 들려요… (전화 끊고, 어이없이 보는 직원에게) 이거 유기농 맞아요?

#55 평희의 집 / 문간방 (밤)

이연이 방으로 들어온다.
지아가 다친 손에 붕대 동여매고, 단출한 안주에 소주를 마시고 있다.

이연 (기가 차서) 술??
지아 난 사람이라, 오늘 같은 날은 맨정신으로 못 자. (잔 건네는) 자네도 한 잔 해.
이연 (앉으며) 꼰대 소리 들을까 봐 쭉 참았는데, 너무 대놓고 반말이네. 내가 몇 살인 줄 알고.
지아 환갑 넘으면, 할아버지로 호칭 통일되는 거 알지?
이연 (그건 죽기보다 싫다) 말 놓으세요.
지아 (물끄러미 보다가, 진지하게) 왜 자꾸 날 구해 주는 거야? 350만 명이 죽어 나가도 눈 하나 깜짝 않던 네가, 왜?
이연 (대답 대신, 소주 따라 마시면)
지아 혹시 나한테, 네가 찾는 뭔가라도 있니?
이연 !!!!
지아 찝찝한 게 산더민데, 오늘은 다 생략하고 한마디만 하자. (진심으로) 고마워, 이연. 아홉 살의 나도, 서른 살의 나도, 네가 있어서 살았어. 난 있잖아. 액션도 안 되고, 비바람도 부릴 줄 모르지만, (단단한 눈빛으로) 언젠가 꼭 너를 지켜 줄게.

이연의 심장이 '쿵' 내려 앉는다.
과거, 아음이 '너는 내가 지켜 줄게.' 하던 모습과 겹쳐 보이는 탓이다.
이내 소주를 쭉 마시고 '아, 술 달다.' 웃는 지아.

지아 근데 이 소주를 한 짝으로 늘린다거나, 그런 건 못 하나?
이연 '오병이어'의 기적? 내가 예수님이냐?!

간만에, 안온한 분위기의 두 사람 모습에서.

#56 섬 / 우물가 (밤)
모두 잠든 깊은 밤. 선장을 비롯, 마을 사람들이 우물로 다가간다. 금방이라도 몸을 던질 듯이.

#57 섬 / 바닷가
이윽고, 바닷가에서 어둠을 찢는 가냘픈 아기 울음소리!
꿈틀거리는 작은 물체가, 부적 잔뜩 붙인 담요에 싸여 있다!
그것을 안고 있는 이랑!
앞 씬의 '용왕길' 지나, 낯선 중년 남성에게 아기를 전한다!

#58 평희의 집 / 마당 (낮)
다음 날 아침. 이연이 나갈 채비 마치고 마당으로 나온다.
툇마루에는 지아의 짐 가방들 단정하게 놓여 있다.

평희가 다리를 절며 나타난다.

평희 첫 배 타고, 가시게요?

이연 다리를 저네?

평희 (움찔)

이연 한쪽 다리 내주고 아버지 복수를 했나 보지?

평희 (!!) 그걸 어떻게….

이연 운이 좋아 목숨은 건졌지만, 다시는 남을 저주하는 짓 같은 건 하지 마라. 돌아오거든, 본인한테.

눈물 그렁한 평희. 그러고 돌아서는데, 지아가 사색이 돼서 뛰어 들어온다!

지아 없어!!

이연 뭐??

지아 아무도 없다고!!

이연 무슨 소리야?

지아 마을 전체가, 증발한 것같이… 사람 그림자도 안 남았어!!!

이연 !!!!!!

#59 마을 곳곳 (낮)

텅 비어 버린 마을 곳곳을 비추는 화면!

슈퍼에는 텔레비전 켜져 있고, 반쯤 먹다 만 술상까지 고스란히 놓여 있다!
길에도, 숲에도, 바닷가에도! 사람의 흔적은 없다!

#60 선착장 (낮)

인적 뚝 끊긴 선착장에서, 이연과 지아, 불길한 시선 주고받으면!
직부감으로 '빈 섬'을 비추는 화면에서!

3화 끝

4
상문살

#1 평희의 집 / 마당 (낮)

3화 엔딩에 이어. 사색이 돼서 뛰어 들어오는 지아!

지아 없어!!

이연 뭐??

지아 아무도 없다고!!

이연 무슨 소리야?

지아 마을 전체가, 증발한 것 같이… 사람 그림자도 안 남았어!!!

#2 몽타주 (낮)

지아, 빠르게 몇몇 집의 방문 열어 본다. 개미 새끼 하나 보이지 않는다.

지아의 카메라 앵글로, 빈 집의 을씨년스러운 풍경들 담긴다.

바닥에 깔린 요와 이불, 사람이 막 자다 일어난 듯 흐트러져 있다.

불이 켜진 채, 하다만 바느질감 놓여 있는 집도.
모든 시계는 '2시 40분'에 멈춰 있고, 벽에는 '용왕 그림' 걸려 있다.
이연은 한 발 떨어져 지켜본다.

#3 슈퍼 / 앞 (낮)

마지막으로, 슈퍼 안채 확인하고 나온 지아. 이연이 걸어 나오면.

지아 화장실은?
이연 없던데?
지아 뭐?
이연 없다고. 어제 그 시체.
지아 !!!!
이연 (대수롭지 않게) 하룻밤 사이에 무인도가 돼 버렸네.
지아 강제로 끌려간 건 아니야. 저항한 흔적도, 주저한 흔적도 없어.
이연 어디 단체 관광이라도 갔나 보지.
지아 시체랑 같이? 지갑이나 가방 같은 소지품 하나를 안 챙겼어. 딱 '몸만' 사라진 거야.
이연 (가볍게) 흐음….
지아 대체, 어디로 가 버린 거지?

#4 경찰청 (낮)

백 형사가 예사롭지 않은 표정으로 지아와 통화 중이다.

백 형사 　이건 또 뭔 소리야? 야, 오버하지 말고 말해. (사이) 없어졌다고? 스물 두 가구, 주민 마흔 한 명이 전부?! (자리에서 벌떡 일어서며) 지금 바로 지원 요청할 테니까, 부상자나 사망자 있으면 연락 줘!

#5 　바닷가 / 인근 (낮)

지아가 전화 끊고, 이연에게 핸드폰 돌려준다.
이연이 의미심장한 눈으로 모래사장을 보고 있다.

지아 　왜?
이연 　저거, 언제부터 저기 있었지?

저만치, 가지런히 도열한 대나무 가지에 흰 천 나부끼는 것 보인다.
가까이 가 보니, 주위에 죽은 새들의 사체 나뒹군다.

지아 　(가지 매만지며) 대나무네? 항간에 대나무가 '귀신을 부르는 나무'란 속설이 있던데, 진짜야?
이연 　속이 비었잖아. 길 잃은 망자들 들어앉기에 이만한 게스트하우스가 없지.
지아 　(대나무 사이 걷는) 근데 이거, 꼭 길을 만들어 놓은 거 같지 않아? 어디더라. 어디서 이 비슷한 걸 봤는데….

이연 (자신을 향해 걸어오는 지아를 보다가, 퍼뜩) 용왕길.

지아 아! 제주도 민속 축제 촬영하면서 본 적 있어! '용왕을 맞이하는 길' 맞지?

이연 맞는데, 방향이 틀렸어.

지아 그러고 보니 방위가 (가늠하는) 동서남북… 서남쪽으로 나 있네.

이연 귀문방.

자막 귀문방 - 무속에서 부정한 것이 드나드는 방위

이연 부정한 것들이 들고 나는 방위다.

지아 적어도 이 문을 통해서 부르려던 게 '진짜 용왕'은 아니란 소리네.

이연, 지아 (동시에 마주 보는데)

평희(E) 저기요…

돌아보면, 평희가 쭈뼛대며 조심스럽게 입을 연다.

평희 어제 새벽에… 제가 조금 이상한 소리를 들었어요.

지아 무슨 소리요?

평희 그게… '아기 울음소리' 같았어요.

이연, 지아 !!!!!!!

#6 내세 출입국 관리 사무소 (낮)

현의옹이 싹싹하게 전화 통화를 하고 있다.

현의옹 나 삼도천 출입국 관리소 현의옹이요. 염라대왕께서는 무탈하시죠? 다름 아니고, 망자들 수의가 모자란데, 오늘 새벽 배송 가능할까요? 사이즈 스몰만요. 그래요. 언제 단합 대회나 한번 합시다.

'그럼 수고해요!' 얼른 전화 끊고 자리에서 일어나는 현의옹! 곧바로 노파가 심기 불편한 얼굴로 나타난다.

현의옹 어떻게 됐어?
노파 어찌 이런 변고가.
현의옹 확실히 그때 그 '이무기'야? 어디로 갔는지 당신 눈에도 안 뵈고?
노파 부적을 썼나. 완벽하게 흔적을 감췄어.
현의옹 이를 어째?! 그럼, 연이한테 언질이라도 해 줘야 되지 않겠어?
노파 호들갑 떨지 마. 절대 이연이 귀에 들어가선 안 돼.
현의옹 그래도…
노파 입 다물어.
현의옹 (깨갱)

노파, 돌아서서 가만히 생각에 잠긴다.

노파(E) 이것이었나… 그래서 연이의 앞날이, 한 치 앞도 보이지 않았던 건가.

#7 바닷가 / 인근 (낮)

이연, 지아, 평희의 대화 계속되고 있다.

이연 자세히 말해 봐.

평희 새벽 2시가 좀 넘은 시간이었어요. 목이 말라서 잠에서 깼는데.

인서트 플래시백

야심한 시각, 자다 깬 평희가 보리차 주전자 들고 방으로 향하다 '흠칫!' 어디선가 희미하게 '아기 울음소리' 들린다!

평희 첨엔 도둑고양인가 했는데… 아녜요. 분명 아기 울음소리였어.

지아 이 섬에 임산부는 없었잖아요!

평희 할머니들 전부 일흔이 넘으셨어요.

이연 그게 몇 시쯤이라고?

평희 새벽 2시 40분.

이연 확실해?

평희 네. 시계가 멈춰 있었거든요. 벽시계도, 탁상시계도!

인서트 플래시백

2시 40분에 멈춘 벽시계, 탁상시계 빠르게 컷/컷!

지아 내 시계도 멈췄어! (손목시계 보여 주며) 똑같이 2시 40분에!

이연 '축시'네. 저쪽 세상의 문이 열리는 시간.

자막 축시(丑時) - 새벽 1시에서 3시 사이

지아 간밤에… 대체 뭐가 태어난 걸까.

이연, 굳은 얼굴로 마을 쪽을 돌아본다.
텅 빈 마을 풍경, 음산하게 보인다.

#8 레스토랑 (낮)
유리가 생일 케이크에 꽂힌 '25개의 촛불' 훅 불어 끈다.
테이블에 화려한 식단 차려져 있고, 맞은편에는 모즈백화점 회장 내외. 손님은 셋이 전부다.

아빠 생일 축하한다, 유리야. (선물 건네며) 이건 아빠 선물, 이건 엄마 거.

신나서 풀어 보면, 한 개는 외제 차 키, 한 개는 유색 보석 팔찌다.

유리 (먹먹한 얼굴로) 고마워요. 엄마 아빠.
엄마 마음에 드니?
유리 (신나서 팔찌 차 보는) 그럼. 행복해서 눈물 날 거 같아.

세 사람, 화기애애하게 식사를 시작한다.

아빠 딸, 시집은 언제 갈 거야?

엄마	(옆구리를 쿡) 우리 유리 아직 어려요.
아빠	스물넷이 뭐가 어려?
엄마	스물다섯.

유리가 큼직한 고깃덩어리 하나, 맨손으로 집어 입으로 가져간다.

아빠	(갸웃) 아닌데? 스물네 살이었는데?
유리	(손가락 게걸스럽게 빨며) 아빠 치매 왔나 봐.
아빠	그 사고가… 스물넷, 대학교 4학년 때 아닌가?
엄마	무슨 사고요?
아빠	우리 유리… 네팔에 트래킹 갔다가 (혼란스러운) 추락해서 죽었잖아!
유리	(태연히 고기 먹는)
엄마	이이가 참, 그 무슨 끔찍한 소리에요?
아빠	아냐. 내가 그때 분명히 시신을 확인했는데…
유리	(말 자르며) 아빠, 내가 그런 쓸데없는 기억은 다 잊으라고 했지?
아빠	너…너 누구야!!

#9 휴대 전화 매장 / 앞 (낮)

이연과 지아, 서울로 돌아왔다.

이랑에게 뺏긴 핸드폰 대신 '새 핸드폰' 사 가지고 나오는 길.

지아 (살짝 당혹스러운) 내 핸드폰을 네가 왜 사 주는데?

이연 네 핸드폰 훔쳐 간 놈이 하필 내 혈육이라. (핸드폰 앱 깔며) 딱히 호의는 아니고 도의 차원이니까, 가능하면 48개월 약정 준수하고, 위약금은 스스로 해결해. 앱 깔아 놨으니까, 모르는 번호랑 내 동생 번호는 절대 받지 말고.

지아 (건네받고) 오, 뜻밖에 IT 강자.

이연 아날로그 감성 갖고는 사는 게 만만치 않더라고.

지아 ??

이연 작년 이맘때 서울중앙지검에서 전화가 왔어. 어떤 놈이 감히 내 명의를 도용했다고.

지아 설마 보이스피싱?!

이연 2,000만 원 뜯기고, 내 돈 뜯어 간 놈, 두 귀를 뜯어 놨는데, 한동안 잠이 안 오대.

지아 (웃음 꾹 참다가, 핸드폰 내미는) 찍어 줄래?

이연 ??

지아 네 번호. 모르는 번호 받지 말라며.

이연 내 신상은, 털만큼 털지 않았나?

지아 간밤에 미처 못 다한 인터뷰도 있고. (진지하게) 기왕 턴 김에 조금 더 털어 보려고.

이연 (번호 찍으며) 좋네. 캐릭터 한결같고.

지아 그런 욕 자주 들어. 그럼 또 봅시다.

#10 레스토랑 (낮)

'또각또각' 위협적인 구둣발 소리를 내며 아빠에게 다가가는 유리! 겁에 질린 아빠 얼굴, 손으로 덥석 잡으며!

유리　　나야. 아빠가 세상에서 제일 사랑하는 거.

가려진 손바닥 사이로 보이는 유리 눈빛, 섬뜩하기 그지없다!
아빠의 숨을 끊어 놓으려는 듯, 손에 힘을 주는데!
누군가 그 손목 붙잡는다! 이랑이다!
그만 하란 뜻으로 가볍게 고개 내젓는다. 유리가 손을 떼면.

이랑　　네 소원이 뭐였지?
아빠　　(겁에 질린 채) 내 딸… 유리가 살아 돌아오는 거.
이랑　　내가 들어줬잖아, 그 소원. (하면서 섬뜩하게 웃으면)

아빠의 눈에서 초점 사라진다. 잠시 후.

이랑　　얘가 누구라고?
아빠　　내 딸… 기유리… 스물다섯 먹었고… 내 백화점 물려받을 거야.
이랑　　오케이. 니들은 이제 가 봐.

부모가 기계적인 몸짓으로 자리 뜨면, 이랑이 자리에 앉아 와인을 따른다.

유리　　(발랄하게) 이랑님!! 보고 싶었어요!!

이랑 (마시고) 그 수의사 놈은 만나 봤니?

유리 네. (하고, 신주의 호리병 목걸이 꺼내 놓는다)

이랑 어땠어?

유리 생각보다 귀엽던데요? 총 보여 주니까 바로 쫄아요.

이랑 (목걸이 돌려주는) 이건 너 가져. 때 되면 찾으러 올 거야.

유리 (설레어) 오면요? 죽여도 돼요?

이랑이 테이블에 시선을 준다. 껍질 째 '바지락' 든 접시 보인다.

이랑 유리야. 바지락이 언제 제일 맛있는 줄 아니?

유리 네? 글쎄요?

이랑 복사꽃 필 때. 딱 그때쯤 껍질이 단단해지고, 살에 윤기가 흘러.

유리 ???

이랑 좋은 식재료를 얻으려면 기다리는 법을 배워야 돼.

유리 아항.

이랑 제대로, 정성껏 놀아 줘라. 그놈도, 이연이 아끼는 물건이니까.
(하고, 일어서면)

유리 어디 가시게요?

이랑 지금쯤이면 이연이 나 보고 싶어서 안달 나 있을 거야. 슬슬 마중 나가 봐야지.

#11 차 안 / 거리 (낮)

이연이 빠르게 차를 몰고 달리며, 이랑에게 전화를 건다.

거리의 이랑이 전화 받으며.

이랑　　(알면서 천연덕스럽게) 누구세요?
이연　　네 형이다.
이랑　　그래서요?
이연　　너 지금 어디야?
이랑　　안 가르쳐 줄 건데?
이연　　좌표 찍을 테니까 그리 나와.
이랑　　싫어. 장소는 내가 정해.

#12　　아이스크림 가게 (낮)

이연이 팔짱을 낀 채 이랑을 노려보고 있다.

이연　　왜 하필 여긴데?

이랑이 딸기 아이스크림 먹고 있다. 이연 앞에는 민트초코 컵.

이랑　　궁금하잖아. 너 맨날 여기 죽치고 있길래. (이연의 컵에 스푼을 푹) 한 입만 줘 봐. 민트초코.
이연　　(버럭) 손대지 마!
이랑　　(이미 먹었다. 오만상) 초콜릿이랑 파스를 같이 먹는 거 같아. 그 딴 걸 왜 먹는 거야?
이연　　(스푼 '탁-' 내려놓고) 놀만큼 놀아 줬으니까, 말해.

이랑 뭘?

이연 섬에 있던 놈들, 어디로 갔어?

이랑 알게 뭐야? 너도 딱히 그놈들 생사에 관심 있는 건 아니잖아?

이연 거기 '사람 아닌 게' 하나 끼어 있었을 텐데?

이랑 뭐 그런 소문을 듣긴 했지. 뒷산 우물에 재밌는 게 잠들어 있다고.

이연 어떤 놈이야?

이랑 왜? 설마 '그때 그놈'일까 봐 그래?

이연 (속 헤아리듯 보면)

이랑 너랑, 여자를 갈라놓은 그 구렁이 말이야.

이연 그놈은 내 손에 죽었어.

이랑 (아이스크림 먹으며 딴청) 사는 게 어디 내 맘 같기만 하겠어.

이연 뭔 소리야?

이랑 글쎄. (히죽) 근데, 이거 하난 확실히 말해 줄 수 있어. (가까이 들이대고) 네 여잔, 이번 생(生)에도, 제 명에 못 죽어.

이연의 얼굴, 무섭게 일그러진다.

#13 방송국 / 사무실 (낮)

지아와 백 형사, 사무실에서 한창 얘기 중이다.

지아 '배니싱 현상'이라고 들어 봤어?

백 형사 배니싱? 사라지다?

지아　　사람이 증발이라도 한 것처럼 사라지는 현상인데…

자막　　배니싱 현상(The vanishing effect) - 사람이나 사물이 어떤 흔적도 남기지 않고 사라지는 현상

지아　　실제로, 미국 노스캐롤라이나에 있는 한 섬에서 비슷한 사례가 있었어. (하며, 노트북에 띄워 놓은 자료 보여 준다)

백 형사　　로어노크 섬?

지아의 노트북 자료 화면.
'로어노크 섬 지도', 그리고 '당시 사건 삽화' 차례로 보인다.

지아　　1590년에, 이 섬 주민 전원이 실종됐어. 가재도구, 귀중품, 다 그 자리에 있고, 딱 사람만.

백 형사　　범인은?

지아　　인디언 공격이다, 전염병이다, 온갖 가설이 난무했지만, 아직까지 미스터리.

백 형사　　미안하지만, 난 그런 거 안 믿어.

지아　　판단은 스스로 해. 근데, 네가 아는 세상이 전부일 거라고 단정하진 마.

#14　　주차장 (낮)

인적 없는 주차장. 이연이 굳은 얼굴로 이랑을 노려보고 있다.

이연 어쩌다, 이렇게까지 꼬였냐, 너.

이랑 세기의 로맨스를 한답시고, 숲을 버린 건 너야.

이연 그때부터 600년의 세월이 흘렀어.

이랑 그 세월, 난 너를 저주하며 살았고.

이연 내가, 대체 뭘 어떻게 하면 되겠니?

이랑 (한 걸음 다가서서) 날 막을 방법은, 딱 하나밖에 없어.

이랑이 품에서 작은 단검을 꺼낸다! 칼날 날카롭게 벼려져 있다! '위협인가.' 차갑게 응시하는 이연!
그런데! 이랑이 그 칼자루 돌려서 이연의 손에 쥐여 준다!

이랑 죽여, 지금. 네 손으로.

이연 !!!!!

이랑 (자신의 심장 가리키며, 시험하듯) 죽이라니까? '나를 사냥하러 왔던' 그때처럼.

그와 동시에, 형제를 스쳐 가는 지독한 기억!!

#15 조선의 어느 들판 (낮밤 무관)

허리춤에 장검을 찬 이랑, 섬뜩한 얼굴로 숨을 몰아쉬고 있다.
피로 물든 손. 새하얀 얼굴에 튄 핏방울. 그 발밑에 한데 뒹구는 사람들 시체.
'살려 주시오.' 애원하는 노인 하나, 잔인하게 밟아 버린다!

그 모습 흡사 악귀 같다! 그때!

이연 랑아…

그 목소리에 이랑, 얼어붙는다!
보면, 이연이 가슴 아픈 얼굴로 서 있다! 이연도 검을 찬 모습!

이랑 형?! (믿기지 않는 듯) 진짜… 형이야?
이연 (끄덕)
이랑 (달려가 손을 잡고) 이게 얼마만이야?! 살아 있었어? 삼도천 간 뒤로 소식이 뚝 끊겨서 죽은 줄 알았잖아!!
이연 (희미한 미소만)
이랑 보고 싶었어. 보고 싶어서 죽을 뻔 했어, 형. 왜 나 데리러 안 왔어?
이연 갔었어. 갔는데 못 찾았어. 내가… 널 잃어버렸어.
이랑 형이 가고 나서 사람들이 산에 불을 놨어. 나는 거기서 형 기다리려고 했는데. 너무 뜨겁고, 또 무서워서…

하며, 우는 이랑. 이연의 마음 갈래갈래 찢어진다.

이연 그래서 사람을 죽이고 다닌 거니? (시체 가리키며) 아무 죄 없는 목숨들까지.
이랑 살아 숨 쉬는 게 죄악인 것들이야! 좀 전에 내가 고을 하나를 쓸어버렸거든? (아이처럼 신나서) 다들 내 발밑에 엎드려서 살려 달라고 막 빌어.

이연 (아프게 보는) 그랬구나… 다친 강아지 한 마리도 그냥 지나치지 못하던 내 동생이 이렇게… 달라졌구나.

이랑 같이 하자, 형. 우리가 누군지 인간들한테 가르쳐 주자.

이연 (눈물 고인 눈으로) 랑아.

이랑 응?

이연 검을… 검을 들어라.

이랑 (!!!!!) 무슨 말을 하는 거야, 형?

이연 저승 시왕들의 명이다.

이랑 ?!!!!

이연 (고통스럽게 칼을 뽑는) 그간 무수한 인명을 참한 이랑은, 오늘 목숨으로 그 죗값을 치르리라.

혼란스럽게 형을 보는 이랑의 눈빛!!
그런 이랑을 향해 칼을 휘두르는 이연의 모습에서!

#16 주차장 (낮)

다시 현재의 주차장. 이랑이 잡아먹을 것 같은 눈빛으로!

이랑 넌 진짜 나쁜 새끼야. 여자 때문에 형제를 버리더니, 그깟 실적 때문에 형제를 배신해? 죽어라 마일리지 쌓아서, 그 여자 다시 태어나면 넌 그만이지?

이연 (그저 보는)

이랑 ('흉터' 들춰 보이며) 겨우 급소를 빗맞아서 망정이지… 그때 죽었음 난 지금쯤 펄펄 끓는 화탕지옥을 뒹굴고 있었어.

빗맞힌 것이라고, 부러 너를 살린 것이라고. 이연은 말해 주지 않는다.

이랑 왜? 두 번은 못하겠어? (도발하듯) 죽이라니까? 그래야 네 여자가 살아.

이연 그래… 이 따위로 막 사느니, 인생 조기 종영도 나쁘지 않지. (하고, 능숙하게 칼을 고쳐 잡는다!)

형제의 시선, 뜨겁게 맞부딪친다!
이연, 당장이라도 그 심장을 꿰뚫을 듯이 칼을 치켜든다!
'해 봐!' 도발하는 이랑!
칼을 든 이연의 손이 정확히 이랑의 심장을 파고든다!
신음하는 이랑!
그런데! 이랑이 제 심장 움켜쥔 손을 떼면, 피 한 방울 없이 멀쩡하다?!! 이연이 '칼 손잡이'로 이랑을 친 것!

이랑 (얼굴 확 일그러져서) 왜…왜 못 하는데!!

이연 (이랑 발치에 칼을 툭 던져 주며) 버림받은 애처럼 굴지 마. 너 이제 어린애 아냐.

하고, 돌아서는데, 이랑이 순식간에 칼을 주워 들고, 이연의 팔 그어 버린다!
칼금 그어진 자리에서 붉은 피 배어 나온다!

이랑　　난 할 수 있어! (또 한 번 긋고!!) 근데 왜 참는 줄 알아?!!
이연　　(아픈 기색도 없이, 그저 본다)
이랑　　보고 싶어서! 네 눈앞에서 '또' 그 여자가 죽었을 때, 네가 어떤 표정을 하고 있는지!
이연　　아무리 위악을 떨어도, 이딴 게 네 본모습이 아닌 걸, 난 알아.
이랑　　…뭐?!!
이연　　간다.

성큼 돌아서서 가 버리는 이연.
이랑, 애증이 범벅된 눈으로 그 뒷모습을 본다.

#17　　방송국 / 복도 (낮)
지아가 백 형사를 배웅한다.

백 형사　　암튼 당분간, 언론에 새 나가지 않게 해 주라.
지아　　나야 입 다물면 그만인데, 실종자 가족들이 가만있겠어?
백 형사　　없어.
지아　　뭐?!
백 형사　　가족이나 연고자가 한 명도 없더라.
지아　　주민 마흔 한 명 전부??

백 형사 응. 더 찝찝한 건, 섬 토박이들도 아니란 거야.

지아 그럼?!

백 형사 1950년대에 한꺼번에 이주해 들어왔어. 같은 날, 같은 배로.

지아 !!!!!!

#18 한식당 우렁각시 (낮)

신주가 90도로 허리 굽혀, 현의옹의 잔에 막걸리 따른다.
신주 앞에는 먹다 만 국밥 한 그릇.

현의옹 (막걸리 쭉 들이켜고) 직장 상사 모시고 사는 기분을 네가 알아?!
신주 넌 절대 결혼하지 마라.

신주 아직 짝도 없어요.

현의옹 사내한테 결혼은 자살골이다, 새겨들어.

신주 처남이 염라대왕이신데, 최소 인저리타임 결승골이죠.

현의옹 네가 심판이냐? 내 인생의 판관이야?

우렁각시 (안주 접시 내려놓고) 왜 애먼 신주를 잡고 그러세요?

현의옹 우렁각시 자네도 절대 재혼하지 말어. 쭉 과부로 사시게.

신주 뭐 그런 악담을 하세요?

우렁각시 (생글생글 웃으며) 염라대왕 빽 없었으면 제가 선빵 날렸을 거예요.

신주 근데 두 분은 어떻게 만나신 거예요?

현의옹 (생각에 잠기는) 그것은 일종의 '범죄'였지. 것도 강력 범죄.

신주 ??

현의옹	옛날에 내가 계곡에서 목욕하는 걸 우리 마누라가 훔쳐보다가 말야.
우렁각시	첫 눈에 반하셨구나?
현의옹	내가 또 벗겨 놓으면 몸매가 나쁘지 않거든.
우렁각시	그럼 사모님이 먼저 고백하신 거예요?
현의옹	그날 밤에 보쌈을 당했어. 머리에 자루까지 씌워 갖고 업어 가대.
신주	예?!!
현의옹	앉혀 놓고 딱 두 마디 하더라. 나랑 잘래, 지옥 갈래? 나랑 살래, 지옥 갈래?
신주, 우렁각시	!!!!!

#19 내세 출입국 관리 사무소 / 외경 (낮)

'네 이노오오옴!!!!' 노파의 호통 소리 쩌렁쩌렁하다.

#20 내세 출입국 관리 사무소 (낮)

'나 귀 안 먹었어, 할멈.' 하면서 건들건들 소파로 가 앉는 이연.

노파가 지팡이로 삿대질해 대며 눈 부라린다!

노파	네가 감히 신분을 망각하고, 사람을 해쳐?!
이연	그 무당? 껍데기만 멀쩡하지, 딱 봐도 오늘내일 하던데.
노파	오늘이든 내일이든 명부엔 없는 자.
이연	맹세코 이머전시였어.

노파 벌써 징계가 내려왔다! 너 대체 뭔 생각으로… (하는데)

이연 어떤 벌이든 달게 받을게. 그러니까… (진심으로) 그렇게 티 나게 내 걱정하지 마.

노파 (속내 감추며, 쌀쌀하게) 그 계집애 때문이더냐?

이연 …

노파 기어이, 찾아낸 게야?

그 소리에, 섬에서 있었던 일 짧게 스쳐간다.

인서트 플래시백

몸에 비늘이 드러난 지아가 '근데 있잖아. 나 왜 죽였어?'

'그 여잔 나만 알아 볼 수 있는 표식을 갖고 태어난다. 너한텐 없어.'

이연 (고개 가로 저으며) 내가 준 '여우 구슬'이 없더라.

노파 (모르는 척) 헛다리 짚은 모양이지.

이연 아니라고 하기엔 또 너무 닮았어. 그 얼굴, 목소리… 죽기 직전, 아음의 몸을 뒤덮고 있던 '그놈 비늘'까지.

노파 이쯤에서 관둬라.

이연 뭔 소리야?

노파 사람과 여우는 맺어질 수 없다. 네 집착은 필히 화를 부를 것이야. 네놈한테도, 다시 태어난 그 아이한테도.

이연 (쓸쓸한 미소로) 나… 그렇게 거창한 거 바라는 거 아냐.

노파 허면?

이연 수백, 수천 년을 살아도 호(好)시절은 따로 있잖아. (캐비닛 쪽으로) 할멈은 1980년대를 좋아했어.

하며 캐비닛 열면, 오래된 비디오테이프 쌓여 있다.

이연 '취미'가 생겼으니까. (장국영 영화 꺼내 들고) 장국영이 죽었을 땐, 사흘 밤낮으로 막걸리를 퍼먹었지.

노파 그래서?

이연 난 그때가 전부였어. 그 아이가 살았던 그 짧은 한 시절이.

노파 다시 태어났다 한들, 걔는 이미 과거의 그 애가 아니야.

이연 상관없어. 난 그냥 그 애가 남들처럼 희로애락 다 느끼면서, 잔잔하게 나이 먹는 걸 지켜보고 싶을 뿐이야. 그러기 위해선, 내가 해야 될 일이 있고.

그러고 있는데, 이연의 핸드폰 울린다. 지아다.

#24 지아의 집 / 거실 (낮)

거실에서 이연과 통화하는 지아의 모습 교차된다.

지아 뭐 해?

이연 (태연한 목소리 가장해서) 그냥 뭐… 밥이나 먹으려고.

지아 (다급히) 밥 나왔어?!

이연 왜?

지아 그거 그대로 반납해!

이연 뭐 하자는 거야?

지아 같이 먹자는 거야, 나랑.

이연 !!!!!

#22 내세 출입국 관리 사무소 (낮)

이연이 겉옷 챙기며 일어선다.

이연 나, 밥 한 끼만 먹고 올게.

노파 야, 저승 형법이 물로 보이냐?

이연 하루 종일 물 한 모금 못 먹었단 말이야.

노파 정상 참작은 여기까지다. 자정 전에 돌아와.

이연 (나가다 말고) 혹시 섬에서 수상한 놈 하나 나간 거 못 봤어?

노파 (표정 감추며) 내 천리안이, 네놈 블랙박스인 줄 아냐?

투덜거리며 사무실 빠져나가는 이연.

노파가 이연이 사라진 곳을 걱정스레 본다.

#23 지아의 집 / 현관 (밤)

이연이 살짝 긴장한 얼굴로 지아네 현관문 두드린다.

등 뒤에 '꽃다발 비슷한 물건' 감추고 서 있다.

'왔어?' 지아가 문 열어 주면 집안으로 들어선다.

#24 지아의 집 / 주방 (밤)

식탁에, 의외로 정성 가득한 저녁 식사 차려져 있다.
단출하되 집밥 냄새 물씬 나는 메뉴.

이연 이거 설마??
지아 설마 내가 만들었어. 대체로 못 하는 게 없다고 보면 돼.
이연 제일 중요한 걸 못 하네.
지아 겸손이 밥 먹여 주나? (자리 안내하며) 내가 먹여 주지. 뒤에 그건 뭐야? 꽃다발 같은데?
이연 아니야.
지아 자신 있게 제출해 봐.

이연이 뒤에 숨긴 선물 건넨다. 꽃다발 모양으로 묶은 '쑥'이다.

지아 (황당한데) 꽃다발이 아니고, 쑥 다발이네?
이연 빈손으로 밥 얻어먹으면 또 은혜를 갚아야 되는데, 귀찮아. 어때? 맘에 드나?
지아 (높낮이 없이) 와아….
이연 리액션 되게 기계적인데?
지아 집들이 선물치곤 겁나 참신하네. 이걸 꽂아야 돼, 뜯어 먹어야 돼?
이연 핵폭발로 초토화된 땅에, 풀 한 포기 못 자랄 때, 제일 먼저 돋아난 게 쑥이래. 딱, 너 아니냐.
지아 (이연의 머리 가볍게 쓰다듬으며) 딱, 내 취향이야.

찰나, '어린 아음'이 자신의 머리를 쓰다듬던 장면 스쳐 간다.

이연 (당황해서 손 쳐내고) 뭐…뭐하는 짓이야?

지아 왜, 동물들 머리 쓰다듬어 주면 좋아하잖아.

어깨 으쓱해 보이고, 쑥 다발 화병에 꽂으러 가는 지아.
그런 지아를 눈으로 좇는 이연의 눈빛, 조금 혼란스럽다.
이내 두 사람, 마주 앉아 식사 시작한다. 쑥은 밥상 한가운데 꽃처럼 꽂아 뒀다.

이연 (찌개 맛보고 진심으로) 맛있다.

지아 (뿌듯한) 두 그릇 먹어.

이연 (먹다 말고 밥상 가리키며) 근데, 갑자기 장르 바꾼 이유가 뭐야?

지아 사람은 말이야. 고마운 마음을 전할 때 주로 뭘 '멕이'거든. 음료수를 건네고, 고기를 사고, 밥을 지어 먹이고. 두 번이나 나를 구했는데, 신세 갚을 방법이라곤, 이 평범한 밥상밖에 안 떠오르더라.

이연 충분히 특별해. 적어도 오늘, 나한테는.

이연 속은 까맣게 모르고, 지아가 웃는다.
쑥 다발 사이에 두고, 이연의 눈길 지아에게 한참 머문다.

#25 지아의 집 / 거실 (밤)

식사 끝났다. 이연이 집 둘러본다. 가족사진, 부모님 실종 기사 등 보인다. 회전목마 오르골 건드리자 음악 흘러나온다. 지아가 커피 들고 온다. 건네받고.

이연 그러고 보니 이사도 안 갔네?

지아 (담담하게) 실종자 가족, 대부분이 그래. 이사를 잘 못 가. 집으로 오는 길, 잊지 말라고… 나 아직 여기서 기다리고 있다고.

이연 외로웠겠다. 이 넓은 집에서. 혼자.

지아 (미소)

이연 왜 웃어?

지아 차마 울긴 뭣해서. '외로웠겠다' 하니까 내가 그랬나, 그랬었구나 싶기도 하고.

이연 좋은 사람들이었나 보네. (하며, 사진 속 부모 가리킨다)

지아 그러게… 조금만 못되게 굴어 주지. 그랬으면 나도 다 잊고, 남들처럼 평범하게 살 수 있었을까.

지아의 눈가 촉촉해진다.
눈물 참으려는 듯 가만히 두 귀를 틀어막는다. 순간, 이연이 흠칫한다. 아음과 또 겹쳐 보이는 탓이다.

지아 (애써 씩씩하게) 이러면 눈물이 나오다 말거든. 엄마 아빠 잃어버리고, 9살 때 터득한 주문.

이연 찾을 거야, 네 부모.

지아 (돌아보면) ?!!!

이연　　내가 그렇게 해 줄게.

지아　　!!!!

이연　　남은 인생은 제대로 한 번 살아 봐. 보통 사람들 같이 지루하고, 또 따뜻하게.

이번에는 지아의 눈빛 '쿵!' 하고 흔들린다.

지아　　혹시 말이야. 네가 말한 그 첫사랑…

이연　　(말 자르며) 꿈 깨. 내 첫사랑은 한 떨기 연꽃 같았거든?

지아　　그래, 난 잡초다! 막 방사능 뚫고 자라는 쑥이다, 됐냐?!

마주 보고 웃는 두 사람이고.

#26　　대저택 (밤)

이랑 시선으로 저택 내부 보인다. 거실 한복판에 '꽈리' 화분 놓여 있다.

집주인이 공손히 고개를 숙인다. 3화에서, 이랑에게 아기를 건네받은 사내.

주인　　신세가 많았습니다.

이랑　　별 말씀을. 그 옛날, 이연의 칼을 맞고 다 죽어 가던 나를 살린 게 그쪽 아니요.

찰나, 이랑과 주인의 손에 묶인 '계약의 징표' 짧게 드러났다가 사라진다.

주인 (사람 좋은 미소로) 것도 다 인연이지요.

이랑 애는? 잘 있나?

주인 자고 계십니다.

이랑 그쪽도 참 대단하네. 어떻게 600년을 몸 바쳐서 '그것'을 모셨대?

주인 저야… 사람이니까요. 길어야 100년도 못 살면서, 죽지 않고자 발버둥치는 평범한 사람.

이랑 (꽈리 톡 건드리며) 이쪽 세상 힘을 빌어서 수명을 늘린 놈 치고, 끝이 좋은 놈을 별로 못 봤는데.

주인 (미소만)

이랑 이제 어쩔 생각이요?

주인 먹이고, 재우고, 무럭무럭 자라시길 기다려야죠.

이랑 기대할게요. 주인공이 마침내 연인을 찾고, 사랑에 빠진 순간에, 정확히 과거의 비극이 재연돼. 아, 예술이야.

#27 지아의 집 / 인근 (밤)

지아와 이연, 나란히 걷고 있다. 지아는 검은색 정장에, 목에 스카프 차림. 근처에 동네 슈퍼, 불 밝히고 있다.

이연 장례식장? (살짝 굳은 얼굴로) 꼭 가야 돼?

지아 왜?

이연 타이밍이 안 좋아. 지금, 그런 장소.

지아 무슨 뜻이야?

이연 니네 조상들이, 왜 상갓집 갔다 와서 씻고, 소금 뿌리고 했겠니. 온갖 부정한 것들이 다 몰려들어.

지아 걱정은 고마운데, 내가 가야 돼.

이연 (붙잡고) 넌 이미 '이쪽 세상'에 발을 담갔어.

지아 그래서 잡귀라도 꼬일까 봐?

이연 뭐가 됐든, 네 눈에 보인다는 건, 상대도 널 볼 수 있다는 거야. 게다가, 난 며칠 서울에 없어.

지아 어디 여행 가?

이연 (둘러대는) 뭐 비슷해. 그러니까… (하는데)

지아 나 안 피할래. 그게 내가 앞으로 보게 될 세상이라면 더더욱.

이연 (잠시 고민하다) 기다려 봐. (하고, 슈퍼로 들어간다)

이연이 작은 주머니 하나 지아에게 건네준다.
열어 보면 팥알이 소복이 담겨 있다.

이연 네 나이만큼 '팥'을 담은 주머니야. 잃어버리지 말고 몸에 지녀.

지아 부적 같은 건가?

이연 클래식인데, 내가 만든 거라 하루 이틀은 괜찮을 거야.

지아 고마워. (밝게 인사하는) 그럼 여행 잘 다녀와!

멀어지는 지아의 뒷모습 바라보고 서서.

이연(N) (불안한 듯이) 이상하게 발길이 떨어지지 않는다. 내가 지금, 곁을 비워도 되는 걸까.

그런 이연을 안심시키듯 지아에게서 핸드폰 메시지 날아온다.

지아(E) 무슨 영화 좋아해?

이연(E) (답장 하는) 토이스토리3. 왜?

지아(E) 이연에 대해 더 알고 싶어서.

멀리서 지아가 이쪽을 보고 있다. 짧게 손 흔들고 사라진다. 이연, 그제야 희미하게 웃으며 자리 뜬다.

#28 장례식장 / 빈소 (밤)

지아가 향을 올리고, 홀로 상주 노릇하는 작가에게 목례한다.

작가 (밉게 눈 흘기며) 나쁜 년, 안 오는 줄 알았잖아.

지아 한 번도 안 울었다며? 독한 계집애… (하고, 팔 활짝 벌린다)

작가 (못 이기는 척 안기면)

지아 늦어서 미안해.

가만히 등을 두드리는 지아의 손길, 비로소 눈시울 붉히는 작가다.

#29 장례식장 / 모처 (밤)

지아와 작가, 종이컵 커피 들고 앉아서 도란도란 수다 떤다.

작가 우리 엄마… 윤달에 수의를 지으면 오래 산다고, 같이 한복집 한번 가자고 조르는 거, 미루고 미루다 못 해 줬다?

지아 (묵묵히 들어주는)

작가 전화하면, 바쁘다고 맨날 내가 먼저 끊었어. 저번 주엔 나 좋아하는 동치미 담아 놨는데, 늦잠 자느라 안 갔고.

지아 불효자식 맞네.

작가 (눈 빨개져서) 그치?

지아 그래.

그 말이 신호라도 된 듯 '엄마… 엄마 미안…' 참았던 속울음 터져 나온다.

작가 (아이처럼 우는) 우리 엄마 동치미 진짜 맛있는데… 이제 다시는 못 먹어. 아빠도 없는데, 나 이제 엄마도 없어….

지아 (등 쓸어 주며) 실컷 울어. 여기서 참으면 가슴에 못 박혀.

따뜻한 느낌의 불빛 아래, 지아를 부둥켜안고 서글피 우는 작가.

#30 내세 출입국 관리 사무소 (밤)

이연이 노파의 뒤를 따라 사무실 안쪽으로 향한다.

이연 그래서 행선지는 어디야?

노파 (묵묵부답)

이연 이왕이면 따뜻한 데로 보내 줘. 나 요새 나이 들어서 추위 많이 타.

비디오테이프 들어 있던 것과 같은 종류의 캐비닛 늘어서 있다.
그 앞에 멈춰 서서, 서류 펼쳐 드는 노파.

노파 시왕들의 전언이다.

이연 (살짝 긴장하는)

노파 전직 백두대간 산신 이연. 사람을 해친 죄로 형법 24조에 의해 제1지옥형에 처해야 마땅하나, 그간 많은 인명을 구한 것을 참작해, 이레간의 근신을 명한다.

이연 잠깐만. 일주일?! 생각보다 너무 긴데?!

노파 (마저 읽는) 단, 그 기간, 숲의 영물이 아닌 '인간의 육신'으로, 생로병사의 고통을 온전히 느낄지어다.

이연 (낭패감으로) 왓 더…!!!

노파가 곧바로 '캐비닛' 중 하나를 연다.
놀랍게도, 눈 가득 쌓인 설산 풍경 펼쳐진다.

#31 장례식장 / 접객실 (밤)

문상객 사라진 접객실.

말끔한 차림으로 혼자 앉아 있는 '젊은 남자의 뒷모습' 보인다.
재환이 육개장 갖다 주며, 흘끔 시선을 준다. 재환은 모르지만,
이랑이다.

#32 동물병원 (밤)

병원에 CLOSE 팻말 붙어 있다.
신주가 핸드폰 기사를 보고 있다. 백화점에서 포즈를 취한 '유리 사진' 실려 있다.
제목은 <재벌 3세 경영 가속화 '모즈백화점 기유리 이사'>
신주가 고개를 들면, 눈앞에 '유리'가 서 있다.

신주 (펄쩍) 모…목걸이 도둑!!
유리 (짓궂은 미소로) 하이?
신주 여긴 또 어떻게 알고?!
유리 (목에 걸린 목걸이 만지작) 찾으러 올 줄 알았는데, 안 오더라?
신주 (한 걸음 물러서며) 그건 댁이 막 총기를 소지하고 다니고…
유리 (한 걸음 다가가며) 안심해. 오늘은 비무장이니까.
신주 (두려운 듯) 원하는 게 뭐야.
유리 나랑 놀자. (신주에게만 보이는 각도로 겉옷 열며) '여기'도 비무장이거든.

겉옷 스르르 떨어진다. '아찔한 가죽 속옷' 차림이다.
놀린 신주가 숨을 들이켠다.

#33　장례식장 / 접객실 (밤)

지아가 '뒷모습의 남자'를 지나쳐 재환이 있는 주방으로 다가간다.

재환　작가님은 좀 어떠세요?

지아　왕창 울려 놨더니 어지럽대. (떡 챙겨 주며) 책임지고, 먹이고 올 것.

재환　넵!!

재환이 떡 접시 들고 사라지면.

그제야, 정면에 혼자 앉아 있는 남자를 보고, 얼어붙는 지아!

이랑　여기 육개장 괜찮네.

지아　(날카롭게) 네가 왜 여기 있어?!

이랑　오버하지 말고 앉아. 참고로, 내가 너보다 부조금 많이 냈어.

지아　(도움을 청하려는 듯 주위를 훑으면)

이랑　앉으라고. 애미 장례식에, 이 집 딸까지 같이 보내기 싫으면.

이랑이라면 하고도 남을 것을 안다. 굳은 얼굴로 맞은편에 앉는 지아.

지아　용건이 뭐야?

이랑　(턱을 괴고) 이연하고는 잘 돼가?

지아　진도 장난 아니지. 하나뿐인 남동생이 시도 때도 없이 왕래하실 정도면.

이랑 (피식) 넌 내가 무섭지도 않니?

지아 무서워. 콤플렉스 많은 수컷은 일종의 시한폭탄이라고 배웠거든.

이랑 제대로 배웠네.

지아 대체 왜 그렇게 형을 미워하는데, 넌?

이랑 뭐… 삶이 지루해서?

지아 거짓말. (도발하듯) 사실 넌 형이 좋았던 거지? 그래서 이러는 거야.

이랑이 섬뜩하게 지아를 쏘아 본다. 그 시선, 피하지 않는 지아다.

#34 동물병원 / 앞 (밤)

신주가 홀린 것처럼, 유리의 몸을 빤히 훑고 있다.
유리, 그럴 줄 알았다는 듯이 자신 만만한 얼굴인데.

신주 진짜였구나. 러시아, 밀수업자. (하며, 겉옷 주워 유리 감싸 준다)

유리 (당황해서 밀어내고) 무슨 짓이야?!

신주 나 수의사야. 네 몸에 흉터… 동물원에 있던 애들한테 비슷한 걸 본 적이 있어.

유리 (자존심 상한 얼굴로 노려보면)

신주 학대당한 거지? 사람한테.

유리 그딴 표정으로 쳐다보지 마! 짜증나니까!

신주 아, 미안.

유리 사과도 하지 마. 목걸이, 절대 안 돌려줄 거야.

신주 나한테 소중한 거야.

유리 그래서 뺏긴 거야.

신주 누구야? 누가 너한테 이런 짓을 시키는 거니?

유리 (여유 되찾고) 네 손으로 목걸이 되찾으면, 그때 가르쳐 줄게.

#35 장례식장 / 접객실 (밤)

이랑과 지아, 팽팽히 서로를 본다.

이내 남 얘기 하듯 건조하게 입을 여는 이랑.

이랑 옛날에, 산을 버리고 떠난 산신이 있었어. 그러자 밤낮 찾아와서 이거 해 달라, 저거 해 달라 빌던 인간들이 '여우의 씨를 말리겠다'고 산에 불을 놨네?

지아 !!!!

이랑 숨이 붙어 있는 모든 게 불탔어. 좋아하던 꽃과 나무가, 가족처럼 키운 강아지가, 전부 숯덩이가 됐지.

지아 그게… 그 첫사랑 때문이야?

이랑 이연은 네가 그 여자의 환생이라고 생각해. 그러니까 어떤 대가를 치를 줄 알면서, 무당을 죽인 거지.

지아 대가?!! (핸드폰 꾹 쥐고) 이연, 지금 어딨어?

이랑 최소한, 핸드폰은 잘 안 터질 걸?

#36 설산(雪山) / 감옥 (낮밤 무관)

만년설 소복이 쌓인 저 세상의 협곡.
깎아지를 듯 낭떠러지에 오도카니 자리한 동굴 감옥 보인다.
그 속에, 사슬에 묶인 채 갇혀 있는 이연. 그 눈빛만은 여전히 형형하다.

#37 장례식장 / 접객실 (밤)

이랑이 용건 끝났다는 듯, 자리를 털고 일어선다.

지아 (따라 나서며) 어디냐고.
이랑 (손짓) 이리 와 봐.
지아 (경계하며 다가가면)
이랑 (속삭이는) 그건 네가 알 거 없고. 살고 싶으면 오늘 밤은 '절대' 잠들지 마.
지아 ?!!!!

찰나! 지아는 모르지만, 이랑의 손가락 사이에, 날카로운 금속 번뜩인다!
눈 찡긋하고, 나가 버리는 이랑!
그런 지아 뒤로 '톡… 톡…', '팥 알갱이' 떨어진다!
이랑이 그새 주머니를 찢어 놨다! 지아는 아직 눈치채지 못했다!

#38 장례식장 / 관리실 (밤)

나이든 경비1과 젊은 경비2가 CCTV 앞에 앉아서 햄버거 먹고 있다.

경비1이 무심코 CCTV를 보고 갸웃한다.

경비1 6호실은, 이 시간에 웬 사람이 이리 바글거리노?

경비2 (핸드폰 게임하면서) 떡고물 떨어질 게 많은 집안인가 보죠.

경비1 전부 '어린애' 같은데?

경비2 (보지도 않고 타박) 아저씨는 남 일에 참 관심 많으세요.

인서트 CCTV 화면

자정이 넘은 시각, 다른 빈소와 달리 6호실 테이블에만 가득 찬 손님들.

얼굴은 흐릿해서 잘 보이지 않지만, 하나같이 '어린아이들'이다.

그 한가운데 서 있는 지아.

#39 장례식장 / 접객실 (밤)

지아 모습을 비추던 화면, 실사로 바뀐다!

그런데! 지아가 있는 접객실에는 아무도 없고 '지아 혼자'뿐이다!! 굳은 얼굴로 접객실 빠져나가는 지아!

그 뒤로, '통통통통-' 팥알 계속 굴러 떨어진다!

#40 장례식장 / 관리실 (밤)

다시 6호실 CCTV 화면.
테이블에 앉아 있는 아이들, 일제히 고개를 돌려 지아가 사라진 쪽을 본다!
그중, 지아를 따라나서는 여자아이 둘!!

#41 설산(雪山) / 감옥 (낮밤 무관)

살을 에는 바람 소리.
굴하지 않고, 고요히 시간을 견디는 이연의 눈빛, 그 위로.

노파(N) 지옥의 시간은, 속세와 다른 속도로 흐른다. 현실의 이레는 지옥의 7년. 먹지도 않는다. 잠들지도 않는다. 죽을 수도 없다.

#42 내세 출입국 관리 사무소 (밤)

'어리석은 놈.' 오래된 비디오테이프에 마른걸레질을 하며 탄식하는 노파.

#43 장례식장 / 휴게실 (밤)

지아가 초조해진 얼굴로 이연에게 전화를 건다.
'전화기 꺼져 있다'는 안내음만 들린다.
도리 없이 핸드폰 내려놓고, 휴게실 나선다.

누군가, 지아 뒤를 소리 없이 따라붙고 있다!!!

#44 장례식장 / 복도 (밤)

빈소로 돌아가는 길. 복도 형광등 깜박깜박 댄다.

'정전인가…' 옆 빈소 스쳐 가는데.

발밑으로 뭔가가 굴러온다. '썩은 체리'다.

그 어둠 속에 '뭔가' 서 있다?!! 소스라쳐서 보면, 앳된 자매!

지아 안녕? 니들 자매구나?

여아1, 2 …

지아 몇 살이야?

여아1, 2 (손가락 10개 펴 보이면)

지아 열 살? 근데 여기서 뭐 해?

여아1 언니…

여아2 언니…

여아1, 2 (동시에) 우리 아빠 못 봤어요?

지아 아빠 잃어버렸니?

여아1, 2 (끄덕)

지아 몇 호실인데?

대답 없는 자매.

화면 서서히 넓어진다. '옆 빈소'가 한 화면에 같이 걸린다.

그곳에 놓여 있는 영정 사진, 다름 아닌 지아와 얘기 중인 자매다!

자매의 아버지로 보이는 사내, 사진 앞에 주저앉아 울고 있다!

지아 언니가 찾아 줄까?

자매가 '끄덕-' 하며 지아의 양 옆으로 다가선다!

지아의 오른쪽, 왼쪽 손을 잡으려고 손을 뻗는 아이들! 그때!!

지아 (쪼그려 앉으며) 근데, 니들 왜 신발을 짝짝이로 신었어?

색깔만 다른 운동화. 두 아이 모두 '오른쪽 왼쪽'을 바꿔 신었다.

지아가 아이들 발을 보는 사이, 자매가 싸늘한 얼굴로 서로 눈 마주친다.

뒤에서 '피디님!!' 부르는 소리. 재환이 떡 접시 들고 뛰어온다.

재환 떡 클리어 했어요!!

지아 잘했다!

재환 저랑 피디님 들어가래요. 작가님도 좀 쉬신다고.

지아 그래? 잠깐만.

하고 돌아보면, 아이들은 이미 사라지고 없다!

지아 어? 애들 어디 갔지?!

재환 애들이요?

지아 (둘러보며) 방금 여기 있었는데.

재환 (무심히) 부모 찾아 갔겠죠. 가요, 우리.

재환에게 이끌려, 고개 갸웃하고 자리를 뜨는 지아.

#45 장례식장 / 앞 (밤)

나란히 장례식장 나서는 지아와 재환.

지아 택시 탈 거지? 내가 내려 줄게.

재환 아녜요. 피곤해 죽겠는데 엄마가 슈퍼 몇 군데 들러서 껌이라도 한 통 사오래요. 잡귀 털고 들어오라고.

지아 액땜이구나.

재환 교회 다니는 양반이 뭔 미신을 그리 믿는지.

지아가 '픽' 웃는다. '낼 봬요.' 편의점 쪽으로 뛰어가는 재환.
지아는 대로변으로 방향을 튼다. 무심코 주머니에 손을 넣어 본다.
이연이 쥐여 준 '팥 주머니' 찢어져 있다.
'어? 이게 언제…' 하며 보면, 팥이 들었던 주머니 텅 비어 있다.
괜히 불안해진다. 주위에는 인적 하나 없다. 바삐 걸음 옮긴다.
문득, 뭔가가 뒷덜미를 잡아챈다!
소스라치며 뒤를 보면, 세워진 자전거에 스카프가 걸렸다!
'괜히 놀랐네.' 안도하며 스카프 푼다.

그런데! 다시 걸음을 떼는 순간! 뭔가가 또 뒤춤을 붙든다!
이번엔 목이 '콱-' 조여 온다! 버둥거리며 돌아보면!
아까의 자매가, 고사리 같은 손으로 스카프 양쪽을 쥐고 있다!
재밌는 놀이라도 하듯, 스카프 끝을 붙들고 빙그르 돈다!
순식간에 숨이 막혀 온다!
버둥거리다 그 자리에 쓰러지는 지아! 의식을 잃어 가는 지아의 귀에, '피디님!!' 외치며 달려오는 재환의 목소리 들린다!
손에 꼭 쥐고 있던 '팥 주머니', 지아의 손에서 굴러 떨어지면서 암전!!

#46 설산(雪山) / 감옥 (낮밤 무관)

감옥에 있는 이연의 눈빛 돌변한다!

이연(N) 내가 준 부적이… 몸에서 떨어졌다?! (몸을 벌떡 일으키며) 이랑인가, 아니면… (감옥 벽을 다급히 내리친다) 할멈! 나 할 말 있어! (반응 없자 더 세게 두들기며) 내 목소리 들리는 거 다 알거든?!

하지만 아무도 오지 않는다!

이연 문 열어! 문 열라고!! 젠장!!!

노파가 어느새 이연의 뒤에 서 있다!

노파 웬 소란이냐!

이연 할멈! 나 좀 내보내 줘! 나 여기서 나가야 돼!

노파 네 이놈, 감히 여기가 어디라고… (하는데)

이연 '거기'로 갈게! 도산지옥!

노파 !!!!

이연 감형 없으면 원래 거기였잖아! 그럼, 오늘 내로 나갈 수 있어!

노파 영원히 못 나갈 수도 있지. '그 몸'으론.

이연 상관없어.

'진심이구나.' 싶어 노파의 얼굴 딱딱하게 굳는다.

#47 지아의 집 / 거실 (밤)

지아가 소파에서 가물가물 눈을 뜬다. 이마에 젖은 수건 얹어져 있다. 재환이 물 받은 세숫대야 들고 화장실에서 나온다.

재환 괜찮으세요?!

지아 (일어나 앉으며) 어떻게 된 거니, 나….

재환 식장 앞에서 쓰러지셨어요.

지아 (한기가 드는) 추워.

재환 추우세요?

재환이 냉큼 담요 갖다 덮어 준다. 한기로 오들오들 떠는 지아.

재환　　아까 거기서 뭔 일 있으셨어요?

지아　　(생각 더듬는) 어린애들을 봤어. 두 번이나.

재환　　어떻게 생겼는데요?

지아　　자매. 예쁜 원피스에, 신발을 짝짝이로 신고 있었는데…

재환　　엄마야! 그거 귀신 아녜요?!

지아　　뭐?

재환　　왜 귀신이 사람 흉내 낼 때, 특정 행동을 '반대로' 따라한다잖아요.

지아　　넌 귀신같은 거 안 믿는다며.

재환, 지아 책장에 있던 책을 한 권 뽑아 든다.
'鬼神說話硏究(귀신설화연구)' 같은 한문 제목을 단 설화집.

재환　　(책장 넘기며) 제가 좀 찾아봤는데요. 그 장례식장 터가 원래는 '애장터'였대요.

지아　　애장터? 옛날에 죽은 아이들 가매장하던 곳?

재환　　네! 그걸 밀고 장례식장을 만든 거죠!

왠지 모르게 신이 난 재환의 목소리.
한순간, 지아가 그런 재환을 물끄러미 쳐다본다.

지아　　근데 재환아.

재환　　네?!

지아　　넌 왜 아까부터… 책을 거꾸로 들고 보고 있니?

재환이 들고 있는 책 클로즈업 된다! 그 책, 뒤집혀 있다!!
순간, 묘한 정적이 흐르더니.
소파 밑에서 '들켰다!!' 속삭이듯 외치는 여자아이의 목소리!!
형광등 불빛 명멸하면서, 뭔가가 네 발로 기어서 소파 밑으로 사라진다! 지아 기겁한다!!
사이, 책 떨어지는 둔탁한 소리와 함께 재환의 모습 사라지고 없다!!

#48 도산(刀山)지옥 / 다리

이연이 시퍼런 칼날로 만든 다리 입구에 서 있다.

자막 도산(刀山)지옥

노파 다리를 건너라.
이연(E) (거리 가늠하며) 할 수 있을까. 이 몸으로…
노파 한 발이라도 삐끗하면, 중도엔 절대 못 돌아온다.

다부진 얼굴로, 까마득한 다리 저편을 응시하는 이연의 눈.

#49 지아의 집 / 거실 (밤)

지아, 불안하기 짝이 없는 얼굴이다.

인서트 플래시백

장례식장 가기 전, 이연이 했던 말 스쳐간다.

'뭐가 됐든, 네 눈에 보인다는 건, 상대도 널 볼 수 있다는 거야.'

찢어진 팥 주머니 망연히 들고서 '이연'의 이름 읊조리는데.

'딩동-' 하는 초인종 소리!!

조심스레 다가가 인터폰 들고 보면, 현관엔 아무도 없다?!!!

인터폰을 든 지아의 손, 조금씩 떨려온다!

#50 도산(刀山)지옥 / 다리

이연이 노파를 향해 고갯짓 한다. 노파가 외친다.

노파 (괴롭지만, 단호한 음성) 죄인이 도산지옥을 건넌다.

안개로 뒤덮인 다리 끝에서 희미한 북소리 들린다.

주저 없이 걸음 내딛는 이연. 맨발에 무수한 칼날이 와 박힌다.

그렇게 한 걸음, 한 걸음. 걸을 때마다 칼날이 매섭게 살갗을 파고드는데. 신음 소리조차 없다.

노파, 차마 더 보지 못하고 시선 피한다.

고통스러운 걸음으로, 앞으로 나아가는 이연의 모습에서.

#51 지아의 집 / 거실 (밤)

지아가 '내 핸드폰!!' 급히 가방을 뒤적인다!
현관 센서등이 저절로 켜진다! 손님이 온 것처럼!
'누구야!!!' 둘러봐도 집안에는 아무도 없다! 센서등 꺼진다!
한숨 돌리기 무섭게, 계속해서 켜졌다, 꺼졌다 반복하는 센서등!!
섬뜩해진 얼굴로 숫자를 헤아린다!

지아(E) 하나, 둘, 셋, 넷, 다섯, 여섯…

센서등, 셀 수 없을 만큼 무서운 속도로 깜박이기 시작한다!

지아 나한테! 원하는 게 뭐야?!!

여아1, 2 (바로 뒤에서, 차례로) 몸을 줘. 이 몸이 갖고 싶어.

자매가 지아의 양쪽 다리에 붙어 있다!!
지아의 몸에, 제 작은 몸뚱이를 밀어 넣으려 애쓰며!!
'악!!' 집 밖으로 달아나는 지아!!

#52 도산(刀山)지옥 / 다리

이연이 다리를 1/3 정도 건너왔다. 그 발, 이미 피투성이다.
그래도 이를 악물고, 쉼 없이 앞으로 나아간다.

#53 거리 (밤)

지나가는 행인 하나 없는 밤거리.
지아가 자매에게 쫓겨 정신없이 뛰고 있다!
문 열려 있는 건물 하나 발견하고, 잽싸게 뛰어든다!

#54 건물 / 1층 (밤)
어두운 건물 안! 지아가 문 걸어 잠그고, 벽에 붙어 서서 입을 틀어막는다!
소리도 못 내고, 떨고 있는데.
유리문 너머, 자매가 까치발 들고 이쪽을 들여다본다!
지아를 찾듯이 둘레둘레!
지아의 모습 보이지 않자, 고사리 손으로 유리문 '탕탕!' 두드린다!!
지아 시선에서는 문을 두드리는 '네 개의 손'만 보인다!
문을 두드리던 네 개의 손, 이내 숱한 아이들의 손으로 변한다!

#55 도산(刀山)지옥 / 다리
이연, 어느새 다리의 2/3 지점을 넘어섰다. 발은 이미 성한 구석이 없다.
한순간, 다리에 힘 풀려 쓰러진다.
그 시야에, 비로소 안개 너머, 다리의 끄트머리 보인다.
하지만 이연은 더 이상 일어서지 못한다.

#56 건물 / 안 (밤)

지아가 숨을 죽이고 있다. 문 두드리는 소리 멎었다.
갔나, 조심스럽게 고개를 내민다. 아이들 모습 보이지 않는다.
살짝 안도하는 그 순간! 지아 밑에서 모습을 드러내는 아이들!
비명과 함께 복도 내달린다!
여기저기 손잡이 돌려봐도 전부 잠겨 있다! 비상구로 달아나는 지아!

#57 건물 / 비상구 (밤)

빠르게 계단을 뛰어오른다!
뒤에서 일정한 속도로 지아를 따라붙는 자매 보이고!

#58 도산(刀山)지옥 / 다리

쓰러진 이연 눈앞에.
지아와 죽어 가던 아음, 그리고 이랑의 얼굴 차례로 스쳐 간다.
'난 있잖아. 액션도 안 되고, 비바람도 부릴 줄 모르지만, 언젠가 꼭 너를 지켜 줄게.'
'너는 내가 지켜 줄게.' '약속했지? 내가 지켜 준다고.'
'네 여잔 이번 생에도 제 명에 못 죽어'
헤어지며 수줍게 손 흔들던 지아 모습 떠오르면.
기다시피 다리를 넘어가기 시작한다. 그 위로.

이연(N) 그녀가 누군지, 내가 찾던 그 사람인지, 이제 그런 건 상관없어. 내가 아는 건 오직 하나. 지금 이 순간, 살을 파고드는 이 칼날의 감촉보다 '그 얼굴을 한' 여자의 죽음이, 나를, 더 독하게 벨 거라는 거. 그러니 죽지 마. 제발 살아 있어라. 내가 갈 때까지.

#59 건물 / 옥상 (밤)
지아가 옥상 난간을 등지고 뒷걸음질 친다!
'몸을 줘! 몸을 줘!' 중얼거리며 자매가 지아를 향해 다가간다!
아이들의 얼굴, 섬뜩하게 변해 있다!

지아(N) 종종 악몽을 꿨다. 때마다 내 옆엔 아무도 없었어. 그게 익숙했다. 근데 지금, 왜 나는 너를 찾고 있는 거지? 이연… 이연!

자매 뒤로 보이는 또 다른 어린아이들!!
아까 6호실의 그 '초대받지 않은 손님들'이다!!!
동시에 '몸을 줘! 몸을 줘!!' 아이들이 합창하듯 외친다!

#60 도산(刀山)지옥 / 다리
이연이 마침내 다리를 넘어섰다!
상처투성이 몸으로, 두 발 짚고 기어이 일어선다!

#61 건물 / 옥상 (밤)

다가온 아이들, 서로 지아의 몸에 먼저 들어가려고 버둥거린다!
뒷걸음질 치던 지아, 떠밀리듯 중심을 잃는다!
'휘청-' 하는 순간, 밑으로 추락한다!!

#62 건물 / 옥상 밑 (밤)

'이번엔 진짜 죽는구나…' 싶은 그때!!
'잡았다!' 귓가에 들리는 나직한 목소리! 이연이다!
'이연?!!' 먹먹해져서 이연을 부르는데!
지아를 내려놓기 무섭게 이연 쓰러진다! 이연의 몸, 만신창이가 돼 있다!

지아 죽지 마… 제발… 나 때문에 죽지 마.

이연을 끌어안고, 조용히 흐느끼기 시작한다.
지아의 눈에서 눈물 한 방울 떨어지면.
의식 저편, 어둠 속에서 들리는 맑은 물방울 소리.
소리는 한 점 '빛'으로 변한다.
이연, 피투성이 된 손을 뻗어, 울고 있는 지아의 얼굴 쓰다듬는다.

이연 (미소로) 찾았다.

지아의 등 뒤로 '여우' 모양을 한 신비한 빛이 지아를 지키듯 감싸고 있다!!
이연이 찾던 그 '표식'이다!!!

#63 대저택 (밤)
같은 시각! 저택의 아기 요람!
요람 속, 부적에 싸여 있던 '아기(이무기)'가 눈을 '번쩍' 뜬다!

#64 건물 / 옥상 밑 (밤)
지아에게 안긴 모습 그대로, 서로를 마주 보는 이연과 지아.

이연 나도… 나도, 너를 기다렸어.

지난 세월이 한꺼번에 몰려오는 듯, 이연의 눈빛 벅차게 차오르면서.

4화 끝

나도,
너를
기다렸어
5

#1 건물 / 옥상 밑 (밤)

4화 엔딩에 이어 '죽지 마. 제발… 나 때문에 죽지 마… 이연.'
이연 몸 위로, 지아의 눈물 떨어지면.
이연, 피투성이 된 손을 뻗어 지아의 얼굴 쓰다듬는다.

이연 찾았다.

지아의 등 뒤로 '여우' 모양을 한 신비한 빛! 이연이 찾던 그 '표식'이다!

이연 나도… 나도, 너를 기다렸어.

'그녀다. 틀림없이 그녀구나…' 희미하게 웃는 이연 얼굴에서.

#2 이연의 집 / 안방 (밤)

지아가 거즈로 이연의 상처 닦아 낸다.
이연의 잇새로 고통스러운 신음 새 나온다.
지아도 입술 질끈 깨문다. 이연을 안심시키듯 차분한 목소리로.

지아 병 주고 약 주고 미안한데, 병원은 안 될 거 같아서. 엄마가 의사라, 구급 처치 정도는 배워 놨어.

이연 (소독약 닿자, 이 악무는)

지아 '아' 해 봐.

이연 (입 살짝 벌리면)

지아 (사탕 쏙 넣어 주고) 사탕이야. (다시 소독에 집중하며) 어렸을 때 주사 맞으러 가면, 엄마가 항상 딸기 사탕을 물려 줬어. 그 뒤론 병원이 안 무섭더라. 병원이란 단어에서, 딸기 향이 나는 거 같았거든.

세심하게 이연의 몸을 닦고, 스치는 손길.
입 안에 퍼지는 딸기 향.
나직이 속삭이는 지아의 목소리에, 살갗을 에는 고통마저 달큰하게 느껴진다.

이연 계속해.

지아 음… 9살 때, 소아정신병원에 입원했어. 엄마 아빠 실종되고 '범인은 사람이 아니라고' 진술했거든. 내가. 나가야 되는데, 담당 의사가 허가를 안 해 줘.

이연 나라도 안 해 줘.

지아 끈질기게 그 양반 뒤를 밟았어. 보니까 프로포폴을 슬쩍 하더라.

이연 그래서?

지아 딜을 했지. '소리 질러서 사람 부를까요? 아님, 퇴원해도 되죠?'

고통을 견디며 이연이 '피식' 웃는다. 담담하게 얘기 이어 가고 있지만, 지아의 이마에 구슬땀 맺혀 있다.

지아 외삼촌 차를 타고 퇴원한 날은 잊을 수가 없어.

인서트 플래시백

불 켜진 집을 뒤로 하고.

어린 지아, 외롭게 앉아서 무릎에 얼굴을 묻고 흐느낀다.

문득 고개 들어서 보면, 지아의 눈앞에 날아든 '반딧불' 두 마리.

신기하단 듯이 손을 뻗으면, 지아의 작은 손에 내려앉는다.

지아(E) 석 달 만에 집에 왔는데. 엄마 아빠 없는 집이 싫어서, 대문 앞을 서성이고 있는데. 그 반딧불 두 마리가 꼭 우리 엄마 아빠 같아서….

그 시절, 몇 안 되는 예쁜 기억이다.

그런 지아를 따뜻하게 바라보는 이연.

지아가 소독을 마치고, 이연의 등 뒤로 붕대를 감는다.

이연이 지아에게 몸 기대어 앉아 있는 모양새.
둘의 숨결, 아슬아슬하게 닿을락 말락 한다.
그런 둘의 모습에서 시간 경과 되면.
지아가 이마의 땀을 훔친다. 이연은 붕대를 감고, 깊이 잠들어 있다.
아까 이연의 얘기 스쳐간다. '나도… 나도, 너를 기다렸어.'
잠든 이연의 모습, 의미심장하게 본다.
잠시 후. 이번엔 지아가, 침대에 기대 고단한 얼굴로 잠들어 있다.
어느새 깨서 잠든 지아를 바라보고 있는 이연.
몸은 한결 가벼워졌다.
조심스레 손을 뻗어 뺨 쓰다듬어 본다. 살아 있다, 그녀가….
이연의 눈가 촉촉하게 젖는다. 촉촉해진 눈으로 웃는다.
지금껏 한 번도 보여 준 적 없는 이연의 행복한 얼굴에서.

#3 대저택 / 외경 (낮)

#4 대저택 / 아이 방 (낮)
예쁜 풍선 장식, 흔들 목마, 동물 인형들과 장난감 등 따뜻한 분위기의 방.
색 고운 벽지에 사방으로 '부적'이 붙어 있는 것을 제외하고는 여느 아이 방과 다름없다.

그 너머, 뒷모습으로 앉아 있는 아이 하나 보인다.
카메라 서서히 아이에게 다가가면, 새하얀 토끼 인형에 '핏자국' 묻어 있고.
아이는 무서운 속도로 책을 읽고 있다.
의학, 경제학, 대수학 등 분야별 전문 서적들.
그런데! 책장을 넘기는 아이의 손에 뚜렷한 '비늘 모양' 흉터!!
그새 훌쩍 자란 이 아이가 바로 '이무기'다!!!

#5 이연의 집 / 안방 (낮)

이연이 미동도 없이 잠든 지아를 보고 있다. 지아가 살짝 뒤척인다. 그 바람에 지아의 손에, 이연의 새끼손가락 닿는다.
그녀의 체온이 느껴진다.
이대로 시간이 멈췄으면 싶은데.
밖에서 '이연님!!!' 동네 떠나가라 외치는 소리와 함께, 방문 '쾅!' 열린다!

신주 세상에! 몸이 아주 걸레짝이 되셨네!!
이연 쉿!!!
신주 내가 못 살아, 정말!
이연 조용히 하라고!!

신주가 뒤늦게 입 틀어막는데, 그 소란에 지아가 깨어난다.

지아 (?!!!) 동물병원 구신주 원장님?!

신주 (어색한 웃음으로) 피디님…

지아 (신주, 이연 번갈아 보며) 둘이 아는 사이면, 설마?!

신주 (지아, 이연 번갈아 보며) 두 분이 이러고 계신단 건, 설마?!!

이연, 맞다는 뜻으로 살짝 고개 끄덕이면.
잠시 얼음이 돼 있다가, 감격한 얼굴로 달려가 이연을 끌어안는 신주! 이연이 신음한다!!

신주 (정신없이 끌어안고) 이연님! 드디어 해내셨군요! 장장 600년을 호구같이 기다리시더니! 드디어!!

이연 뭐 같이??

신주 아니, 아니에요! 너무 감동해서 말이 다 헛나오네! (울컥) 저는 이제 죽어도 여한이 없사와요!!

이연 너 우니?

신주 (눈물 찔찔 흘리며) 어우, 나 왜 속없이 자꾸 눈물이 나냐.

지아 (어이없이 보다가) 저기요??

신주 (눈물 닦고) 정식으로 인사드릴게요. 백두대간 시절부터 이연님 오른팔 노릇을 해 온 충신이자, 이연님의 주치의이며, 보디가드이고, 가사 도우미 되겠습니다. 자기 손으론 '팬티 한 장 빨 줄 모르는' 이연님이 제법 사람답게 사시는 게, 다 제 덕분이죠.

이연 닥쳐.

지아 (충격으로) 어쩐지 동물에 대해 모르는 게 없다 했더니 (신주의 몸 앞뒤로 훑는) 둔갑한 여우였어?!!

신주　(아랫도리 슬쩍 가리며) 뭘 또 그렇게 대놓고 보세요…

지아　와, 세상에 믿을 놈 하나 없네! 내가 인터뷰만 몇 번을 했는데!!

이연　것 땜에 연예인병 걸렸었어, 얘.

신주　그게 다 운명이었던 거죠.

#6　편집 숍 (낮)

유리 진열장 위에 '고급 시계들' 놓여 있다.

이랑이 무료한 얼굴로, 다이아 촘촘히 박힌 시계를 손목에 건다.

순해 보이는 젊은 남직원이 응대 중.

이랑　(툭 던지며) 이걸로 줘.

직원　얘는 베젤이 다이아라 조금 고가예요. 4천 2백.

이랑　깎아 줄래?

직원　네?!

이랑　(무표정으로) 농담인데, 안 웃겨?

직원　아, 농담하시는 거 첨 봐서요. (웃으며, 시계판 꼼꼼히 닦는다)

이랑　네 눈엔 내가 어떻게 보이니?

직원　(진심으로) 남자들의 로망이시죠. 머리에서 발끝까지.

이랑　근데, 왜 내 눈엔 폐허가 보이지?

이랑, 공허한 얼굴로 거울에 비친 자신을 본다.

이랑　매일 눈 뜨는 게 지겨워. 뭘 사고, 뭘 먹든, 재미도 감동도 없고. 너무 오래 살았나 봐.

직원, '농담이구나.' 싶어 미소만.

이랑 (직원 손목 가리키며) 그 시계는 얼마니?

직원 이건 싸구려예요.

이랑 그딴 걸 왜 차고 다니는 거야?

직원 돌아가신 아빠 유품이에요.

이랑 그럼 소중한 물건이네?

직원 (수줍게) 예, 저한텐 세상에서 제일이요.

이랑 줘 봐.

보면, 낡은 가죽 시계 안쪽에 '임홍년' 이름 적혀 있다.

직원 글씨 귀엽죠. 글을 못 배우셔서, 제가 가르쳐 드렸어요.

이랑 이거 나 줘.

직원 네?!!!

이랑 (다이아 시계 나란히 올려놓고) 대신 내 시계 줄게.

직원 농담이시죠?

이랑 아니? 네가 뭘 고를지 궁금해서 그래. (두 개의 시계 번갈아 짚으며) 가족이야, 아님 다이아?

찰나, 미친 듯이 갈등하는 직원의 얼굴. 그 모습, 즐기듯 바라보는 이랑이다.

#7 이연의 집 / 거실 (낮)

신주가 이연을 부축해 거실로 데리고 나온다.
식탁에 이연 몫의 닭죽과 간단한 밑반찬, 지아 몫의 커피 차려져 있다.
둘이 식탁에 앉으면, 신주가 이연의 곁에 붙어 서서.

신주 닭죽이에요. 드세요. (죽 호호 불며) 뜨겁지 않게 식혀 드릴게요.
이연 (수치스러운) 내가 애냐? (작게) 저리 안 떨어져?

이연이 귀찮다는 듯 느리게 죽을 떠먹기 시작한다.
지아는 새삼 놀란 얼굴로 둘을 본다.

신주 상처 드레싱을 굉장히 잘 하셨더라고요.
지아 다른 처치는 안 해도 돼요?
신주 사람들하곤 회복 속도가 좀 다르거든요. 그래도, 최소 반나절은 더 쉬셔야 돼요. (꾸벅) 잘 부탁드립니다.
지아 저보단 원장님이 옆에 계시는 게…
신주 아뇨, 파워 오브 러브! 그보다 강한 치료약은 없죠.
지아 예?!
신주 우리 이연님 괴팍하고 서투르고 인색하지만, 열녀비를 세우고도 남을 사랑꾼이에요. 공시지가 300억 이상, 부동산 소유하고 있고요. 얼굴 반반하지, 지병 없지, 수명은 또 얼마나 징글징글하게 긴데요.
이연 우리 신주 아직 안 갔니?

신주 갑니다, 가요!

쫓겨나듯 현관으로 향한다. 지아가 배웅하듯 따라가면.

신주 아이스크림은 꼭 죽 다 먹고 먹여 주세요. 중간에 떼쓰셔도 안 돼요. 목욕할 땐, 오리 세 마리 띄워 주면 좋아하시고요.

이연 좀 가라고!!

#8 거리 (낮)

유리가 승용차 운전석에서 대기 중이다. 올림머리에 머리장식(비녀) 꽂은 차림.
이랑이 속을 알 수 없는 표정으로 조수석에 오른다. 곧바로 차 출발한다.
창문 열고, 눈을 감은 채 바람을 맞는 이랑.
이내 창밖으로 손을 뻗어 '뭔가'를 바람에 날려 보낸다.

유리 (??) 뭐예요?

이랑 방금 전까지, 어떤 젊은이한테 제일 소중했던 거.

이랑이 희미한 미소를 지어 보인다.

이랑 (쓸쓸하게, 혼잣말처럼) 이제 걔도 그런 거 없어. 나처럼…

둘을 태운 차량 멀어지면.
도로 위, 산산이 부서진 '직원의 시계' 남아 있다.

#9 이연의 집 / 거실 (낮)

지아가 생각에 잠긴 얼굴로, 거실로 돌아온다. 이연이 벌써 죽 그릇 던져 놓고, 소파에서 아이스크림을 먹고 있다.

지아 죽 다 먹고 먹으랬잖아!
이연 (아이스크림 통 냅다 챙기며) 아, 몰라 몰라.

어이 없이 보다가 소파에 붙어 앉는다.

이연 (경계하듯) 왜, 뭐?!
지아 (스푼 챙겨 들고) 한 입만 줘 봐.

이연이 아이스크림 통 내민다. 먹는 지아의 움직임 하나하나를 좇던 이연 얼굴에, 이내 달달한 미소.

지아 무슨 생각해?
이연 그냥. (아이스크림 먹으며) 아이스크림 하나로도, 삶이 이렇게 달달해질 수 있구나… 그런 생각?
지아 (이번엔 지아가 그런 이연을 빤히 보다가) 그 '첫사랑'은 어떤 사람이었어? 연꽃 같다느니, 그런 거 말고.

이연 높을 아(峨)에, 소리 음(音). 아음. 그 애 이름이야.

지아 그 시절에 개똥이 소똥이도 아니고, 그런 격조 있는 이름이면 금수저네. 어떻게 만났어?

이연 죽어도 못 잊게.

지아 ??

이연 '개 취급' 당했거든.

#10 백두대간 / 숲 (낮)

2화 1씬에 이어, 아음이 이연을 애완견 마냥 쓰다듬고 있다.

이연 (서늘하게) 죽고 싶으냐?

아음(아역) 이상하다? 우리 집 삽살개는 이렇게 하면 되게 좋아하는데.

이연 네 이놈!! (으름장) 내가 누군 줄 알고 감히.

아음(아역) 너 여우지? (손 내밀며) 나는 아음이야.

이연 !!!!

이연의 일갈에도, 그저 환하게 웃는 소녀. 그 미소를 눈부신 듯 보다가.

이연 다시는 여기 오지 마라.

아음(아역) 왜?

이연 여기는 신의 영토니까.

아음(아역) 왜?

이연 (짜증) 너 바보냐?

아음(아역) 왜?

이연, 숲을 향해 가볍게 휘파람 분다.
그 소리에 답하듯, 어디선가 포효하는 '호랑이 울음소리' 들린다. 숲이 무섭게 진동하고, 놀란 새떼 일제히 날아오른다.
아음이 화들짝 놀라서 두 귀를 틀어막는다.
그럴 줄 알았단 얼굴로 오만하게 웃는 이연인데.

아음(아역) (눈 동그래져서 보다가) 구미호의 재주는 능히 하늘에 닿는다더니… 너 진짜 강하구나!

이연 알았으면 냉큼 꺼져. 호랑이 밥이 되기 전에.

아음(아역) (세상 진지한 얼굴로) 너, 내 부하해라.

이연 뭐?!!!

아음(아역) (뒷짐 지고 하대하듯) 내가 매일 쌀밥 먹게 해 주마. 비단옷도 주고. (자신만만) 호의호식.

이연, 어이가 없어서 기도 안 찬 얼굴인데.

#11 이연의 집 / 거실 (낮)

지아가 이연의 얘기 들으며 '킥킥'댄다.

지아 귀여워.

이연 지나치게 귀여워서, 한 대 '딱-' 쥐어박고 쫓아 보냈지.

지아 그랬더니?

이연 울면서 내려가더니 '활' 들고 쫓아오더라.

지아 오, 꼬맹이 패기! 누가 이겼어?

이연 내가 져 줬지. 그때만 해도 약간 유니세프 같은 스타일이었거든, 내가.

#12 백두대간 / 숲 (낮)

아음이 팽팽히 활을 겨누고 있다. 과녁은 이연이다!
심드렁한 태도로 나무 밑에 누워서, 사과 베어 먹는 이연.

이연 이번에도 나를 못 맞추면 진짜 잡아먹는다.

아음이 숨을 멈추고 활을 쏜다!
하지만 화살은, 과녁인 이연을 완전히 비껴간다!
순식간에 그 화살 낚아채는 이연!

이연 (한심하다는 듯) 그딴 걸 대체 왜 못 하는 거야?

아음(아역) 활을 쏘는 건, 바람을 타는 거라고 몇 번을 말해?

이연 그 바람의 주인이, 바로 나라고 몇 번을 말해?!

아음(아역) (눈빛 총총해서) 다시 해!

이연 넌 재능이 아예 없다니까? 인간아, 제발 가서 자수를 놓든, 연을 날리든지 해라.

아음(아역)	나한테 '감히' 이래라저래라 하지 마. 봐 주는 것도 정도가 있어.

이연	(기막혀서) 얘 봐라? 누가 누굴 봐 줘?

아음(아역)	(사과 가리키며) 던져 봐.

이연, 콧방귀를 끼며 사과를 '툭' 허공에 던져 올린다!
그런데! 번개같이 쏘는 아음의 화살, 정확히 그 사과를 관통한다!

이연	!!!!

아음(아역)	못 맞춘 게 아니라, 안 맞춘 거야. 네가 다칠까 봐.

이연	(황당) 너 따위가 뭔데 내 걱정이야? (하는데)

아음(아역)	(당돌하게 올려다보며) 나는 네가 좋다.

이연	(!!!!!) 이 쪼그만 인간이 벼락을 맞을라고!

이연의 협박에도, 처음 만난 날처럼 두려움 하나 없이 웃어 보이는 아음. 그 얼굴에서 시간 경과되면, 아음이 성인이 됐다.
아름답고 당당한 태도도, 활을 잡고 있는 모습도 여전하다.
달라진 건, 그녀를 보는 '이연의 눈빛'이다.

이연	이쯤 되면 말해 주지?

아음	왜 이놈의 '활'이냐고?

이연	멋있어서. 그딴 소린 관두고….

아음	(단호하게) 아비를 죽일 거다.

이연	(!!!) 뭐?! 아버지를? 네 아비가 누군데??

아음 (먼 곳을 보다) 이 나라의 '왕'이다.

이연 !!!!!!

아음이 먼 곳의 과녁을 향해 활을 겨눈다.
사이로 강풍이 분다. 나무들 소슬거린다. 쉽게 시위를 당기지 못하는데.
이연이 다가와 껴안듯 팔을 잡아 준다.

이연 쏴. 내가 있는 한, 바람은 너의 것이다.

손을 포개어 함께 쏘아 올린 활이, 힘차게 바람을 가르는 소리.

#13 이연의 집 / 거실 (낮)

지아가 놀란 얼굴로 아이스크림 스푼 입에 물고 있다가.

지아 와… 첫사랑 스케일 봐.

이연 알고 보니 왕의 일곱 번째 여식이더라. 버려진 공주였지만.

지아 근데 왜 자기 아버지를?!

이연 '왕이되, 왕이 아니다.'

지아 ??

이연 궁에선 매일 비명 소리가 들리고, 한반도에 가뭄과 환란이 끊이지 않던 시절이었어. 사특한 것이 궁에 들어와, 왕 행세를 하고 있었던 거지.

지아 사특한 것?!

이연 옛날 사람들은 '토룡(土龍)'이라고 불렀어.

지아 흙 속에 묻힌 용이면… 설마 '이무기'?!

#14 대저택 (낮)

중년의 베이비시터가 저택 주인 앞에서 설레발이다.

시터 세상에! 실물이 훨씬 훤칠하시네! 미남이셔!

주인 고맙습니다.

시터 고맙긴 제가 고맙죠. 선금을 아주 통 크게 보내 주셨대요? 현찰로.

주인 여기 오신 건…

시터 당연히 비밀로 했지요! (떠보는) 근데, 애가 누구 핏줄이길래 그렇게 비밀스럽게…

주인 (날카롭게 보면)

시터 하긴 핏줄이 뭔 상관이대요! 애기들은 다 똑같이 천사지!

주인 애 방은 (손짓) 저쪽이요.

시터 (싹싹하게) 그럼 뭐부터 하면 될까요?

주인 딴 건 필요 없고, (의미심장한) 그저 '밥'이나 좀 먹여 주시면 됩니다.

#15 대저택 / 아이 방 (낮)

베이비시터가 조심스럽게 방에 들어선다.

아이는 여전히 뒷모습으로 책을 보는 중.

벽에 붙은 부적 을씨년스럽게 눈에 들어온다. '아가…' 조심스럽게 불러 본다.

아이는 미동도 없다. 아이에게 천천히 다가간다.

시터 (상냥하게) 아가.

아이 …

시터 나와서 밥 먹자, 아가.

아이 …

시터 네 귀가 별로 안 좋니?

다정히 아이의 어깨 짚자마자 소스라친다!!

보면, 아이 얼굴 절반을 뒤덮은 흉측한 '비늘'!!!

시터 얘! 너 얼굴이! 손도 그러고! (당황해서) 이거 돌림병 아니지?! (하는데!!)

아이 (미소) 글쎄? 맞춰 볼래?

오싹해진 얼굴로 아이에게서 손을 뗀다!

순간! 아이가 베이비시터의 손목을 덥석 잡는다!!

동시에 '고목'처럼 말라 버리기 시작하는 그녀의 팔!!!

#16 대저택 (낮)

우아한 음악 흘러나온다.

그 사이로 들리는 '베이비시터의 비명 소리'.

사내가, 방안의 일을 훤히 짐작하는 얼굴로, 태연히 볼륨을 높인다.

#17 이연의 집 / 거실 (낮)

이연이 자리에서 일어난다.

지아 왜 얘길 하다 마는데?

이연 내 회상 씬은 대체로 거기서 끝나.

지아 어떻게 죽었냐고.

이연의 귀에, 노파의 경고 스쳐간다.

'네 집착은 필히 화를 부를 것이야. 네놈한테도, 다시 태어난 그 아이한테도.'

이연 (자리 피하며) 너랑은 상관없는 얘기야.

지아 (부드럽지만 단호한) 상관있어. 있는 거 알아. 내가 누구냐고 물었지.

이연 (멈칫)

지아 '나를 기다렸다고'도 했어.

이연 (피하듯) 너 아니야.

지아 아니, 나를 보는 네 눈빛. (붕대 가리키며) 그 상처. 그래도 아냐?

이연 때로는… 뭔가를 아는 게 독이 될 때가 있어. (아프게) 넌 그냥 지금처럼, 아무것도 모른 채 살아 주라.

지아 (잠깐 고민하다가) 나는, 내가 모르는 누군가의 과거로 살 생각 없어.

잠시, 둘 사이에 짧은 침묵이 흐른다.
곧바로, 제 팔에 감긴 붕대를 풀기 시작하는 이연.

지아 아직 풀지 마!

이연 (듣는 척도 안 하고 풀어 버리고) 나가자. 어디든 상관없으니까.

#18 승용차 / 안 (낮)

이랑이 창밖을 보고 있다.
유리는 어깨선 드러난 원피스 차림. 속상한 듯 제 흉터 쓸어 보며.

유리 보기 흉하죠, 이거?

이랑 난 맘에 들어. 너랑 잘 어울려.

유리 난 싫어요. 동물원에 있었다고 동네방네 광고하는 것 같아.

이랑 누가 그래?

유리 그 수의사요. 딴 수컷들 같이 덤비지도 않고, 불쌍하고, 슬픈 눈으로 나를 쳐다봐요.

이랑 그런 눈으로 못 보게 만들면 되잖아?

유리 어떻게요?

이랑 (태연하게) '눈'이 없으면, 못 봐.

유리 (싱긋) 아!!

그때, 이랑이 뭔가를 보고 '차 세워!' 단호하게 말한다.

#19 폐차장 / 앞 (낮)

'깨갱' 하는 개 울음소리 들린다. 발밑에 담배꽁초 나뒹굴고.
야구 유니폼 입은 남고생 셋, 쇠줄에 묶인 개를 향해 번갈아 야구공 던져 댄다.
위협적으로 벽을 맞고 튕겨서 되돌아오는 공.
학생1이 '저 개새끼가 내 강속구를 피해?!' 툴툴 댄다.
학생2가 '오천 원빵 말고 만 원빵 해!' 하며 힘껏 공을 던지면, '퍽!' 둔탁한 소리와 함께 개 울음소리 들린다!
'봤지, 봤지?' 신이 났다. '아직 안 뒈졌거든?!' 학생3이 자세를 잡는다.
막 공을 던지려는 순간, 이랑이 그 팔을 붙잡고 '재밌니?'

학생3 뭐야?!

이랑 어른이 묻는데 '뭐야'가 뭐니? 재미있냐고.

학생3 남이사. 재미든 취미든?! (팔 빼내려는데, 이랑의 완력에 꼼짝도 못 한다) 놔! 안 놔?!

이랑 (쯧) 이렇게 약해 빠진 것들이, 어떻게 생태계의 적자가 됐을까.

심상찮은 분위기에, 학생1, 2가 야구 배트 집어 든다!
그리 다가서는데, 유리가 '안녕?' 발랄하게 그 앞을 가로막는다!

학생1 이년은 또 뭐야?

유리 (울상) 너, 나한테 욕했어. (머리 흔들어 풀고, 가녀린 주먹으로 몸 여기 저기 '툭툭!' 치며) 죽어라! 죽어!!

학생1 이 미친년이!!

학생2 야, 너 피!!!

유리의 손이 닿은 곳마다, 엷은 피 배어 나온다!!!
유리가 개구지게 웃으며 손을 펼쳐 보인다! 그 손에, 머리장식으로 쓰던 작은 '비녀' 날카롭게 벼려져 있다!
곧바로 유리에게 야구 배트 휘두르는 학생2!
유리, 요리조리 피하면서 학생2를 집요하게 쑤셔 댄다! '따끔따끔하지?'
그 모습을 본 학생3, 이랑에게 붙잡힌 채 안색이 싹 변한다!

이랑 아직 울긴 일러. 나 백수라 시간 되게 많거든.

말 끝나기 무섭게, 학생3의 얼굴에, 자루 확 뒤집어 씌워진다!

#20 장례식장 / 외경 (낮)

#21 장례식장 / 시신 안치실 (낮)

이연과 지아, 안치실에 와 있다. 이연은 '우산'을 멘 차림.
염습을 마친 아이들 관이 나란히 놓여 있는 그곳, 춥고 서늘하다.

이연 시체 안치실… (애써) 뭐, 산책 코스로 이만한 데가 없지. 인적도 없고, 관도 있고.

지아 쏘리. 내가 마음에 걸리는 건, 절대 못 넘어가는 타입이라.

이연 오케이. (하고, 곧바로 주먹으로 벽을 '툭툭' 치며) 나와.

지아 (살짝 긴장해서 주위를 본다. 정적뿐이다)

이연 (협박조로) 나오라고.

이연의 시선, 지아의 뒤쪽에 머문다.
문득 오싹해져서 지아 돌아보면, 4화의 '자매 귀신' 서 있다.
자매, 호기심 반 두려움 반으로 이연을 흘긋댄다.

여아1, 2 (차례로) 여우다! 여우다!

이연 자매 귀신! (손가락 까딱) 이리 와. 이리 와. (망설이는 애들에게 상냥한 척) 괜찮아.

자매, 그제야 조심스럽게 이연에게 다가가면.

이연 일단 (꿀밤 '딱!딱!' 쥐어박고) 한 대씩만 맞고 시작하자.

지아 (헉!!!)

여아1, 2 (울상으로) 아…

이연 귀신 주제에 사람한테 막 들러붙고 그러지 마라. (지아 손짓) 특히 저 여자.

여아1, 2 (쫄아서 끄덕끄덕)

이연 (지아에겐 미소로) 됐어. 이제 물어봐.

지아 (쪼그려 앉아서 시선 맞추며) 니들, 이름이 뭐야?

여아1, 2 (차례로) 민서. 연서.

지아 이쁜 이름이네. 민서랑 연서, 언니한테 할 말 있지?

여아1, 2 (쭈뼛대는데)

지아 (핸드폰 기사 보여 주며) 이 사고, 니들 맞지?

인서트 신문 기사

'아동방임 사각 지대' 자매의 비극.
놀다가 아파트 베란다에서 추락. 트럭 운전기사인 아버지 사흘째 집 비워.

그 말에, 서로를 가만히 응시하는 자매. 슬픈 얼굴이다.

#22 폐차장 / 안 (낮)

머리에 자루를 쓴 남학생 셋, 같은 줄에 묶여 있다.
유리가 '폐차 압착기' 시험 삼아 작동해 본다. 위협적인 굉음!
이랑이 학생들 덮은 자루 벗겨 낸다.
폐차장, 눈앞에 보이는 압착기, 상황 파악한 학생들 얼어붙는다. 이랑이 손짓하면 압착기 끈다.

이랑 어떤 놈을 고를까요, 알아 맞춰 봅시다! (학생1이 걸렸다) 딩? 딩동? (뜸들이다) 딩동댕 안 할래.

학생3 (떨며) 우리한테… 왜 이래요?!

이랑 (아까 대사 돌려주는) 남이사 재미든, 취미든?

학생1 살려 주세요!

이랑 (그 앞으로 가서) 그래, 네가 뽑아.

보드게임에서 쓸 법한 귀여운 모양의 '카드' 내밀며, 자랑스럽게.

이랑 내가 만든 건데, 벌칙도 있고, 행운의 열쇠도 있어. 확률은 50 대 50.

학생3 이게 뭔데요?

이랑 일단 뽑으라니까?

학생1 (망설이다 떨리는 손으로 카드 뽑는다)

이랑 (보고, 반갑게) 오, 재밌는 거 뽑았네?! (뒷면 보여 주며) 재능 기부!

카드 뒷면에 '재능 기부'라고 적힌 글자 보인다.
'축하합니다!' 유리가 손뼉을 친다.
영문을 모르지만, 일단 유순한 단어에 안도하는 학생들인데.

이랑 니들은 무슨 재능이 있니?

학생2 야구 선수예요!

이랑　　나도 야구 좋아하는데. 두산 팬이거든.

학생2　　풀어 주시면 그 재능 기부, 잘 할 수 있어요!

유리　　(터져 나오는 웃음 꾹 참고) 그게, 니들이 생각하는 기부랑 좀 달라.

학생들　　???

이랑　　니네 셋은 앞으로 영영 야구를 못 하게 되는 거야. 그래서 재능 기부.

하며, 압착기 가리킨다. 학생들의 눈빛, 공포로 다시 얼어붙는다!

이랑　　전부 오른손잡이야? 얘는 왼손잡이인가? (성가신 듯) 에이 모르겠다. (유리에게) 양쪽 다 부숴 버려.

유리　　옛썰!

이내 압착기 굉음 들리면서, 폐차장 하늘을 비추는 화면에서!

#23　　장례식장 / 빈소 (낮)

손님이 들지 않는 초라한 빈소.
영정 사진 앞에 두고, 아빠가 딸들의 '캐릭터 가방' 어루만지고 있다.
술 취한 아이들 삼촌이 '형, 신문 기사 봤어?' 신문을 던져 준다.
신문 펼쳐서 들여다본다. 앞 씬의 지아가 보여 준 것과 같은 기사.
그 위로 '기자 새끼들, 불난 집에 부채질 하나!' 욕하는 삼촌 목소리 들리고.
가슴 미어지는 얼굴로 신문을 접으면.
그 사이, 동생은 간데없고 눈앞에 지아가 앉아 있다.

자매 부 누구??
지아 민서, 연서 동네 친구예요.
자매 부 아… 제가 트럭 운전 하느라고 집에 잘 못 들어가서.
지아 압니다. 평소엔 백수인 애들 삼촌이 돌봐 준다는 것도.
자매 부 예. 그날따라 동생이 면접을 가는 바람에요.
지아 집에 애들만 있었어요?
자매 부 (그렁그렁해서) 다 내 잘못이죠. 뭔 부귀영화를 누리겠다고 애기들 두고 전국을 싸다녔나 싶네. (헛웃음)
지아 (캐릭터 가방 가리키며) 가방에, 체리 들어 있죠?
자매 부 (!!!) 우리 애들이랑 진짜 친한 모양이요. (가방 속 체리 보여 주는) 비싸게 주고 사 갔는데, 지 아빠가 준 건 싫다고 손도 안 대.

두 아이의 캐릭터 가방 속에서, 말라 버린 체리들 굴러 나온다.

지아 (체리 한 개 주워 들고) 잠깐, 나와 보실래요?

#24 장례식장 / 화장장 (낮)
어디선가 '사람 살려!!!' 외치는 남자 목소리 들린다!
이연이, 자매의 삼촌을 화장장에 밀어 넣으려 하고 있다!

이연 산 채로 화장당하면 기분이 어떨까?

삼촌 (버둥거리며) 아아악!!!!!

이연 요 화로가 한 1000도 정도 된대. (손부채질) 어우, 벌써 더워.

삼촌 제발! 저한테 왜 그러세요?!!!

이연 조카들한테 나쁜 짓 했다며.

삼촌 그게 뭔…!! 아녜요. 어떤 새끼가 그래?!

이연 들어가. (바로 구겨 넣는)

남자가 고래고래 비명을 지르며 저항하는데, 자비란 없다.
사투를 벌이던 남자, 화로에 몸 일부가 빠져드는 순간!!

삼촌 악!! 그래, 내가 잘못했어! 다 말할게요! 목숨만!!

이연 애들 추행했지?

삼촌 (싹싹 빌면서) 진짜 실수예요! 그놈의 술 때문에!! 죽일 생각은 없었는데! 애들이 하필 베란다로 도망가다가!!

이연 (말 자르며) 됐어.

삼촌 네?!

자매 아버지가 유리 너머 이쪽을 보고 있다!
눈물 그득한 눈에 핏대 서 있다!

자매 부 (분노로 유리창을 '쾅!!') 야, 이 짐승만도 못한 새끼야!!!

지아 경찰이 오고 있어요.

하며, 그를 유리창에서 떼어 낸다.
충격으로 허물어지듯 주저앉는 자매의 아버지.
이내 절규와 같은 울음 터뜨린다.
가슴을 치며 '난… 그것도 모르고!! 애비란 놈이 등신 같이!!'

지아 아버님. 민서랑 연서가 체리에 손도 안 댄 건, 아빠가 싫어서가 아녜요.

자매 부 (눈물범벅으로 보면)

지아 (썩다 만 체리 하나 손에 쥐여 주며) 아까워서 못 먹었대요. 오랜만에, 아빠가 준 선물이 너무너무 소중해서.

아버지, 손에 체리를 든 채 조용히 어깨를 들썩인다.
아빠는 모르지만, 지아의 시선에, 아빠를 꼭 안아 주는 자매 보인다.

#25 폐차장 / 앞 (낮)

이랑과 유리, 폐차장 빠져나온다.
앞에 묶여 있던 검은 개가 이랑의 손 핥으며 힘없이 꼬리 친다.

유리 이랑님이 좋은가 봐요.

이랑 이런 짓을 당하고도, 사람한테 꼬리를 흔들어. 멍청하고, 한심해.

유리 불쌍해. 우리가 데려가면 안 돼요?

그 소리에, 이랑이 개를 빤히 본다. 사람을 잘 따르는 순한 눈동자.
지우고 싶은 과거 하나를 떠올리게 만든다.

#26 백두대간 (밤)
산에 검은 연기 피어오른다.
이랑(아역)이, 화상 입고 죽어 가는 재투성이 개를 끌어안고 있다. '왜 돌아왔어. 멀리멀리 도망가라니까.'
개는 지독한 화상 상처로 울부짖듯 끙끙거린다.
'아프니?' 마치 제 살이 덴 듯, 어쩔 줄 몰라 하며 우는 이랑.

이랑(N) 내가 해 줄 수 있는 건 하나밖에 없었다. 내 손으로… 고통을 끝내 주는 것.

울며 개를 어루만지던 이랑, 그 목덜미에 두 손을 갖다 댄다.
차마 못 하고 손을 떤다. '안 돼… 난 못 해… 싫어!'
애타게 이연을 부른다. '형. 도와줘 형!!'
하지만 숲을 떠난 이연은, 오지 않는다.
도리 없이 제 손으로 개의 숨통을 끊으며, 눈물 흘리는 이랑.
그 위로. 새끼 강아지를 처음 안고 오던 날, 강아지와 뛰노는 모습, 끌어안고 자던 모습이 빠르게 스쳐 간다.

이랑(N) 처음부터, 정을 주지 말았어야 했다. '이름'을 지어 주지 말 걸.

품 안에 재우지 말 걸 그랬다. 이연이 숲을 떠난 그날, 나는 내게 소중했던 모든 걸 다 잃었다.

#27 폐차장 / 앞 (낮)

눈앞의 개를 보며 그런 생각에 잠겨 있는데, 유리가 거듭 조른다.

유리 데려가요. 네?!

이랑 안 돼.

유리 왜요?

이랑 개는 수명이 짧아서 싫어. (하고, 냉정히 돌아선다)

아쉬운 얼굴로, 그 뒤를 종종거리며 따르다, 아무래도 마음에 걸리는 듯, 다시 개를 향해 뛰어가는 유리.

#28 장례식장 / 야외 (낮)

울긋불긋 꽃 피어 있는 작은 산책로.

'잘 가.' 지아가 인사하자, 자매는 웃으며 한 점 빛으로 사라진다.

말갛게 미소 지어 보이던 지아, 순간 흠칫한다.

4화에서 옥상으로 지아를 쫓아왔던 '다른 아이들'이 지아를 보고 있다.

저마다 슬퍼 보이는 눈빛. 한 발 떨어져서 지켜보던 이연이

으름장을 놓는다.

이연	좋은 말 할 때, 딴 데 가서 놀아라.

아이들 사라진다.
이하, 둘이 나란히 음료를 마시며 벤치에 앉아서.

지아	방금 걔들은?
이연	여기가 원래, 애들 몰래 내다 묻던 애장터였잖아. 한(恨)이 풀려야 이승을 떠날 수 있는데, 늦었어.
지아	옛날에 죽은 애들이었구나.
이연	그땐 애들 무덤에 봉분도 안 쌓았어. 부모가 다시는 자식 무덤을 찾지 못하게.
지아	슬프다.
이연	죽은 자식 붙들고 살지 말라고 만든 슬픈 풍습이지. 예나 지금이나, 자식 앞세운 부모 마음 똑같으니까.
지아	(새삼스럽게 이연을 보면)
이연	왜??
지아	그냥. '내가 알던 이연'이랑 좀 다른 거 같아서.
이연	걔네들 한을 풀어 준 건 너야.
지아	고마워.
이연	뭐가?
지아	그냥 다.

둘 사이로 빗방울 떨어지기 시작한다. 소나기다.
이연이 우산 펼쳐 들고 일어나서.

이연 밥 아니면 술?
지아 ??
이연 사람은 고마울 때 주로 뭘 멕인다며.
지아 (웃으며) 난 밥보단 술이야.

지아가 제 가방 뒤적거리나 싶더니, 이내 이연의 우산 속으로 파고든다.

이연 아까 우산 챙겼잖아?
지아 잃어버렸어.
이연 바보냐?

하면서도 숨이 멎을 것만 같다.
나누어 쓴 우산 속, 이연의 얼굴 더없이 설렌다.
둘이 서서히 멀어지면.
그 벤치 아래, 지아가 몰래 두고 간 '접이식 우산' 고요히 비에 젖고 있다.

#29 거리 (낮)
비오는 거리를 걷는 두 사람.

긴 세월, 이연이 혼자 걸었던 모든 풍경마저 다르게 보인다.
우산 기울여 쓴 이연의 어깨 흠씬 젖어 있다.
우산 속에서 둘이 도란거리는 소리.

지아 가만 보면 우산은 칼 같이 챙기더라?
이연 비 맞는 거 딱 질색이라. (머리 쓸어 넘기며) 털 상해.
지아 강아지들이 목욕 싫어하는 거랑 비슷한 거네?
이연 야!
지아 (킥킥) 이 우산 때문에 잡혔잖아, 나한테.
이연 잡혀 준 거지.
지아 어쭈?

#30 동물병원 (밤)
신주가 치킨을 사 들고, 기분 좋게 병원에 들어선다.
이연의 재회에 덩달아 신이 났는지 '사랑 노래' 흥얼거리며.
비에 젖은 머리를 털고 있는데 '왔어?' 하는 여자 목소리.
유리가 편안한 자세로 소파에 앉아, 기다렸다는 듯 신주를 맞는다.

신주 !!!!!!!
유리 영업시간에 어딜 그렇게 나다녀? 지루해서 죽을 뻔 했잖아.
신주 (경계하며) 오늘은 또 어쩐 일로….
유리 치료해.

아까 공터에 묶여 있던 그 개다.
신주가 상처 들여다본다. 심상찮은 상태에 신주 얼굴 굳는다.

유리 (다가와서) 어때?
신주 (상태 살피며) 뼈가 으스러진 거 같아. 영양 상태 엉망에, 피부병도 심하고. 목줄이 살을 완전히 파고들었어. 내 목걸이, 지금 어디 있어?
유리 (딴청)
신주 (간곡히) 이 아이랑 얘기해 봐야 돼.

유리, 마지못해 신주의 목걸이 던져 준다.
신주가 개를 어루만지며 얘기를 나눈다. 신기하게 쳐다보는 유리.
개는 신음 같은 소리를 낸다.
'아가야, 많이 아프니? 어쩌다 이렇게 다쳤어? 아, 저 여자가 그런 건 아니고?'

신주 (유리 돌아보며) 유기견 아니구나?
유리 (태연히) 훔쳐 왔어. 차라리 유기견 신세가 나을 거 같아서.
신주 기유리 씨.
유리 (방어적으로) 뭐?
신주 잘했어. (진심으로) 목걸이 도둑은 별로였는데, 개 도둑은 멋있어.
유리 (인상 팍) 개 도둑?!
신주 나 같은 놈은 하고 싶어도 못 하거든. 선을 못 넘는 타입이라.

유리 (칭찬에 의기양양) 나는 선이란 게 아예 없어.

신주 괜찮으면, 저쪽에서 대기해 줄래?

유리가 마지못해 뒤로 물러난다.
마음 찢어지는 얼굴로, 다친 개 돌보는 신주를 조금 낯설게 바라보는 유리다.

#31 호프집 (밤)

창밖이 보이는 술집.
이연과 지아가 한창 맥주를 마시고 있다.

이연 어떻게 토이스토리3를 안 볼 수가 있지? '난 앤디가 원하면 거기가 어디든 그 자리를 지킬 거야.' '잘 가, 파트너.' 그걸 모른다고?

지아 거 애들 보라고 만든 영화 아니야?

이연 전 세계 어른들을 울렸어!!

지아 영화 보면서 울고 짜는 거 딱 질색인데.

이연 그럼 무슨 영화 좋아하는데?

지아 난 매드맥스. 어벤져스. 그리고 세상의 모든 좀비 영화.

이연 좋아하는 음악은?

지아 아이돌이지.

이연 (표정 점점 어두워지는데) 클래식은?

지아 아무리 들어도 가수가 구분이 안 된달까?

이연 가수 아니고 작곡가. (하고) 등산은?

지아 누가 업고 올라간대도 싫어.

이연 싱글몰트 위스키.

지아 소독약을 마시고 말지.

이연 양식, 한식?

지아 무조건 한식.

이연 (드디어 공통점을 찾았다) 어? 나도!

반갑게 잔을 부딪치는 두 사람.

지아 (마시고, 이제 자기 차례라는 듯) 친구 별로 없지?

이연 (살짝 시무룩)

지아 ('짠' 잔을 부딪치며) 나도!

이연 (미소)

따뜻한 불빛 아래 주거니 받거니 맥주 마시는 두 사람 모습.
지아를 보는 이연의 눈이 사랑스럽게 빛난다.

(시간 경과)
이연과 지아의 테이블에 맥주병이 늘었다. 지아 얼굴 살짝 발그레하다.

지아 이연은 꿈이 뭐야?

이연 이 나이에 장래 희망이라.

지아 왜 있잖아. 은퇴하고 카페를 차린다거나.

이연 커피는 남이 내려 주는 게 맛있지.

지아 세계 일주라든가.

이연 나 의외로 집돌이라 누워서 미드 보는 게 더 좋아.

지아 10억 모으기.

이연 10억? (지갑 찾으며) 그게 꿈이면 지금 당장 이뤄 줄 수 있는데.

지아 넣어 둬!

지아가 어이없는 얼굴로 술잔을 채운다. 둘이 건배하고 마시면.

이연 이룰 수 없는 것도 꿈이라고 말할 수 있다면… 난… '사람'이 되고 싶어.

지아 이 구미호가 아주 호강에 겨웠네. 평범한 인간의 일생이 궁금하면 통근 시간 지하철을 타 봐. 지옥이 멀지 않은 곳에 있어.

이연 (피식)

지아 그뿐이야? 매일 야근에, 밤샘에, 입으로만 일하는 팀장님 잔소리, 시청률 스트레스까지 콤보로 막 쏟아져.

이연 없애 버릴까?

지아 뭘?

이연 방송국. 너 괴롭힌다며?

지아 아… 굉장히 참신한 대안이긴 한데… 일단 마시고 생각해 보자.

이연 넌? 네 꿈은 뭐야?

지아 음… 나는, 움막을 짓고 살아도 좋으니까, 내 미래에는 우리 엄마 아빠가 꼭 들어 있으면 좋겠어.

지아 눈빛 왠지 슬퍼 보인다.

이연 부모 사진 갖고 있지? 나한테 하나 보내 봐.

#32 지아의 집 / 앞 (밤)

이연이 지아를 바래다준다.
나란히 걸어서 지아 집 쪽으로 향하는데. 가로등 나가서 집 앞 컴컴하다.
살짝 발을 헛딛는 지아를 잡아 주면.

지아 엄청 어둡네.
이연 가로등 고장 났네.
지아 저런 건 안 되나?
이연 뭐??
지아 초능력으로 '빡!' 고쳐 주면 되게 멋있을 거 같은데.
이연 가까운 구청 도로과에 문의해.
지아 무슨 구미호가 이래?
이연 우리 집 형광등만 나가도, 신주가 병원 문 닫고 달려오거든?
지아 (탄식) 원장님이 버릇을 잘못 들였구먼.

도란도란 얘기하다 보니 집이 코앞이다.

'그럼 갈게.' 지아가 멈춰 서서 밝게 인사한다.
집으로 들어가는 지아를 지켜보는 이연.
지아가 집으로 걸어가다 우뚝 멈춰 선다.
가로등 대신, 지아가 가는 길을 밝히는 노란 불빛들, '반딧불이'다.
신기한 듯 반딧불이에 손을 뻗다 말고, 문득 깨닫는다.

지아 이연이었구나… '그때'도.

뒤를 돌아본다.
그새 가버린 걸까. 이연은 보이지 않는다.
지아는 모르지만, 조금 떨어진 자리에서 지아를 보고 있는 이연.

인서트 플래시백
이번엔 20년 전 '이연의 기억'이다.
이연이 지금과 같은 자리에서, 지아(아역)를 지켜보고 있다.
지아가 반딧불이 잡으려고 이리저리 손짓한다.
아주 가끔, 아음과 똑같은 얼굴을 한 지아를 몰래 지켜 준 게 이연이었던 것.

지아가 집 안으로 사라진다.
지아네 집 불이 켜지는 걸 보고, 가만히 미소 짓는 이연.

#33 방송국 / 외경 (낮)

다음 날. 지아가 씩씩한 얼굴로 출근한다.

#34 방송국 / 사무실 (낮)

작가가 귀에 이어폰 틀어막고 대본을 쓰고 있다.
팀장은 노트북으로 '여의도 맛집' 등을 검색 중이다.
재환이 제보를 인쇄해 오며.

재환 '베이비시터로 일하는 엄마랑 연락이 안 돼요?' 작가님, 이 제보 보셨어요?
작가 (보지도 않고) 나 지금 대본 완전 물올랐잖아. 말 시키지 마.
재환 잠깐만 봐 주세요.
작가 저리 가 주세요.
재환 (가면서 작게) 맨날 본인 내레이션 그대로 복사 붙여넣기 하시면서.
작가 (신경질적으로 엔터 탁 치고) 다시 말해 봐.

곧바로 지아가 사무실에 나타난다.

지아 나도 들었어, 정확히 '복사'랑 '붙여넣기'.
재환 피디님!!
작가 (만년필 들어 보이며) 펜이 칼보다 강한 거 알지? 오늘 재환 피디 죽고 나 죽자.

재환 악! 제 몸에 손대지 마세요! 저 표 씨 집안 5대 독자예요!!

작가 내 손으로 그 집안 대를 끊어 주마.

팀장이 자리에서 혀를 '끌끌' 차다가, 지아를 보고 얼굴 환해진다.

지아 (꾸벅) 팀장님?

팀장 우리 지아 피디 왔구나?

지아 '우리' 지아? 어디 몸 안 좋으세요? 돈 빌려드려요?

팀장 너 한 건 했다며? 섬에서 주민들 싸그리 사라진 거, 단독으로 잡았잖아.

지아 경찰이 엠바고 걸었어요. 아직 기사도 안 났고.

팀장 그러니까 특종이지!

지아 지금 터뜨리면 말종이죠. 시간 좀 주세요.

팀장 저걸 그냥!

#35 내세 출입국 관리 사무소 / 앞 (낮)

이연이 아이스 아메리카노 3잔 사 들고 나타난다.

#36 내세 출입국 관리 사무소 (낮)

자막 '어린이 지옥' - 부모보다 먼저 죽은 아이들이, 환생할 때까지 끝없이 탑

을 쌓는 곳

화면에 큼직하게 적혀 있고, 돌탑과 그 돌탑을 쌓는 어린이들 그림 보인다.
손님은 앞 씬의 '자매 귀신'이다.
현의옹이 지휘봉으로 화면을 가리키며, 상냥하게.

현의옹 그러니까 여러분은 이제 어린이 지옥에서, 돌탑을 쌓는 거예요. 탑을 쌓으면, 도깨비가 와서 부숴 버리겠지만, 계속 쌓아야 돼. 그래야 '환생'을 할 수 있어요.

여아1 (겁에 질려서) 나 지옥 싫어…

여아2 (손 들고, 또박또박) 동생은 양치도 잘하고, 아빠 말도 잘 들어요.

현의옹 (달래는) 이름만 지옥이지, 이게 블록 쌓기나 다름이 없어요. 언니랑 동생이랑 같이 하면 얼마나 재밌게요?

여아1 (울먹울먹) 나 블록 쌓기 싫어.

여아2 얘가 싫대요.

현의옹 이제 꾹 참아야 돼요.

여아1 지옥에 만화 영화 있어요?

현의옹 (고개를 절레)

여아1 (동생 가방에서 꺼내며) 액괴는 갖고 가도 돼요?

현의옹, 짠한 마음에 노파를 돌아본다.
평소와 다르게 잠깐 흔들리나 싶더니, 이내 단호하게 고개를 내젓는 노파.

현의옹 눈빛에 원망이 그득하다.

현의옹 이승의 물건은 안 돼요. (받아서 뒤쪽 테이블에 놓으면)

여아1, 2 (여아1은 울고, 여아2의 얼굴도 울상이 되는데)

이연(E) 거 참 드럽게 팍팍하게 구네.

다들 그쪽을 돌아본다. 자매는 반가운 얼굴.
이연이 커피 '쭉쭉' 빨고 걸어오며 시니컬하게.

이연 융통성이라곤 쥐뿔도 없지. 왜 '노잣돈'도 금지시키지 그래?
(하고, 테이블에 커피 내려놓는다. 액괴 슬쩍하려는 제스처)

자막 노잣돈 - 저승 갈 차비 삼아 망자에게 꽂아 주는 돈

현의옹 내 말이 그 말이다.

노파 (눈 흘기고, 이연에게) 넌 빠져. 애들 들여보내.

현의옹이 입 삐죽거리며, 애들을 안쪽으로 안내한다.
이연, 곁을 스쳐 가는 여아2를 붙잡고. '꼬마야, 동생 잘 돌봐 줘라.'
노파가 혀를 차며 '꼴에 청승은….'
가면서 보면, 소녀의 손에 '액체 괴물' 쥐어져 있다.
현의옹이 노파 몰래 이연에게 눈 찡긋하고, 사라진다.

이연 (다리 꼬고 앉으며) 어린이 지옥이 아직도 운영 중이야?

노파 부모 가슴에 못질한 죄.

이연 어려서 죽은 것도 서러운데, 불효자식 프레임까지 씌우고 지랄이야.

노파 애들 하루라도 빨리 환생시키려고 만든 법이야, 이놈아.

이연 지옥도 세대교체 한 번 해야 돼. 염라대왕부터 싹 갈아엎어야지.

노파 발설지옥 가서, 그 혓바닥 갈아엎어야 정신 차리지?!

이연 어휴, 그놈의 고문! 무슨 중세 시대도 아니고, 파워포인트로 지옥 브리핑하는 세상에서, 혀를 뽑는 게 웬 말이야.

노파 (열불 나는) 너, 아침 댓바람부터 나 멕이러 왔냐.

이연 자, 아이스 아메리카노. (마시는 것 보다가, 상냥하게) 근데 사람 찾으려면 어떡해야 돼?

노파 뭐 흥신소 알바 뛰냐?

이연 (지아 부모 사진 공손히 내밀고) 이거.

노파 (관심 없다. 곁눈질로 보고) 먼젓번에 명부 조회한 놈들 아니냐.

이연 망자도 아닌데 20년이나 연락이 없다잖아.

노파 그래서?

이연 (눈앞에 사진 갖다 대는) 천리안 한 번만 씁시다.

노파 안 치워?!

이연 봤지? 어디야?

노파 몰라.

이연 너무하네.

노파 (째려보다) 안 보인다고. 내 눈에도.

이연 뭐?!!

노파 내 눈에 안 뵌다는 거는…

이연 이승도, 저승도 아니란 소리네?

이연이 눈살 찌푸리며 먼 곳을 본다.

노파 (귀찮은 듯 자리 뜨며) 나라면, 걔네 잡아간 놈들한테 물어보겠다.

이연 !!!!

#37 방송국 / 로비 (낮)

지아가 팀원들과 함께 점심 먹으러 가는 길이다.
작가, 재환이 '뭐 먹지?' 수다 떨면서 나가는데, 팀장이 호들갑을 떨며 '스톱 스톱! 전방에 사장님 출현!'
이어 비서 대동하고, 뒷모습으로 등장하는 방송국 사장.
'사장님 안녕하십니까?' 팀장이 허리가 꺾일 듯이 인사한다.

사장 오랜만이에요, 도시 괴담 팀.

사람 좋은 목소리로 팀장에게 악수를 청하는 사장.
미소 띤 지아 시선에서, 사장 얼굴 보인다.
그 얼굴, 이무기를 숨기고 있는 저택의 주인이다!!

사장 (지아와 악수하며) 요새는 일 재밌니?

지아 (존경과, 친근감으로) 일을 재미로 하나요? 먹고 살려고 하지.

사장 (웃으며) 여전하네. 지난달에도 시청률 줄 세웠다며.

지아 밥 사 주세요.

사장 최 차장, 조만간 팀원들 데리고 저녁 한번 합시다.

자리를 뜨는 사장의 표정, 의미심장하다.

#38 거리 (낮)

손에 막걸리 병 든 노인 하나 '한 많은 대동강' 흥얼거리며, 비틀비틀 걸어간다.

1화의 '장승' 할아버지다. 가사처럼 곡진한 가락 뽑혀 나온다.

'한 많은 대동강아. ♬ 대동강 부벽루야. 뱃노래가 그립구나.'

이연 뱃놀이는 옛말이고, 요샌 대동강 하면 에일 맥주지.

노인 !!!!

이연 (서늘하게) 장승 할아범, 맞지?

노인 맞는데, 난 맥주 말고 막걸리파라… (하며 피하려는데)

이연 (어깨 꽉 붙들고) 내 앞에서 감히 등 보이고 그러지 마.

노인 (버둥거리는데, 움직일 수가 없다)

이연 네가 '여우고개' 터줏대감이라며? 사람을 찾고 있는데. (지아 부모 사진 들이밀고) 본 적 있어, 없어?

노인 (눈만 끔벅끔벅)

이연 예스야, 노야?

노인 몰라.

이연 난 길게 말 안 해.

노인 아, 진짜 모른다니까.

이연이 인상을 찌푸린다. 이어 '퍽!!' 소리와 함께 맑은 하늘 위로 노인의 둔탁한 신음 소리!!
잠시 후, 노인의 얼굴 여기저기 멍들어 있고, 옷 찢어져 있다.

이연 그러니까 아는 놈이 따로 있다?

노인 (끄덕)

이연 누구야?

노인 (속삭이듯) … 또… 또.

이연 (주먹 치켜들고) 크게 말 안 해?

노인 사또!!

이연 (!!) 사또?!!

이연의 얼굴 살짝 굳는다.

#39 커피 전문점 (낮)

지아와 팀원들이 토스트와 커피로 점심을 먹는다.

팀장 (볼멘소리로) 사장님은 꼭 너한테만 말 걸더라?

지아 (먹으며 무심히) 그러게요.

팀장 비결이 뭐니?

지아 일단, 쫄지 마세요.

팀장 야, 차장 달아 봐. 계급장 달고 사장실 불려 가면 너도 똑같아.

지아 (절레절레)

작가 웬 일로 허니갈릭?

지아 삶이 롤러코스터일 땐 단짠이 진리지. 먹어 볼래?

작가 (한 입 베어 물고 재환에게) 그건 무슨 맛이야?

재환 블루베리요. 근데 제 건 안 돼요.

작가 (흥!!)

재환 전자 담배 끊으시면 생각해 볼게요.

작가 더럽고 치사해서… (하다가 창밖을 보고, 입 틀어막는) 어머!

이연이 가게 앞에 차를 몰고 나타났다.

작가 (차에서 내리는 이연을 보고) 사람이야 CG야? 비율 좋고, 와꾸 좋고, 차 좋고. (재환과 팀장을 보며) 눈앞엔 참사가 벌어졌고.

재환 그거 희롱이에요. (하는데)

이연 (지아네 테이블로 와서) 가자.

일동 !!!!!!!!

지아가 이연 손에 이끌리다시피 가게를 나선다.
'뭐야 남지아 연애해?!' 세 사람 경악한다.
지아를 차에 태우는 이연 모습에, 눈을 떼지 못하는 팀원들.

#40 도로 / 차 안 (낮)

이연이 운전하는 차, 시원하게 도로 내달린다.

지아 어디 가는데?

이연 네 '장래 희망' 찾으러.

지아 ('무슨 소릴까…' 하다가) 설마?

이연 음악도 네 취향으로 골라 봤어.

하고, 음악을 튼다.
아이돌 노래 흘러나오면 속도를 높이는 이연.

#41 난간 (낮)

같은 시각, 3층 높이 정도 되는 난간.
장승 할아범, 난간에 아슬아슬하게 매달린 채 이랑에게 붙들려 있다.

이랑 물건을 찾고 있어, 장승 영감.

노인 무슨…

이랑 호랑이 눈썹.

노인 그건… 전설일 뿐이야.

이랑 나도 그래. 근데 이렇게 살아 있잖아? 네 목줄을 잡고. 딱 한 번만 묻는다. 봤어, 못 봤어?

노인 진짜 못 봤다니까!

이랑 그래? 그럼 그냥 내려가. (하고, 손 놓으려는데!!)

노인 잠깐만! 잠깐만!

잠시 후, 이랑이 섬뜩한 미소를 짓고 있다.
'어우, 저놈의 여우 새끼들!!' 욕하며 꽁지 빠지게 달아나는 장승 노인.

#42 민속촌 / 일각 (낮)

옛 정취 물씬 풍기는 민속촌 전경.
이연과 지아, 길거리 음식 손에 들고 민속촌 걷고 있다.
두 사람 곁으로 각종 분장을 한 민속촌 알바들 지나쳐 가고.
이연이 그들 얼굴 확인하듯 기웃대다가.
'둘러보고 있어. 나 잠깐 뭐 좀 알아보고 올게.' 하며, 지아를 남기고 사라지면.
혼자 남은 지아, 흥미로운 얼굴로 민속촌 구경한다.
문득 '한복' 차림을 한 손님들이 눈에 들어온다.

(시간 경과)

이연이 돌아왔다. 지아가 보이지 않는다.
'어디 간 걸까?' 지아를 찾아다니던 이연, 뭔가에 홀린 것처럼 우뚝 멈춰 선다?!
인파 사이로 '한복을 입은 여자'의 뒷모습!
본능적으로 그녀를 쫓는다!

#43 민속촌 / 비단천 거리 (낮)

파란 하늘에 비단천 나부낀다.
하늘거리는 비단을 하나 둘 헤치며, 그녀를 찾아 헤매는 이연.
마침내 비단 너머로 그녀가 돌아본다.
이연의 눈가 촉촉해진다.
마치 죽은 아음이 그대로 살아 돌아온 것 같은 모습! 지아다!
지아가 '어디 갔었어? 한참 찾았잖아' 하며 비단을 살짝 걷으면!
그 순간!
이연이 곧장, 입술을 포개 온다!!
색 고운 비단천 사이로 아름답게 입맞춤 하는 두 사람 모습에서!

5화 끝

6
사주
팔자

#1	민속촌 / 비단천 거리 (낮)
	이연이 한복 차림의 지아에게 홀린 듯 입을 맞춘다.
	이내 이연의 가슴을 살짝 밀어내는 지아.
	잠시, 말없이 이연을 보다가.
지아	방금 네가 입 맞춘 그 여자는 '나'야? 아니면 '죽은 첫사랑'인가?
이연	!!
지아	나 아니구나?
이연	나는…
지아	(말 자르며) 나는 네 과거의 그림자가 아냐.
이연	(아프게 보면)
지아	그러니까 여기서 네 마음 딱 정해. 유통 기한 지난 과거 붙잡고 살든지, 아니면… (하다가 망설이는)
이연	아니면?
지아	(이연의 볼을 잡고) 제대로 봐.

'쿵!' 이연의 심장 내려앉는다.

지아 내가 또 어디 가서 꿀릴 만한 몽타주는 아니잖아?

그제야 환하게 미소 짓는 이연.
눈앞에 있는 이 여자에게, 새삼 반한 눈빛으로.

#2 방송국 / 사무실 (낮)
지아한테 문자 폭탄 보내는 작가.
번개 같은 손놀림으로, 차례차례 쌓여 가는 메시지 보이고.

작가 '둘이 무슨 사이야? 직업은 뭐야? 나이는? 너 지금 어디야? 말 안 해? 아 그 남자 누구냐고!!! 야, 우리 속담에 콩 한쪽도 나눠 먹는다는데….'
재환 (화들짝) 아니 뭘 나눠 먹어요?!
작가 (들은 척도 않고) 완벽하게 씹고 있어.
재환 그냥 취재원 아닐까요?
작가 절대 아니야. 남지아를 보는 그 남자 눈빛이 뭐랄까. 심장이 남아나지 않을 거 같은… (자기 가슴에 손 얹고) 하악.
재환 작가님 심장한테 전해 주세요. 나대지 좀 말라고.
작가 (흘기고) 근데 걔 고자 아니었어?
재환 예에?!
작가 남지아 말이야, 연애 고자잖아.

#3 민속촌 / 구름다리 (낮)

민속촌은 지천이 꽃밭이다. 이연과 지아, 나란히 다리를 건너고 있다. 이연과 달리, 지아는 살짝 어색한 표정이다.
이하, 줄곧 이연의 눈길 피하면서.

지아 (괜히 민망함에) 덥다. 그치?
이연 난 여름이 좋아.
지아 구미호는 더워도 안 타나?
이연 숲이 제일 시끌벅적해지는 계절이거든. 일일이 안부를 묻지 않아도, 꽃 한 송이, 나무 한 그루, 공평하게 햇빛과 비바람을 받고, (떨어진 '꽃가지' 주워 들고) 지들끼리 조촐하고, 당당하게.
지아 도시에선 햇빛도 공평하게 들질 않아. 반지하냐, 펜트하우스냐에 따라서, 일조량이 확 달라지잖아? 사람이나 식물이나, 광합성 많이 한 놈이 웃자라는 건 공식이고.
이연 (빤히) 네 눈은, 생각보다 많은 걸 보고 있구나?
지아 (시선 피하는)
이연 근데, 왜 아까부터 나랑 눈을 안 마주쳐?
지아 (이연의 어깨 쪽을 보고) 내가 언제?
이연 지금도.
지아 (괜히 호수 가리키며, 높낮이 없이) 와··· 잉어다.

보면, 호수 아래 잉어들 팔딱거린다.

이연 (지아만 빤히) 와··· 되게 귀엽다.

지아 (모르고 호수 들여다보는) 그치? 귀엽지?

하다가 고개 들면, 이연이 잉어가 아니고 자기를 보고 있다.

지아 (!!) 뭘 봐?

이연 (태연히) 너.

지아 (얼굴 붉히는)

이연 제대로 보라길래.

지아 보지 마, 그만 봐, 내 얼굴 닳아져. (하고, 성큼성큼 걸어가며 혼잣말)
젠장, 그 대사 괜히 쳤어.

이연 같이 가.

기분 좋은 얼굴로 그 뒤를 따르는 이연이다.

#4 방송국 / 사무실 (낮)

작가랑 재환, 아직도 머리를 맞대고 있다.

작가는 핸드폰을 확인하고, 재환은 갸웃갸웃하는 중.

작가 이 계집애 아직도 안 읽었어!

재환 근데요 작가님. '그 남자' 어디서 본 거 같지 않아요?

작가 (무심히 핸드폰 만지면서) 봤지.

재환 맞죠?! 어디서 봤죠?

작가 내 이상형 월드컵? 믹스하면, 대충 그 얼굴이야.

재환　아니, 우리 방송이라든가…
작가　노노, 내가 그 얼굴을 스킵 했을 리가 있나.
재환　분명히 낯이 익은 얼굴이라니까요.

그러고 있는데, 팀장이 커피 들고 나타난다.

팀장　아직도 그 얘기야? 일들 안 하니?
재환　작가님이요. 언론인이라면 매사 의혹을 끝까지 파야 된다고.
작가　그걸 또 이르니?
팀장　(내심 궁금한) 그래서 남지아는 뭐래? (핸드폰 흘긋) 답장 왔어?
재환　아직이요. 저희도 미치겠어요.
팀장　'쳬-' 생긴 게 딱 남자 꽃뱀이드만.
작가　믿고 싶으신 거죠? (손거울 보여 주며) 세상이 이렇게 불공평할 리는 없다고.
팀장　(거울에 비친 자기 얼굴에) 김 작가!!

#5　민속촌 / 귀신전 (낮)

이연과 지아, 귀신전 앞을 지나고 있다.
산신령, 구미호, 도깨비, 저승사자 등 캐릭터 알바들 보인다.
이연이 알바들 얼굴을 훑는다.

지아　아까부터 누굴 찾는 거야?
이연　사또.

지아 사또?

이연 너네 부모 잡아간 놈을, 걔가 알고 있대.

지아 (!!!) 진짜?! 그 사또란 사람이 누군데?

이연 사람 모습을 하고 있는데, 사람은 아니고. 한때, 한반도를 다스리던 네 명의 산신 중 하나.

지아 와… 산신?!!

이연 그중에 하나는, 지금 네 옆에 있다는 걸 잊지 말아 줄래?

지아 아 맞다, 전직 산신! 파면당했다 그랬지?

이연 내가 사임한 거거든? 이런 말까진 안 하려고 했는데. 굳이 따지자면, 나머지 셋은 지방을 다스리는 마이너, 나는 메이저.

지아 근데 산신이 왜 민속촌에 있어?

이연 산신뿐만이 아냐. 전설 속에 살던, 온갖 것들이 여기로 모여들어. 이만큼 숨기 좋은 데도 없고. (고무신 등 옛날 물건 보며) 일종의 레트로 열풍이랄까. 옛 향수를 자극하잖아.

지아 (알바들 가리키며) 혹시 저기도 '진짜'가 섞여 있어?

이연 있을 수도 있고.

지아 진짜?

이연 관광객들하고 오래 부대끼면서 냄새를 완전히 지웠어.

지아 (!!) 그럼 어떻게 찾지?

이연 (태연히) 그냥 즐기면 돼. 놈들이 먼저 나를 찾을 때까지.

하더니, '저기 점집 있다!' 하면서 지아 데리고, 점집으로 향한다. 그런데! 두 사람 사라지기 무섭게, 알바들 표정 싸늘하게 변한다! 살기 어린 눈빛으로 서로 눈짓 교환하는데!

짐작했다는 듯, 돌아보지도 않고 서늘하게 웃는 이연!

#6 민속촌 / 점집 (낮)

<'사주, 관상, 작명, 궁합, 전생' 봐 드립니다. '수능 대박' '취업 필승' '각종 부적' 팝니다.> 등등 문구 적혀 있는 점집.
선글라스 낀 점쟁이 앉아 있다.
딱 봐도 허술해 보이는 점쟁이가 가짜 수염을 쓸면서.

점쟁이 어디 보자. '사주, 관상, 궁합, 전생' 뭘 보러 왔을까.
이연 (어이가 없는) 그걸 다 아는 영감이, 복채 2만 원에 알바를 뛰고 있냐?
지아 재미로 보는 거잖아. '전생' 봐 주세요.
점쟁이 전생이라….

뭘 주섬주섬 꺼낸다 싶더니 '핸드폰'이다.
핸드폰 카메라로 이연과 지아의 얼굴, 이리저리 비춰 보고 뭔가를 검색한다.
'옳거니!!' 이내 무릎을 '탁!' 친다.

이연 (!!!) 설마, 어플 쓰는 거야?
점쟁이 (헛기침 하고) 딱 나오네!
지아 뭐예요?
점쟁이 들어올 때부터 관상이 예사롭지 않다 했더니… 아가씨는 전생에 로얄 패밀리네! '공주'였어!

이연 뭐야, 그런 게 나온다고?! (설마 해서) 그럼 나는?

점쟁이 그쪽은 그러니까…

이연 (살짝 기대하는 눈빛)

점쟁이 (핸드폰 곁눈질) 아이고! 전생에 산업 역군이셨네!! 한강대교 짓다가 돌아가셨어.

이연 (젠장) 거 어차피 아무 말이나 할 거, 덕담으로 통일하지?

점쟁이 손님은 부적 하나 해.

이연 안 사요! (하고, 일어나려는데!)

점쟁이 둘이는 붙어 다니지 말어. 둘 중에 하나, 목숨 줄 끊어 놓기 싫으면.

지아 네??

점쟁이 애초에, 만나지 말았어야 될 인연이다.

이연, 지아 ?!!!

석연찮은 눈길로 점쟁이를 한 번 훑는 이연의 시선.

#7 민속촌 / 모처 (낮)

같은 시각, 주전부리 파는 좌판.

젊은 남자 하나가 뒷모습으로 셈을 치르고 있다.

구운 가래떡 손에 들고 만족스럽게 돌아서는 얼굴, 이랑이다.

조금 막막한 듯이, 드넓은 민속촌 둘러보다가.

이랑 여기 '점집'이 어디야?

알바 저쪽으로 한참 걸어가시면요.

이랑 (말 자르며) 한참? 이 더위에? 이 안에는 택시 없니?

알바 택시는 없고요. 저거.

저만치, 손님을 기다리는 가마꾼들과 '꽃가마' 보인다.

잠시 후. 만족스러운 이랑의 얼굴에서 화면 넓어지면, 꽃가마 탄 이랑 모습. 가마는 부지런히 점집을 향해 간다.

#8 점집 / 앞 (낮)

이연과 지아, 점집 나와서 걷고 있다. 이연의 표정 살짝 굳어 있다. 지아가 씩씩하게 이연을 안심시킨다.

지아 괜히 돈만 날렸다.

이연 뭘 알고 말하는 거야, 막 말하는 거야? 찝찝하게.

지아 우리 회사에 모 팀장님이 말이야. 결혼 전에 궁합을 봤더니, 왜 이제 만났냐고 난리를 치더래. 서로가 서로한테 '귀인'이라고.

이연 그래서?

지아 백년해로 한다더니 1년도 못 살고 그만…

이연 (표정 밝아지는) 이혼했어?

지아 난 원래도 궁합 같은 거 안 믿어. 그런 게 다 진짜면 대한민국

이혼율이 어떻게 그렇게… (하는데!!)

바람을 가르는 소리와 함께, 뭔가가 '휙' 날아든다!
지아를 감싸며, 한 손으로 그것을 낚아채는 이연! '화살'이다!!
보면 사람은 보이지 않고, 화살에 편지 매달려 있다.
딱히 놀란 기색도 없이 편지 펴 보는 이연.

지아 누가 쏜 거야?!!!
이연 이렇게 고전적으로 데이트 신청을 하는 놈이 누구겠어?

편지 들어 보인다. 편지에 단정한 글씨체로 '관아에서 보자.'

지아 사또?!

이연이 기다렸다는 듯이 '픽-' 웃는다.
이연과 지아, 관아를 향해 앵글에서 멀어지면.
간발의 차이로 이랑이 탄 가마, 점집 앞에 도착한다.
가마에서 내린 이랑, 심상찮은 눈길로 점집을 한 번 훑는다.

#9 민속촌 / 점집 (낮)
아까의 점쟁이가 핸드폰 게임을 하고 있다.
문득 기척을 느끼고 보면, 문에 쳐 놓은 발 너머로 '누군가' 섬뜩하게 서 있다.

자세 고쳐 잡고 '누구요?'
이랑이 발을 걷고 들어선다. 손에 서류 가방 들고 있다.

점쟁이	(수염 매만지며) 점 보러 왔어?
이랑	다른 거 보러 왔어.
점쟁이	('수능 대박' '취업 필승' 가리키며) 부적 필요해?
이랑	작작하지? 네가 누군지 정도는 알고 왔으니까.

그 소리에, 점쟁이의 표정 싹 바뀐다. 선글라스 살짝 내려서 이랑을 본다.
두 눈, 하얗게 멀어 있다. 조선 시대의 '진짜 점바치'들처럼.
선글라스 다시 고쳐 쓰고.

점쟁이	오늘 민속촌에서, 구미호들 정모라도 있냐?
이랑	뭐??
점쟁이	(못마땅한 얼굴로 부채질 하며) 아님 말고.
이랑	(공기의 '냄새'를 맡아 본다. 기분 나쁜 미소로) 이연이 왔구나?
점쟁이	용건만 해라. 나 손님 받아야 돼.
이랑	'전생을 보는 물건' 네가 갖고 있지?
점쟁이	어디 보자, 호랑이 눈썹이라…

점쟁이가 '작은 자루' 들어 보인다. 자루는 텅 빈 것처럼 보인다.
그런데 자루를 뒤적뒤적하자, 놀랍게도 커다란 '장검' 나온다.
'이거 아닌데??' 하고, 다시 뒤지면 '갓' 나온다.

세 번째 손을 넣으면 '안경'이다.

점쟁이 짠, 세상에서 사라진 물건은 죄다 여기 들었지.
이랑 !!!!
이랑 나한테 다오.
점쟁이 공짜론 안 돼.

예상했단 듯, 가져온 서류 가방 올려놓는다. 열면 돈다발 가득 들어 있다. 점쟁이가 지폐 다발 만지며 웃는다.

이랑 어때?
점쟁이 미련한 놈.
이랑 (인상 굳는) 뭐?
점쟁이 돈으로 살 수 있으면, 이 물건들이 세상에서 왜 사라졌겠니.

점쟁이가 약 올리듯, 안경을 웃옷 포켓에 '쏙' 집어넣는다.

#10 민속촌 / 관아 (낮)

지아와 이연이 관아를 둘러보고 있다.
앞마당에 형틀 놓여 있고, 사위에 묘한 긴장감 감돈다.
알바도, 손님도 보이지 않는다.

이연 (마당을 향해 단호히) 나와라, 사또.

잠시 괴괴한 침묵 흐르나 싶더니.
계단 위 상석에서 '사또'라 불리는 남자가 모습을 드러낸다.
푸른 도포에 고급스러운 갓. 차분하고, 흔들림 없는 얼굴이다.

이연	간만이네?
사또	이연.
이연	못 본 새, 너 얼굴 많이 상했다?
사또	(무표정으로) 왜 왔어?
이연	사람을 찾고 있다. 여우고개가 네 구역 맞지?
사또	(지아에게 시선 주며, 차갑게) '사람을 위해서' 그런 일도 하나?
이연	(지아 마주 보고) 더한 일도 할 생각이야.
지아	!!!
사또	'여우 누이'가 죽었다던데. 혼인을 앞두고 있던 그 아이를 죽인 게, 옛 산신이라더라?
이연	지 오라비들 간을 빼 먹고 잠적한 '그 죄인'을 숨겨 준 것도, 전직 산신이라던데?
사또	가뜩이나 인간 세상에, 몸 둘 곳 하나 없는 가련한 옛 것들을.
이연	세상을 어지럽히는 놈. 사람과 더불어 살 수 없는 것들. 내가 사냥한 건 그뿐이다.

둘 사이에 흐르는 긴장감!

이연	너랑 나는, 가는 길이 다른 거야.
사또	그렇다면 내가 해 줄 말은 없을 거 같은데?

이연 어쩌나, 나는 꼭 답을 들어야겠는데?

사또가 눈짓하면, 다부진 몸집의 '포졸들' 일제히 모습을 드러낸다!
창, 칼, 활 등 재래식 무기로 무장했다!
관아의 문도 닫혀 버린다!

사또 지금은, 살아남는 게 먼저 아니겠어?

순식간에! 놈들에게 가로막힌 이연과 지아 모습에서!

#11 민속촌 / 점집 (낮)
이랑이 속을 가늠하듯 점쟁이를 바라보고 있다.

점쟁이 내 물건은 가격을 매길 수 없어.
이랑 내가 힘으로 뺏는다면?
점쟁이 이 자루에 빨려 들어가지. (자루 살짝 열며) 궁금하면 해 보든가.

곁눈질로 보면, 자루 속에서 '소용돌이' 바람이 분다.

이랑 (!!!!) 허면?
점쟁이 물물교환. 네놈이 가진 것 중에 '제일 귀한 물건'이랑 바꾸는 게야.

이랑 (곰곰이 되뇌는) 나한테… 제일 귀한 물건?

#12 민속촌 / 관아 (낮)

이연이 어깨를 으쓱해 보이며 말한다.

이연 여기서 기다려. (시계 보고) 대략 5분 정도? (하고, 앞으로 나서는데)

지아 (옷깃 붙잡고) 절대, 다치지 마.

싱긋 웃어 보이고, 포졸들 향해 위협적으로 걸어간다.
어느새 그 손에 '검'이 들려 있다!
이연을 에워싸기 시작하는 포졸들! 이연은 산책이라도 나온 표정이다!
놈들이 한꺼번에 이연에게 달려들면!
이연이 칼로 호령하듯 바닥을 내리친다!
동시에! 일제히 나가떨어지는 포졸들!
겨우겨우 몸을 일으키기 시작하는 놈들을, 어린아이 다루듯 칼등으로 '툭툭' 쳐서 쓰러뜨리는 이연!
사이, 포졸1이 지아의 등 뒤로 조용히 접근한다!
지아에게 무기를 막 휘두르는 찰나!
이연이 제 앞에 있던 포졸의 창을 빼앗아 그쪽으로 힘껏 던진다!
정확히 놈의 목으로 날아드는 창!
그때! 상석에 앉아 있던 사또가 순식간에 포졸1 앞을 막아서며, 이연이 던진 창을 움켜쥔다!!
뒤에서 '어이!' 하고 부르는 소리!
어느새 뒤로 다가온 이연, 관절을 '뚝뚝' 꺾으며, 차가운 얼굴로.

이연 나 지금 15세 관람가로 싸우느라 되게 노력 중이거든? 만 19세로 놀아 볼래?
사또 살생은 용납 못해.
이연 (포졸 가리키며) 난 이런 매너 없는 것들 용납 못해.
사또 (잠시 생각하고) 받아들인다. (포졸에게 단호히) 싸움판, 지저분하게 만들지 마라.
포졸1 (움찔해서 물러서면)
사또 (지아에게) 손님은 이리로.
지아 ?!!! (경계하며) 왜 나를…
사또 인질이 필요할 정도로 나약하지 않으니까.
이연 (지아 안심시키는) 괜찮아. 원래 폼에 살고 죽고 뭐 그런 놈이야.
사또 긍지가 높은 거다.

지아가 자리를 피한 것을 확인하기 무섭게, 곧바로 포졸1을 날려 버리는 이연! 그 순간 이연에게 화살이 날아든다!
찰나! 이연의 몸을 스치는 화살! 그 모습에 지아, 벌떡 일어서면!

사또 (흥미로운 듯) 여우에게 마음을 준 것이냐.

지아 (보면)

사또 아니면, 그저 홀린 것인가.

지아 나는… (하는데, 말문이 턱 막힌다)

이연의 움직임 눈으로 좇으며 스스로에게 묻는다. '이연은 나에게 뭘까.'
이내 힘 있고 진심 어린 말투로.

지아 나는… 이연을 '이용'하고 있어.

사또 !!

지아 가족을 찾으려고 계약을 맺었고, 너한테 정보를 얻으려고, 이연을 사지로 몰았다.

와중에 이연, 화살을 날린 놈의 양쪽 팔을 '뚝뚝' 꺾어 버린다.

사또 솔직해서 좋구나.

지아 근데…

사또 ??

지아 지금은 그런 거 다 필요 없으니까, 쟤들이랑 댁이랑 대충 조져 버리고, 집에 갔음 싶다.

사또 (무슨 뜻일까?)

지아 (이연을 보며) 가는 데마다 다치네. 나 때문에.

이연에게 머무는 지아의 눈빛, 안타깝고 애틋하다.

사또 보아하니 네 앞길도 꽃놀이패 같지는 않겠구나.

지아 상관없어. 길이 거지 같으면, 꽃씨 뿌리면서 가지 뭐.

사또 재미있는 아이로구나. (희미한 미소로) 과연… '소문'대로야.

지아 소문?!

사또 헌데, 나를 찾아온 건 후회하게 될 거다.

서늘해진 얼굴로 일어서는 사또!
포졸들 죄다 쓰러트린 이연이, 사또 향해 도발적으로 웃고 있다!

#13 내세 출입국 관리 사무소 (낮)

현의옹이 포장 떡볶이 들고 들어온다.
한쪽에서는 삼도천 노파, 컴퓨터 작업을 하며, 불같이 전화 통화 중이다.

노파 어떤 놈이야?! 대체 어떤 정신 빠진 놈이 '흑암지옥'에다 핸드폰 반입했어?!!

자막 흑암지옥 - 낮도 밤도 없이, 영원한 어둠 속에서 고통받는 지옥

현의옹 (눈치 보면서, 얼른 떡볶이 갖다 주는) 떡볶이, 여기 둬요.

노파 에라이 썩을… (책상을 '쾅!!')

현의옹 (잽싸게 자리 피한다)

노파 그게 저승사자가 할 소리야?! 닥치고 잡아다가 주리 틀어!

전화 끊는다. 도통 분이 풀리지 않는 얼굴로.

노파 이것들이 죄다 군기가 홀랑 빠져 가지고… (하다가, 떡볶이 집어 먹고) 하나도 안 맵네? (짜증) 자기야!!

보면, 남편은 그새 사라지고 없다.
'바빠 죽겠는데, 또 어딜 기어 나간 거야?!' 볼멘소리로 두리번거린다.

#14 민속촌 / 관아 (낮)

이연과 사또, 각자 무기를 들고 마주 섰다.
사또의 목에 '오래돼 보이는 거울 목걸이' 걸려 있다.
이내 서로를 향해 달려든다!
한 치의 물러섬도 없는, 팽팽한 접전 벌어진다!
지아도 손에 땀을 쥔다.
찰나, 이연이 사또에게 기습적으로 칼을 날린다! 피하지 않는 사또!
사또의 목에 걸린 거울 속에 날아오는 칼 보이면!
순간 '반짝' 빛을 발하는 거울!
그와 동시에! 칼은 무서운 속도로 반사되어 이연을 향해 날아간다!
간발의 차로 피하면!
그 칼, 아슬아슬하게 지아를 피해서 꽂힌다!

작게 비명을 내지르는 지아! 이연의 표정 매섭게 변한다!

이연 '달의 거울'이네? 만물을 지키라는 4대 산신의 4대 보옥으로, 사람 잡을 셈이야?
사또 그래서 너의 '여우 구슬'은 만물을 지켰나, 아님 한 사람을 지켰나.
이연 아이템, 스킬, 넣어 놓고 맨손으로 붙는 게 어때? 깔끔하게.
사또 좋다.

칼 던져 놓고, 사또에게 주먹을 날리는 이연!
둘이 맨손으로 무시무시하게 싸우면서!

사또 네가 다치면, 마음이 찢어지나 보더라.

사또가 손짓하는 대로 보면, 미쳐 버릴 것 같은 표정의 지아 보인다.
이연이 눈을 떼지 못하는 사이, 거듭 몰아붙이며!

사또 저 여자는 너에게 무엇이냐.
이연 뭐래? (반격하고) 그런 질문은 우리 둘이 포차에 갔다 치고, 최소 소주 반병 이상 비웠을 때 하는 게 상식이다!
사또 흥분한 걸 보니 진심이고.
이연 닥쳐라.
사또 어리석구나. 또 사람한테 정을 주다니.

이연　　너, 제발 부탁인데 그 문어체 말투 좀 고쳐! 씬 늘어지잖아!

전력을 다해 덤벼드는 이연!
짧고 강렬한 격투 끝에, 이연이 놈을 메다꽂는다!
지아, 그제야 안도한다.

지아　　(상처 확인하며) 어디 봐!
이연　　그냥 살짝 스친 거야.
지아　　다치지 말랬잖아!

걱정하는 지아를 보며, 미소를 감추는 이연.
이어 '잠깐만.' 하고, 쓰러져 있는 사또에게 다가간다.

이연　　꼭 이렇게 끝장을 봐야 직성이 풀리지?
사또　　그렇게 살아왔으니까. 난.
이연　　고지식한 놈.

하며, 손을 내민다. 그 손을 잡고 털고 일어서는 사또.

이연　　간만인데, 아이스 아메리카노나 한 잔 할래?
사또　　난 아이스 안 먹는다.
지아　　둘이… 뭐야?!
이연　　정식으로 소개할게. 옛날 내 베프이자, 산신이고, 진짜 정체는 토종 반달곰.

지아 !!!!!!

#15 한식당 우렁각시 (낮)

핸드폰 벨소리 요란하게 울린다. 발신자 '할멈'이다. 소스라치며 핸드폰을 의자에 던져 놓는 현의옹.
맞은편에서 솜씨 좋게 떡을 빚던 우렁각시가.

우렁각시 웬만하면 받으세요.

현의옹 (굳게 고개를 내젓고) 나, 더는 이렇게 못 살아.

우렁각시 (지겹게 들었다) 또 그 소리.

현의옹 요샌 자다가도 깜짝깜짝 놀라서 깨고 그래. 마누라 생각만 하면 심장이 쿵쾅거리고, 막 오줌도 마렵고.

우렁각시 에헤이… 어르신 전립선 사정까진 됐고요. 부부가 수천 년을 같이 살면, 권태기도 자연스러운 거예요.

현의옹 권태기?

우렁각시 왜 세상 요란하게 닭살을 떨던 견우직녀도, 같이 사네마네 하잖아요.

현의옹 (떡 하나 집어 먹고) 어쩐지… 요새 '7월 칠석날' 통 비가 안 오더라니.

우렁각시 차라리 솔직하게 얘기를 하셔요.

현의옹 싫어. 무서워. 내가 무슨 영화를 누리겠다고 하필 염라대왕 누이랑 혼인을 했을꼬.

같은 식당. 조금 떨어진 자리에서, 유리가 팔짱을 낀 채 '삼계탕' 앞에 두고, 경계하듯 신주를 보고 있다.

유리 내가, 이걸 왜 먹어야 되는데?

신주 삼계탕이니까. 몸에 좋고, 맛있고…

유리 그니까 네가 이걸 왜 사냐고.

신주 내가 기유리 씨를 좀 오해한 거 같아서.

유리 오해가 아니면 어쩔 건데?

신주 경험상, 약한 동물을 가엾게 여길 줄 아는 놈 중에, 악당은 없었어.

유리 (!!) 나, 너 싫어.

신주 (미소만)

유리 귀 먹었어? 너 싫다고.

신주 내가 싫어도 삼계탕은 아닐 거라고 확신해. 먹어 봐.

유리 (신경질적으로 그릇 휘젓는) 싫다는데 웃고 있어, 바보 같이. 물어도 아프다 소리 못 하는 놈들한텐, 얼마든지 잔인해져도 된다더라.

신주 (빤히 보다가) 닮았다. 내가 만난 유기견들이랑.

유리 뭐?!!

신주 학대받고 버림받은 애들은, (뚝배기 가리키며) 밥 주는 손도, 일단 물고 보거든. 사랑받는 법을 몰라서 그래.

유리 (치부를 들킨 양) 닥쳐!

#16 민속촌 / 점집 근처 (낮)

이랑이 뾰족해진 얼굴로 생각에 잠겨 있다.
'나한테 소중한 거? 그딴 게 대체 뭐야?' 돌부리를 발로 '툭툭' 찬다.
한참을 제자리에서 맴돌다 어디론가 전화를 건다.
전화를 걸면서 '밑져야 본전이다.'

#17 민속촌 / 카페 (낮)

한옥 인테리어의 민속촌 카페.
사또는 따뜻한 커피, 이연과 지아는 아이스커피 앞에 두고 앉으면. 이연의 핸드폰 진동음 울린다. 보면, 이랑이다.
시원하게 '수신 거부' 누르는 이연.

#18 민속촌 / 점집 근처 (낮)

'씹어?' 열 받은 얼굴로 고집스럽게 전화를 계속해 대는 이랑.

#19 민속촌 / 카페 (낮)

이연이 성가신 듯이 전화기를 주머니에 넣어 버린다.
사또가, 도포 차림 그대로 접시에 놓인 마카롱 하나 베어 물면.

지아 (이연에게 작게) 마카롱도 먹네?

사또 (들었다) 강정의 바삭함과 약과의 촉촉함을 두루 가진 양과자다.

이연 요새는 좀 살만 하고? 네가 거두는 식솔만 한 트럭이잖아.

사또 (담담히) 최저임금 오르기도 했고, 대출 끼었지만 집도 샀고. 전래 동화 주인공들이, 가끔 공황장애 호소하는 것만 빼면 괜찮아.

이연 고생 많았겠네.

사또 (시계 보고) 나 곧 가 봐야 되는데.

이연 (지아에게 물어보란 뜻으로 눈짓하면)

지아 (얼른 부모 사진 보여 주는) 혹시, 이 사람들 본 적 있어?

사또 (말없이 빤히)

지아 실종됐어. 20년 전에.

사또 (커피만 홀짝)

지아 그… 아무리 사소한 거라도 좋으니까, 아는 게 있으면 뭐든… (하는데)

사또 '3월 삼짇날'인가?

지아 맞아! 교통사고가 난 그날이 정확히 99년 3월 삼짇날!

사또 그해 정초에 '감색 양복을 입은 남자'가 나를 찾아왔어. 삼짇날, 사고가 날 거라고 했다. 여우고개에서.

지아 (!!!) 감색 양복? 그 남자가 '계획적으로 사고를 냈다'는 거야?

사또 (끄덕)

이연 그래서?

사또 난 사람을 해치는 일에 끼어들지 않아. 당연히 내 부하들도 빌려주지 않았고.

지아 누구였어, 그 남자?!!

사또 처음엔 웬 놈이 둔갑을 했나 했는데… 아니야.

지아 그럼?!

사또 사람.

이연 확실해?

사또 분명히 사람 냄새가 났어.

지아 자세히 말해 줘! 그 남자에 대해서 기억나는 거, 전부!

사또 다시 만나면 기억이 날까 싶을 만큼 인상이 흐릿해. 그 정도로 평범한 중년 남자였어.

지아 (실망하는데)

사또 근데, 그 이마.

지아 이마?

사또 희미하긴 한데, 이마에 '묵형'의 흔적이 있었다.

자막 묵형 - 죄인의 몸에 죄목을 새기는 형벌

지아 죄인을 뜻하는 문신?! 글자는?

사또 (기억 더듬는) 서녘 서에, 서울 경.

지아 서경?! 묵형을 당했다는 건, 최소 '조선 시대' 전부터 살아온 놈이란 거네?!

이연 (눈을 빛내며) 어디 있을까, 지금?

사또 아마… (지아 가리키며) 멀지 않은 곳에.

지아 그게 무슨 뜻이야?!

사또 그 사고, 부모가 타깃이 아니었으니까.

지아 뭐?!!

사또 처음부터 '딸'을 노리고 벌인 일이었다.

지아, 이연 !!!!!!!

#20 한식당 우렁각시 (낮)

현의옹네 테이블에서는.

우렁각시 아, 이것도 싫다, 저것도 싫다. 뭐 어쩌시려고요?

발신자 '할멈'으로 또 전화 온다.

마지못해 받자마자 '바빠 죽겠는데 당장 안 튀어 와?!!' 하는 앙칼진 목소리.

현의옹 네 여보, 지금 들어가고 있어요. (하고, 끊자마자) 이혼하고 싶어.

우렁각시 예에?!!!

현의옹 그래… (작정한 듯 벌떡 일어나서) 나, 이혼할 거야!!!

유리 어이 거기!!

유리가 차가운 얼굴로 현의옹을 노려보고 있다.

현의옹 거기?! 나??

유리 당장 임종을 해도 괜찮은 얼굴로, 이혼을 하든 재혼을 하든 하나도 안 궁금하니까, 좀 닥쳐 줄래?

현의옹 (충격으로 말을 못 잇는) 저, 저저…!!!

유리 '에티켓'도 몰라? (할 말만 하고 쏙 고개 돌린다)

현의옹 (부들부들 떠는데)

우렁각시 참아요. 외국서 왔대요.

현의옹 (가슴을 치며) 아이고, 말세다 말세. 쟤는 또 어디서 저런 되바라진 각시를 데려왔대?

현의옹이 식당 나서며 신주를 흘기면.
당황한 얼굴로, 자리에서 일어나 90도로 고개를 숙이는 신주.

신주 (목소리 낮춰서) 저분이, 누구신지 알고 그러는 거야?

유리 알게 뭐야.

신주 삼도천 문지기셔. 염라대왕님 매제고.

유리 염라대왕 빽 있으면, 식당에서 고성방가 해도 되나?

신주 (말이 안 통한다) 얼른 먹어.

유리, 마지못해 삼계탕 그릇에 손을 댄다.
맨손으로 덥석 집어 들었다가 '아, 뜨거!!!'
신주가 물수건으로 유리의 손을 닦아 주고, 접시에 닭다리 놔준다. 경계하듯 보다가, 닭다리를 뜯기 시작하는 유리.
신주가 빙긋 웃어 보인다.

신주 네가 데려온 그 아이, 사료랑 집은?

유리 (먹으며, 태연하게) 난 못 데려가.

신주 그럼?!

유리 네가 키워. 안락사 같은 거 시키면, 넌, 안락하지 않게 죽게 될 거야.

신주 가족들이 싫어하니?

유리 가족 아냐. 동물원에서 날 구해 주신 분.

신주 은인이구나.

유리 당연하지. (자랑스럽게) 사육사를 찢어 버리셨어.

신주 (!!!) 사람을 죽였다고? 누구야, 그 은인이란 분?!

유리 (짓궂은 미소로) 있어. 너도 조만간 만나게 될 거야.

신주 ???

#21 민속촌 / 일각 (낮)

이랑이 독기 어린 얼굴로 전화를 걸며, 이연을 찾아다니고 있다.

#22 민속촌 / 카페 앞 (낮)

이연과 사또 헤어지며, 인사 나눈다.

지아는 조금 떨어진 곳에서, 복잡한 심정 추스르고 있다.

사또 (지아 눈짓하며) 여자, 곁에 두지 마라.

이연 (진지하게) 이유는?

사또 나를 찾아왔던 그 사내가 말하길 (가까이 대고) '소녀는 왕의 비늘.'

이연 ?!!!

사또 '소녀에게 왕이 깃들었다….'

이연 !!!!!!!!

찰나, 섬에서 지아의 몸에 비늘이 나타난 순간 스쳐 간다.

인서트 플래시백 3화 39씬

이연의 목을 조르며, 섬뜩한 미소로 '오랜만이야. 이연.'
'우리 악연은 끝났어야 했다. 삼도천 넘어가는 배를, 네가 붙잡지만 않았다면 말야.'

'그것은 아음이었을까, 아니면…?!' 이번에는 이연의 얼굴이 '확' 굳는다!

#23 대저택 / 정원 (낮)

빈틈없이 손질된 저택 정원.
어린 소년(이무기)이 홀로 앉아서 정원의 풍경을 보고 있다.
고요한 얼굴로, 새로 태어난 세상을 구경이라도 하듯.
'툭' 유리창에 뭔가 부딪치는 소리와 함께 '새 한 마리' 정원으로 추락한다.
다가가 작은 손으로 주워 들면, 손바닥 안에서 날갯짓도 하지 못한다.
무표정하게 보다가, 새를 쥔 채 주먹을 쥐는 소년. 마치 숨통을 끊어 놓으려는 것처럼.
그런데 잠시 후! 소년이 손을 펼치면, 새가 꿈틀하더니, 하늘로 '푸득' 날아오른다!!!
그 하늘 올려다보는 소년 이무기의 모습에서!

#24 민속촌 / 완향루 (낮)

지아가 생각에 잠겨 있다.
다시 태어난 그녀에게 또 무슨 일이 일어나려는 건가.
뒤에서 복잡하고, 또 안타까운 얼굴로 지아를 보는 이연.

지아 (돌아보지 않고) 누굴까 그 남자? 내 주변에 있다면, 내가 아는 사람일 가능성도 있겠네? 이마에 흉터… (답답한 듯이) 그런 사람 없는데.

이연 (안심시키는) 내가 알아낼게. 그러니까… (하는데)

지아 난 이해가 잘 안 돼. 왜 그 남자는 나를 노리고, 왜 나 때문에 우리 가족이 그런 일을 당해야 돼? 내가 뭐라고.

이연 (아프게 보는)

지아 이연. 왜 넌 번번이 나를 지켜 주고, 왜… 아무것도 말해 주지 않는 거야?

이연 네가 다치지 않았으면 좋겠어. 네가 나를 위해서 아무것도 하지 않으면 좋겠어. 네 인생이 해피엔딩으로 끝나면 좋겠어. 나를 믿어 줄 순 없겠니?

이연의 진심. 지아의 눈빛 흔들린다.

이연 일단 그 남자부터 잡자.

지아 어떻게?

이연 (핸드폰 들어 보이며) 꽤 뚜렷한 '연결고리'가 여기 있잖아?

아까부터 쉴 새 없이 진동음 울려 대는 이연의 핸드폰, 이랑이다.

#25 완향루 / 민속촌 일각 (낮)

이연이 그제야 전화를 받았다. 반색하는 이랑. 통화하는 이연과 교차된다. 이연은 일부러 이랑의 애를 태운다.

이연 왜 자꾸 전화질이야?
이랑 '부재중 전화 22통' 봤어, 못 봤어?
이연 내가 네 애인이니? 전화를 안 받으면 어련히 사정이 있겠거니…
이랑 나 좀 만나, 지금.
이연 또 무슨 꿍꿍인데?
이랑 보고 싶어서 그래.
이연 99.9 프로의 확률로 꿍꿍이 맞네. 나 바빠. 끊어.
이랑 아, 뭐가 그렇게 바쁜데?!
이연 (귀찮은 듯) 어디야 너?

#26 민속촌 / 공방 거리 (낮)

이연과 지아, 이랑을 만나러 가는 길이다.

지아 근데 동생이 순순히 입을 열까?
이연 그럴 리가.

지아　　그럼?
이연　　이랑이 '제 발로' 그놈을 찾아가게 만들어야지.
지아　　어떻게?

이연이 주위를 둘러본다. 낙화공방 등, 붓으로 수작업 하는 장인들 보인다.

이연　　(냉큼 붓 뺏어 들고) 이것 좀 빌립시다.

자신의 신발에 붉은 색 먹으로 '訪'이라고 적는 이연.

지아　　찾을 방?
이연　　이마에 '죄인의 문양'을 새긴 자를 찾아가라.

이연의 눈동자 가늘어진다. 한문으로 쓴 글자, 반짝 빛이 난다.

지아　　방금 뭐 한 거야?!
이연　　일종의 '부적' 같은 건데. 이 신발이, 이랑을 그 남자한테 데려갈 거야.
지아　　!!!
이연　　기회는 딱 한 번이야. 오늘, 무슨 일이 있어도 이랑을 놓치지 않기.
지아　　절대 안 놓쳐.

지아의 눈빛도 단호하게 빛난다.

#27 민속촌 / 점집 앞 (낮)

두 사람, 점집에 도착했다.

문 앞에 이랑의 구두와, 점쟁이의 하얀 고무신 가지런히 놓여 있다.

이연이 '이랑의 구두'를 들고 보는 사이, 지아가 먼저 들어간다.

#28 민속촌 / 점집 (낮)

지아가 안으로 들어서며, 눈살 찌푸린다. 점쟁이는 안 보이고. 이랑이 한쪽 벽에 기대앉아 '왔어?' 인사한다.

방석 두 개 놓인 손님 자리에 앉으며, 대꾸도 않는 지아.

이랑 (천연덕스럽게) 왜 씹어?

지아 잊었어, 장례식장? 너 때문에 이연, 만신창이 돼서 왔어.

이랑 원래 형제는 그러면서 크는 거야. 그나저나 한복 잘 어울리네?

지아 넌 그 슈트 '존나(존만 삑 처리)' 안 어울려.

이랑 오늘따라 유독 예민하네? 나 설레게.

지아 넌 볼 때마다 약간 소변 검사해야 될 거 같은 상태더라? 시답잖게.

주거니 받거니 다투고 있는데, 이연이 들어와서.

이연 민속촌에서 뭐하냐?

이랑 설마 내가 수행 평가한다고 체험 학습 왔겠니?

이연 넌 무조건 빵점이야.

이랑 (째려보고, 벽을 탁탁 두드리며) 어이 영감.

이연, 지아 ??

이랑 (어깨를 으쓱) 뭐 좀 확인해 볼 게 있어서.

'에헴' 하는 소리와 함께 점쟁이가 지팡이를 짚고 나타난다.

점쟁이 또 왔네? (하고 가짜 수염 쓸며, 자리에 앉는다)

이연 무슨 수작인데?

이랑 이 양반이 진짜 '점바치'인 건 알고 왔나 몰라?

이연 뭐? 이 가짜 수염 붙인 사기꾼 같은 놈이?

점쟁이 (헛기침)

이연 뭐 물어봤더니 헛소리만 찍찍하던데?

이랑 '콘셉트'야, 멍충아. (하고, 점쟁이에게) 감정을 해 봐. (반신반의로)
설마 이딴 게 나한테 값진 물건인지….

점쟁이가 선글라스 벗는다.
돋보기를 들고, 하얗게 멀어 버린 눈으로 이연을 빤히 본다.
이연의 표정, 예사롭지 않게 변한다.

점쟁이 (돋보기 내려놓고) 맞구나, 너한테 제일 귀한 물건.

이연, 지아 ???

점쟁이 형제.

이랑 (막상 확인하니 짜증나고, 민망하고) 젠장…

곧바로 이랑이 찾던 '안경' 내준다.
이랑이 '난 간다.' 하고, 안경 챙겨서 일어서면.

이연 (서늘하게) 뭐 하자는 건데?

이랑 뭐랄까. 일종의 인신매매?

이연 얼씨구?

이랑 설명은 차차 들어. 너 이제 남는 게 시간이니까. (지아에게) 우린 조만간 또 보자고. (하고, 나가 버린다.)

지아가 '따라 나갈까?' 신호하자, 이연이 잠시 기다리라고 손짓한다.

#29 민속촌 / 점집 앞 (낮)

점집을 나서던 이랑의 얼굴 구겨진다. 벗어 두었던 구두, 사라지고 없다.

이랑 야, 내 신발 어딨어?

이연 몰라!!

이랑 (어이없는) 초딩도 아니고. 쟤는 꼭 생각지도 못한 포인트에서 유치해지네.

더 이상 입씨름하기도 싫은 듯, 이연의 신발 대충 구겨 신는다. 부적을 적어 놓은 그 신발이다. 점집 나서는 '이랑의 발' 클로즈업된다.

#30 민속촌 / 점집 (낮)

이연과 지아, 자리를 털고 일어선다.

점쟁이 (지팡이로 이연의 발을 걸며) 가긴 어딜 가?

이연 (열 받았다. 지아에게) 먼저 나가.

지아 (마음 급해졌다. 먼저 나가는)

이연 안 놔?

점쟁이 넌 '내 물건'이야.

이연 누구 맘대로.

점쟁이 거래는 거래.

이연 부당 거래.

지아가 보면, 이랑은 이미 점집에서 멀어지기 시작한다.

지아 (안에다 대고) 이연, 빨리!

이연 (싸늘하게) 협잡질을 할 땐 말야. 적어도 상대가 누군지 정도는, 똑바로 알고… (하는데)

점쟁이가 지팡이로 이연을 '툭' 친다! 그와 동시에, 파랗고 자그마한 '여우불'로 바뀌어 버리는 이연의 몸!!
점쟁이가 자루를 열면, 순식간에 자루로 빨려 들어가 버린다!!
경악하는 지아!!

#31 민속촌 / 일각 (낮)

이랑이 안경을 주머니에 집어넣는다.
자신이 어디로 걷고 있는지도 모른 채, 부지런히 걸음을 옮기는 이랑이다.

#32 민속촌 / 점집 (낮)

생각지도 못한 사태에 지아, 얼어붙었다!
점쟁이는 콧노래를 부르며 짐을 챙기고, 이랑은 점점 멀어지고 있다!

점쟁이 (짐 챙겨서 나가는) 가 봐. 영업 끝났어.
지아 이연은요?!
점쟁이 내 수집품이 됐지.
지아 (이랑 눈으로 좇으며, 다급히) 혹시 내일도 여기 계세요?
점쟁이 나는 내가 나타나고 싶을 때만 나타나. 그때그때 땡기는 곳에.
지아 !!!!!

이랑의 모습, 시야에서 사라지기 직전이다!

'기회는 딱 한 번이야. 오늘, 무슨 일이 있어도 이랑을 놓치지 않기.'

조금 전 이연의 말 스쳐간다!

'어떡해야 하나…' 짧은 순간, 미친 듯이 고민하다가!

지아 (점쟁이 앞을 막아서며) 풀어 주세요!

점쟁이 안 돼. 이쪽은 이쪽의 룰이 있어.

지아 제발, 어르신!

지아를 피해서 나가 버리는 점쟁이!

안절부절못하던 지아, 뒤에다 대고 다급히!

지아 잠깐만요!!

점쟁이 (돌아보지도 않고) 소용없다니까.

지아 알려 주세요. 어떻게 하면 이연을 다시 찾을 수 있는지.

점쟁이 규칙은 똑같아. 너한테 '제일 귀한 물건'이랑 바꾸는 거야.

지아 살게요. 제가!

점쟁이 (보면)

지아 (단호해진 눈빛으로) 제가, 이연을 사겠다고요.

#33 도로 (밤)

이랑이 일정한 속도로 운전 중이다.

차 안에 기분 좋은 음악 소리. 고개를 가볍게 까딱인다.

저도 모르는 사이, 이무기의 저택을 향해 가고 있다.

#34 민속촌 / 모처 (밤)

지아가 빠르게 뛰고 있다. 그 위로 점쟁이의 목소리.
'너는 뭘 내놓겠느냐.'
빠르게 뛰다가 시계를 본다.

인서트 플래시백

'진시(辰時) 전까지 안 돌아오면, 거래는 없는 걸로 하겠다.' 하며, '모래시계' 엎어 놓는 점쟁이 모습 스쳐 간다.
현재 시간은 7시 20분. 지아의 얼굴 초조해진다.

지아(E) 9시까지 1시간 40분. (애타는 얼굴로) 뭐지? 나한테 제일 소중한 물건?

시간이 많지 않다. 온 힘을 다해 민속촌 가로지르는 지아.

#35 지아의 집 (밤)

지아가 정신없이 집안을 뒤진다.
손닿는 곳마다 잡다한 물건들 쏟아져 나온다.
절망적인 기분으로 시계를 보면, 9시까지 1시간이 채 남지 않았다.

지아 생각해야 돼… 생각해 내자.

심호흡 하고, 차분히 다시 집안 둘러본다.
엄마 아빠 사진에 눈길 닿는다. 그리고 '회전목마 오르골' 보인다.
형형해진 눈빛으로 오르골 챙겨 들면.

#36 민속촌 / 점집 (밤)
점쟁이가 번 돈 쌓아 놓고, 주판을 놓는다.
'모래시계' 빠르게 흘러내리고 있다. 모래는 얼마 남지 않았다.

#37 민속촌 / 입구 (밤)
지아를 태운 택시 민속촌 입구에 나타난다.
그런데! 내려서 보면 출입문이 닫혀 있다! 오가는 직원 하나 보이지 않고!
다급히 문 두드려 본다. '여기요! 여기요!!' 애타게 외친다!
하지만 열리지 않는 문!!

#38 민속촌 / 점집 (밤)
'모래시계'의 모래, 이제 위태로운 수준이다!

#39 민속촌 / 입구 (밤)

지아가 닫힌 문 앞에서 발을 동동 구른다!
'이제 다 끝이구나…' 미쳐 버릴 것 같다. 문을 두드리던 주먹에 힘이 빠진다.
그때! 기적처럼 닫힌 문이 열린다!
안에서 모습을 드러낸 인물, 뜻밖에도 '사또'다!!

지아 사또?!
사또 (무심한 투로) 아는 목소리가 들려서. (비켜서서 길 내주며) 급한 일인 거 같은데.

'고마워!!' 곧바로 뛰어 들어간다.
꼿꼿하게 서서, 그런 지아의 뒷모습을 바라보는 사또.

#40 민속촌 / 점집 (밤)

'모래시계'의 모래 다 떨어졌다!
점쟁이가 '모래시계'를 막 뒤집어 놓는 찰나, 지아 뛰어 들어온다!

점쟁이 호오. 그래 너에게 소중한 것은 무엇이더냐.
지아 (오르골 올려놓고) 이거요!
점쟁이 부서진 노래 상자라…
지아 그래도 아직 쓸 만해요!

태엽을 감으면, 오르골에서 노래 흘러나오기 시작한다.

지아 부모님이 주신 '마지막 생일 선물'이에요.

점쟁이 그게 다야?

지아 (당황했다가, 차분히) 올해로 딱 21년 됐어요, 두 분 실종된 지. 솔직히 말하면, 매년 기억이 희미해져요. 내가 겪은 일이 사실인지, 꿈인지도 헷갈리고.

점쟁이 (회전목마의 말 툭툭 건드려 보며) 피가 묻었네?

지아 그래서 버텼어요. 그날, 내가 본 건 꿈이 아니다. 그러니… 살아 있을지도 몰라.

점쟁이 부모랑 연결된 '마지막 끈' 같은 거다?

지아 ('이걸 팔아도 되는 걸까.', 망설이다가 끄덕)

점쟁이 감정을 해 주마.

돋보기로 신중하게 오르골 살핀다. 지아가 긴장한 모습으로 지켜보는데.

점쟁이 (이내 돋보기 내려놓고) 거래… 불가(不可)다.

지아 네?!!!!

점쟁이 이걸론 안 되겠는데?

당혹스러운 지아의 얼굴에서!!

#41 대저택 / 앞 (밤)

이랑이 저택을 향해 걷고 있다.
대문 앞에 도착해서 자연스럽게 초인종 누른다.

#42 대저택 (밤)

저택 주인인 방송국 사장이 인터폰으로 이랑의 모습 확인한다.

사장 (의아한 얼굴로) 이 시간에 어쩐 일로?
이랑 그러게. (갸웃) 내가 여기 왜 왔더라?
사장 (??) 그게 무슨 말씀인지?
이랑 (그제야 퍼뜩) 아니요. 실례했수다.

#43 대저택 / 앞 (밤)

이랑이 자신의 행동 곱씹는다.
'설마 이 새끼!' 중얼거리다가 자신이 신고 있는 '이연의 신발'에 시선!
그러자 이연이 쓴 한문, 검은 연기가 되어 사라진다!
서늘한 얼굴로 먼 곳을 보는 이랑!

#44 민속촌 / 점집 (밤)

지아가 점쟁이에게 다급히 묻는다.

지아　　왜요, 왜 안 돼요?!!!

점쟁이　　(돋보기 가리키며) 물건 값을 매기는 건 내가 아니라서.

지아　　가르쳐 주세요, 어르신.

점쟁이　　(보면)

지아　　(진심으로) 제가 뭘 해야 되는지. 뭘 할 수 있는지.

점쟁이　　엄청나게 성가신 손님이구먼.

지아　　(간곡히) 은혜는 제가 어떻게든 갚을 테니까.

마지못해 돋보기로 '지아'를 보는 점쟁이. 별안간 '흠칫' 하더니!

점쟁이　　손. 손을 보여 다오!

지아　　(영문도 모르고 오른손 내밀면)

점쟁이　　왼손.

선글라스 벗고, 하얗게 먼 눈동자로 지아의 '손금' 들여다본다.

점쟁이　　(선글라스 고쳐 끼고) 아주 '특별한 사주'를 안고 태어났구나.

지아　　??

점쟁이　　물과 불이 호각을 다투고, 흙이 자욱하나 금이 그것을 다스릴 지니, 사방천지 암흑이라도 너의 하늘에는 달이 뜬다.

지아　　그게 다 무슨 말씀인지…

점쟁이　　'여우 구슬'을 갖고 있구나? (사이) 그것이 너의 달이니라.

지아　　('무슨 소릴까.') 네?!

점쟁이　　'구슬'을 다오. 달이 없어도 네 사주는 충분히 차고 넘쳐. 그러

니… (하는데)

지아　드릴게요! 전 팔자 같은 거 안 믿어요.

점쟁이　(비릿한 미소로) 거래 성립됐다.

지아　벌써요?!!

점쟁이　손금. 네 '손금'이 바뀌었다.

믿기 힘든 얼굴로 자신의 손을 보면 '지아의 손금' 서서히 바뀌고 있다!!

#45　대저택 (밤)

소년 이무기가 단정한 모습으로 화분에 물을 주다가, 뭔가를 느낀 것처럼 창밖을 본다.

이무기　여우 구슬이 사라졌다.

창문에 비친 그 얼굴에, 섬뜩한 미소 떠오른다.

#46　거리 (밤)

이연과 지아가 나란히 밤거리 걷고 있다.

지아　어떻게 나오자마자 노인을 그렇게 패냐?

이연　맞아도 싸지. 감히 누굴 '굿즈' 취급이야.

이연	근데 어떻게 한 거야?
지아	어떡하긴. 내가 너 샀지.
이연	뭘 내주고?
지아	(미소만)
이연	(!!) 설마, 수명 한 10년 걸고 막 그런 거 아니지?!
지아	아냐, 의외로 되게 싸게 샀어. (농담처럼) 그러니까, 넌 이제 '내 거'야.
이연	(심장이 '쿵!' 내려앉는다)
지아	난 속물에 가까운 타입이라, 알라딘같이 쉽게 자유를 선물하고 그러진 않을 거야.
이연	와, 이거 아주 자파보다 더한 악덕이구먼.

오랜만에, 밝게 웃으며 멀어지는 두 사람.

#47 지아의 집 (밤)

이연과 지아가 닭발과 맥주 나눠 먹고 있다.

이연	근데 왜 이랑을 쫓아가지 않았어? 부모님 찾을 수 있는 소중한 기회였을 텐데.
지아	솔직히 말하면 좀 흔들렸어. 이게 마지막 기회일지도 모른다. 그래도 나 후회하지 않을 자신 있나.
이연	왜 나를 선택했어?
지아	자신 있어서. 믿어도 되는 놈 같아서. 내 인생, 해피엔딩으로

끝나게 해 줄 거 같아서.

단단한 신뢰의 눈빛. 이연이 엷게 미소 짓는다.
지아가 맥주 한 모금을 마시고, 쓸쓸하게 부모님 사진에 시선을 준다.

이연 무슨 생각해?
지아 살다 보니까 아이한테 부모가 필요한 순간이 생각보다 많더라. 예를 들면 첫 '걸음마' 뗄 때. 고작 혼자 일어나서 몇 걸음 걸었다고, 그렇게 감격해 주는 사람이 부모 말고 또 있겠어?
이연 넌 언제였는데?
지아 '떴다 떴다 비행기'를 피아노로 처음 완주했을 때? 나만 김밥을 못 싸간 소풍날이라든가, 치고받고 싸운 짝꿍이 '너 우리 엄마한테 다 이를 거야.' 할 때. (쓰게 웃는) 엄마 있는 놈 못 이기겠더라.
이연 아깝다. 내가 패 줄 걸.
지아 원망도 많이 했어. 왜 나만 남기고 가 버린 거야. 왜 나한테 이런 일을 겪게 만들고… 왜 기다려도 안 와.

오히려 담담하게 말하는 지아를 아프게 보는 이연.

지아 근데 나 때문이래. 나 때문에 사고 났고, 나 때문에 우리 엄마 아빠 인생. 망쳤대.
이연 울고 싶으면 울어.

지아 (꼿꼿하게 고개를 내젓고) 닭발 먹을래.

이연 괜찮은 거야?

지아 안 괜찮아서. 매운 거 먹고 질질 짜려고. 내가 우는 게 고달픈 심신 탓인지, 캡사이신 탓인지 헷갈리고 싶어.

하며, 열심히 닭발 집어먹는 지아.

이연 멋있다.

지아 응??

이연 괜찮은 척 하면 어쩌나 조마조마했는데.

지아 다행이다. 멋있고 싶었는데, 귀여울까 봐 나도 조마조마했잖아.

그런데 잠시 후. 울고 싶다던 지아는 말짱하고, 이연만 눈물을 흘리고 있다.

지아 이게 매워??

이연 (고개 돌려 얼른 눈 닦고) 아냐. 눈에 뭐가 들어가서.

지아 매운 거 못 먹는구나?

이연 그럴 리가. (하고, 자신감 있게 닭발 집어먹는다.)

'쿨럭' 매운 기침 터져 나온다. 지아가 얼른 찬물을 건넨다.

이연 (사양하는) 끼어들지 마. 이건 닭발과 나의 싸움이야.

지아 왜 남의 소중한 안주한테 승부욕 부리고 난린데?

이연 가끔은, 나도 찌질해지고 싶을 때가 있어. (하며, 결연히 닭발 집는다.)

따뜻한 느낌으로 맥주를 마시는 두 사람의 모습에서 시간 경과. 빈 맥주 캔 꽤 늘었다. 지아가 제법 취했다.
옷도 갈아입지 않은 채 침대에 누우며, 주정처럼.

지아 이 밤에 어디가?
이연 잠깐 들러 볼 데가 있어서. (이런 인사말을 해 보고 싶었다. 잠깐 망설이다가) 그럼… 잘 자.

가지런히 이불 덮어 주고 일어서려는데. 지아가 이연의 손목 붙들고.

지아 (취한 채로) 있잖아, 이연. 나한테 너무 잘해 주지 마.
이연 (보면)
지아 나 되게 겁나. 잘해 주면 기대고 싶고, 기대다 보면 내가 약해질 거 같아서.
이연 그렇게 살아왔구나.
지아 나 그렇게 살아왔어.

하고, 스르르 눈을 감는다. 그 눈에서 눈물 흘러내린다.
곁에 앉아, 잠든 지아의 눈물 닦아 주는 이연.

이연 (머리칼 부드럽게 쓸어 주며) 약속할게. 넌 그냥 가족을 찾고, 아무

일도 없었던 것처럼 살면 돼. 그때가 되면 나를 만났던 것도, 이쪽 세상을 엿본 것도, 다 잊어버리고 사람답게, 그렇게 살아.

이연의 얼굴에, 감출 수 없는 슬픔 묻어난다.

#48 내세 출입국 관리 사무소 (밤)

노파가 컵을 들고 돌아서는데, 누군가 앞을 가로막고 서 있다?! 이연이다. 놀라서 컵을 놓친다. 부서지는 커피 잔.

노파 놀래라! (태연한 척) 기척 좀 하고 다녀, 이놈아.
이연 할멈은 사실 다 알고 있지?
노파 (능청스레) 뭘 말이냐?
이연 이무기. 그거, 안 죽었잖아?

흔들림 없이 자신을 보는 이연의 시선. '다 알고 왔구나…' 싶어.

노파 모든 것은 인과에 의해 정해지는 법.
이연 개소리 집어 치우고.
노파 긴긴 잠을 자던 '그것'을 깨운 건 그 여자아이야. 찾지 말라던 그 아이를 기어이 찾아낸 건 '너'였고.
이연 살아 있단 소리네.
노파 살아 있다.

이연 하… (조금씩 격해지는) 난 그때 뭘 위해서 싸웠던 거야?! 아음이 왜 자기 목숨까지 걸어야 했는데!!!

노파 너와 그 아이가 택했던 길이다.

이연 (이를 악물고) 그놈 지금 어디야?

노파 (말리고자) 내 누누이 경고했다. '사람과 여우는 맺어질 수 없다…'

이연 말해.

노파 네 집착은 결국 화를 부를 것이라고.

이연 말하라고!!!

#49 지아의 집 (밤)

지아가 잠결에 이리저리 뒤척이고 있다.
한순간, 심장이 두방망이질 치기 시작한다!
어둠 속에서 눈 '번쩍' 뜨는 지아!
이어 지아의 눈에 '낯선 환영'이 보인다!

인서트

달빛만 비춰 드는 어두운 방.
벽에 부적 붙어 있고, 곳곳에 아이 물건 보인다.
'누굴까…' 뒷모습으로 우두커니 앉아 있는 '소년'의 모습 보인다.
영문은 알 수 없지만, 머리끝까지 쭈뼛해진다!

꿈일까 생시일까, 벌떡 일어나 주위 둘러보면, 소년의 환영 사라지고 없다! 식은땀을 흘리는 지아!

#50 내세 출입국 관리 사무소 (밤)

당장이라도 폭발할 것 같은 이연에게!

노파 우물에서 나온 놈은, 나오자마자 자취를 감춰 버렸고. 그놈 '조각'을… 방금 찾았다.

#51 지아의 집 (밤)

지아의 몸에 돋아난 '이무기의 비늘' 보이면서!

6화 끝

7

윤회의 덫

#1 지아의 집 (밤)

꿈결에서 마침내 소년 이무기를 마주한 지아!

그런 지아의 몸에 '이무기의 비늘' 돋았다가 사라진다!!

#2 내세 출입국 관리 사무소 (밤)

이연과 노파의 대화 계속된다.

노파 우물에서 나온 놈은, 나오자마자 자취를 감춰 버렸고. 그놈 '조각'을… 방금 찾았다.

이연 조각? (불길한 예감으로) 설마!

노파 그 아이의 몸에.

이연 !!!!!!

노파 네가 준 '여우 구슬'이 사라졌다. 그로 인해 그 아이 몸에서, 뭔가가 깨어났어.

이연 뭐?!!

이연의 머릿속에서 뭔가 '뚝' 끊어진다! 이연이 분노하면서, 창밖으로 마른하늘에 '벼락'이 치기 시작한다!
문밖에서, 현의옹이 긴장한 얼굴로 두 사람 대화를 듣고 있다.

이연 그게… 왜 거기 있어? 600년 만에 겨우 다시 태어났는데. 장래 희망이라곤, 남들처럼 가족들이랑 평범한 하루하루를 살아보는 게 전부인 앤데. (목 메였다가) 왜!!! 그딴 게 지아 몸속에 들어 있냐고!

노파 (부러 모질게) 다 그 아이의 '운명'이다.

이연 운명? 누구 맘대로? 걔가 무슨 죄를 지었어?!! 응? 누가 사람 인생을 그 따위로 막 들었다 놨다 하는데?!!

노파 감히, 신의 영역에서 하늘을 욕보이려 드는 게냐.

이연 눈에서 불꽃이 튄다. 노파를 보는 눈빛에 살기마저 감돈다!

이연 할멈은 알고 있었지? 그래서 만나지 말라고 자꾸 초를 쳐댔던 거지? 나 지금 600년 동안 곗돈 부어 놨더니, 하루아침에 계주가 나른 기분이거든?

노파 (시니컬하게) 그래서?

이연 할멈이 원금 좀 까 줘야겠다.

이연이 무서운 기세로 노파에게 다가가면서 유리창 부서진다!
노파가 손을 뻗으면! 부서진 유리 파편 공중에 멈춘다!

노파 빚만 고리짝이던 놈 거둬 먹여 놨더니, 어디서 원금 타령이야. 건방지게.

날카로운 유리 파편 사이로, 팽팽히 마주한 두 사람!
보다 못한 현의옹이 '그만들 좀 해!!' 동시에 파편 '우르르' 바닥에 떨어진다.

현의옹 진정해라, 연아! (이연 앞을 막아서며) 당신도 그만하면 됐어!
이연 내 말 똑똑히 들어. 지아 명줄 짧아지는 순간, 이승이고 저승이고 싹 다 쑥대밭 되는 거야!
노파 꼴도 보기 싫다. (남편에게) 데려가.
이연 (이끌려 나가며) 운명이고 자시고 내가 부숴 버릴 테니까!

홀로 남은 노파의 얼굴에, 깊은 수심이 서린다.

#3 **대저택 (밤)**
소년 이무기가 먼 곳을 바라보고 있다. 사장이 뒤로 다가와서.

사장 보셨어요?
이무기 (끄덕)
사장 궁금하네요. 어떤 기분인지.
이무기 눈물이 날 거 같아요. '그 사람'을 만나기 위해, 나도, 이렇게 긴 세월을 건너 왔구나.

이무기의 눈가, 촉촉해져 있다. 그런 소년을 낯설게 바라보는 사장인데. 그 속내를 빤히 들여다보듯.

이무기 속이 꽤 시끄러우시네?

사장 네??

이무기 '되게 묘한 놈이 튀어나왔잖아? 옛날에 그 이무기가 아닌가? 아무렴. 나한테 호재냐 악재냐.'

사장 (움찔)

이무기 내가 변했다면 세상이 달라졌기 때문이에요. 이무기나 구미호나, 기껏해야 게임 세상에나 존재하는 마당에, 낡은 세계관 고집할 필요 없잖아요?

사장 여전히 제 마음을 훤히 읽으시네요.

이무기 변하지 않은 건 그대의 탐욕뿐이니까.

사장 (헛헛하게 웃는) 사람은 원래 잘 안 바뀐답니다.

이무기 (시니컬하게 보면)

사장 이제 '그쪽'에서도 우리를 찾기 시작할 겁니다.

이무기 기다리던 바예요. (설레듯) 하루라도 빨리 만나보고 싶어.

#4 내세 출입국 관리 사무소 / 모처 (밤)

현의옹이 이연을 달래고 있다.

현의옹 말은 저렇게 해도 죄다 진심은 아닐 거다. 세상 천지에 모질어도, 너 하나는 자식처럼 아끼던 할멈이 아니냐.

이연 (애써 담담하게) 위로하지 마세요. 안 그래도 충분히 울고 싶으니까.

현의옹 연아. 휘말리지 마라. 제발 못 본 척 하고 살아. 눈앞에 훤히 보이는 불구덩이에 뛰어들지 말란 말이다.

이연 내가 안 가면… 그 사람이 다쳐요.

현의옹 (아프게) 그 옛날, 그 비극을 또 반복할 셈이니?

이연 ('무슨 뜻일까.')

현의옹 네가 뛰어들면 '너랑 그 아이' 둘 중에 하나는 죽는다.

이연 !!!!!

현의옹 '그것'이 다시 태어난 순간, 니들 앞날은 그렇게 정해진 것이야.

이연 아니, 지아는 안 죽어요. 절대. 약속했거든요. 이번 회차 인생, 꼭 제대로 살게 만들어 준다고. 내 목숨을 걸고 지킬 겁니다.

가볍게 목례하고 돌아서 가는 이연. 그 눈빛, 무섭게 단호해져 있다.

#5 거리 (밤)

이연이 무참한 기분으로 지아의 집 쪽으로 걷는다.
퇴근길, 평범한 사람들이 삼삼오오 그 옆을 스쳐 가고.
지아가 갖지 못한 그 일상이, 그녀의 기구한 운명이, 미치도록 뼈아프게 다가온다.

#6 지아의 집 / 앞 (밤)

지아의 집 앞에서 복잡한 심정을 추스른다.

#7 지아의 집 (밤)

이연이 돌아왔다. 지아 앞에선 아무 일도 없었던 것처럼 태연한 얼굴. 지아가 의아한 표정으로.

지아 여우 구슬? 그게 그렇게 중요한 거였어?

이연 그 점쟁이 영감, 맞지?

지아 내 사주가 어쩌고 하더니, 그걸 주면 널 풀어 주겠다길래.

이연 아무리 그래도, 어떻게 그걸 엿 바꿔 먹듯이 내주니.

지아 (진심으로) 너를 잃을 자신이 없어서.

이연 (아프게 가슴 내려앉는데, 애써) 당분간 내가 여기 있을게.

지아 여기서 지낸다고?

이연 (끄덕)

지아 우리 집에서?

이연 (끄덕)

지아 먹고 자고?!

이연 (끄덕)

지아 무슨 구미호가 이렇게 리버럴해?

이연 불편하면 우리 집으로 갈래?

지아 그 얘기가 아니잖아, 갑자기 왜?

이연 최소한의 안전장치야.

지아 (그래도 망설이는데)

이연 너를 구하기 위해, 시도 때도 없이 목숨 걸게 하지 말아 줄래?

잠시 고민하더니 어깨에 걸친 담요를 소파에 '툭' 던지는 지아.

지아 소파도 괜찮겠냐는 뜻이야. '너 자신'을 인질로 협상을 거니까 당해 낼 방법이 없네.

이연 (그제야 미소로) 근데 왜 깼어? 분명히 재워 놓고 나갔는데.

지아 꿈자리가 뒤숭숭해서.

이연 꿈??

지아 웬 꼬맹이를 봤는데… 나한테 '안녕' 인사를 하더라고?

이연 그래서?!!

지아 그게 다야. 근데, 처음엔 소름이 쫙 돋았다가, 꿈에서 깨고 나니까 왠지 모르게 반가운 느낌이 든다고 해야 되나? 꼭 '아는 사람'같이.

이연 !!!!!!

#8 술집 (밤)

이랑이 바에서 혼자 술을 마시고 있다. 낮에 점쟁이와의 거래 스쳐 간다. '맞구나, 너한테 제일 귀한 물건… 형제.'

스스로에게 쓰디쓴 분노가 치밀어 오른다. 연거푸 독주 들이키는데.

유리가 나타나서 옆에 앉는다. '난 콜라' 주문하고.

이랑 웬 콜라?

유리 저번에 술 취해서 동네 비둘기 엄청 잡아먹은 뒤로 자중하고 있어요. 장염 걸렸었어.

이랑 (인상 팍 찌푸리는) 혹시 우리 집 현관에 있던 비둘기가…

유리 내가 거기까지 물어다 놨나? 기억 안 나요.

이랑 도둑고양이도 아니고.

유리가 태연하게 콜라를 마시고 보면, 이랑의 안색 어둡다.

유리 물건 못 찾으신 거예요?

이랑 (안경 꺼내 놓는)

유리 (신기해서 만지작) 와… 이게 호랑이 눈썹이구나! 이거 쓰고 보면 전생이 보인단 말이죠? (하다가) 근데 왜 얼굴이 슬퍼요?

이랑 슬픈 게 아니라 화가 난 거야.

유리 왜요?

이랑 구질구질하게 나한테 아직, 사람의 마음 따위가 남아 있다는 게. (피식) 내 피가 더러운 탓인가.

유리 아! 이랑님 엄마가 인간이라 그랬지?

이랑 (듣기 싫다. 술만 홀짝)

유리 엄마가 안아 주고 업어 주고 그랬어요? 닭도 잡아 주고, 막 살코기도 찢어서 밥에 올려 주고?

이랑 (잔 내려놓고) 술맛 떨어지게.

유리 궁금해서 그래요. '사랑받는다는 게' 어떤 건지.

이랑 사랑??

지독한 기억 한 자락, 이랑을 스쳐 간다.

인서트 플래시백

남루한 한복 차림의 이랑(아역)이 엄마 손을 붙잡고, 외진 숲으로 들어선다.
잡풀 무성한 무덤 보인다. 이랑은 모르지만 '아귀의 숲'이다.
음산한 부엉이 소리. 오싹해져서 엄마 품으로 숨어드는데.

엄마 여기서 기다려라 아가.
이랑(아역) 싫어….
엄마 엄마가 개암나무 열매 따 가지고 금방 올 테니까.
이랑(아역) (치맛자락 꼭 잡고) 나도 따라갈래. 나도.
엄마 넌 왜 이렇게 엄마를 힘들게 하니?! 안 그래도 너 땜에 죽지 못해 사는데! 같이 죽을까? 응?

그런 엄마를 가슴 아프게 보는 이랑.
시간 경과되면, 이랑이 그 자리에 쪼그려 앉아 있다. 엄마는 오지 않는다.
문득 어둠 속에서 '바스락' 하는 소리 들린다.
'엄마?!' 이랑 얼굴에 화색이 돈다.
그런데! 보면 흉측한 사람의 형상을 한 그것, 아귀다!!
신음 같은 비명이 터져 나온다! 사색이 된 이랑을 덮쳐 오는 아귀 모습에서!

이랑　사랑이라는 건 말이야, 까딱하면 잡아먹히는 거야. 더 사랑하는 쪽이, 먹이가 되는 거지.

유리　난 싫어요. 차라리 내가 잡아먹고 말지.

이랑　(흥미로운 얼굴로 유리의 반응 보다가) 신주니?

유리　!!!!!

이랑　그놈이 우리 유리의 뭘 흔들어 놨길래, 이 천진난만한 육식동물 입에서, 사랑 같은 단어가 막 튀어 나와?

유리　안 흔들려요, 절대! 하늘이 무너져도, 이랑님의 적은 나한테도 적이에요!

이랑　(속을 훑듯 보다가) 가라. 혼자 있고 싶어.

#9　동물병원 (밤)

신주가 스마트해 보이는 안경을 쓰고, 진지하게 뭔가 계산 중이다. 이름으로 궁합을 점치는 추억의 '이름점'이다.

기유리, 구신주 각각 다른 색깔로 이름 써 놓고, 계산하면 99점 나온다. 한쪽에 남지아, 이연의 이름, 25점이다.

신주　99점이네. 이연님이랑 피디님이 25점 밖에 안 나왔는데. (도둑맞았던 목걸이 만지작대며, 앞에 있는 '누군가'에게) 봤지? 확률이라는 과학적 증거에 따르면, 이건 분명히 '썸'이야.

화면 넓어지면, 유리가 데려온 개 보인다. 멍하니 신주를 마주 보는 개.

신주 아무리 유교 사상과 거리가 먼 외국 출신이라지만, 처음 보자마자 나한테 뽀뽀한 것도 그렇고. (혼자 볼이 화끈화끈) 여기서 옷을 까 던지고 막… (하는데)

개 멍멍!!

신주 어머 얘 말하는 거 봐… 내가 중성화 수술을 왜 하니?

개 멍!

신주 발정기라니! 떽! 그런 말 하면 못 써요. (다정하게 쓰다듬으며) 암튼 네 엄마, 싫은 척 하면서 내가 사 준 삼계탕 한 그릇을 싹 비우더라고. 말은 톡톡 쏴 대도 그렇게 모진 스타일은 아냐. 너도 알지?

개 멍멍!

신주 뭐? 삼계탕 먹고 싶다고? 너 사료 먹은 지 30분도 안 됐거든?

개 멍!

신주 기억이 안 나?! 와 나 미치고 팔짝 뛰겠다!

#10 지아의 집 (밤)

지아가 침대에서 자세를 고쳐 눕는다. 이리 돌아누웠다, 저리 돌아누웠다 하다가 벌떡 일어나 앉으며.

지아 언제까지 거기 서 있을 건데?

이연이 팔짱을 끼고 벽에 기대서서 이쪽을 보고 있다.

이연 (진지한) 밤새도록?

지아 밤새?!

이연 나 신경 쓰지 마.

지아 바로 옆에서 이글이글한 눈으로 쳐다보고 있는데, 어떻게 신경을 안 써?

이연 (??) 그럼 밖에서 볼까?

하고, 문밖으로 나간다. 열린 문틈으로, 이연 얼굴 보이면.

지아 그건 완전 호러잖아!

이연 (문을 툭 열고) 이것도 싫고 저것도 싫으면, 널 어떻게 지키란 거야?

지아 소파에서 자.

이연 가시거리에서 벗어난 구역이야.

지아 아 그럼 여기서 자든가.

기다렸다는 듯 지아 옆에 눕는 이연.

지아 아니!! 내 말은 침대가 아니라 이 방!

이연 난 보기보다 모던한 타입이라 등 배기면 못 자. 쫄리면 내려가든가.

지아 (지기는 싫은) 쫄리긴 누가!

결국 한 침대에 누운 채 잠을 청하는 두 사람. 뭔가 어색하고, 설레고.

이연이 가만히 고개 돌려 지아를 보면.

지아 (눈 감은 채로, 혼내듯) 안 자니?

이연 잠이 안 와.

지아 옛날에 아빠가 가르쳐줬는데. 잠 안 올 땐, 생각만 해도 기분 좋은 걸 상상해 보는 거야.

이연 민트초코 아이스크림 같은 거?

지아 (피식 웃고) 난 방금 막 취사를 완료한 밥 냄새.

이연 연필깎이에서 나는 사각사각 소리.

지아 새로 산 운동화.

이연 (하다 보니 즐거운) 프로야구 시즌.

지아 세계문학전집.

이연 아기 고양이 발바닥.

지아 (잠들기 직전이다. 말끝 흐려지는) 우리 아빠가 만든 김밥.

이연 지금은 아무도 쓰지 않는 거 같지만 '편지'라는 단어. 네 차례야. (??) 자니?

지아 음… 나는… (잠결에) 빨간색 우산.

'빨간색 우산이면, 난데…' 의외란 얼굴로 지아를 보면, 숨소리 쌔근쌔근하다.
팔을 괴고, 잠든 지아 얼굴 바라본다.
'이 시간이 언제까지 계속 될까.'
눈, 코, 입, 하나하나 새기듯이 보던 이연의 눈빛 서글퍼진다.

#11 술집 / 앞 (밤)

이랑이 취했다. 비틀거리며 아슬아슬하게 도로가에 서 있는데.
'안 돼요!!' 누군가 이랑을 들이받는다.
짜증스레 돌아보면, 꼬마(1화 공원의 꼬마, 이름은 수오)가 자랑스럽게 엄지손가락 들어 보인다.

이랑 그 리액션 뭔데?
수오 (맑은 콧물 흘리며, 흐흐)
이랑 (기분 나쁜데) 왜 웃냐고.
수오 저 방금 좀 멋있었죠. 스파이더맨같이 이렇게 (발 요리조리) 엄청 빨리 움직여 갖고 (이랑을 밀던 동작 재연) 촤악!
이랑(E) 내가 젤 싫어하는 타입의 인간. (빤히) 게다가 저 콧물.
수오 아저씨, 스파이더맨 좋아해요?
이랑 (단칼에) 아니.
수오 왜요?
이랑 그냥 싫어.
수오 나는 좋은데.
이랑 하나도 안 궁금하거든?
수오 (뭐라 더 묻고자 하는데)
이랑 나한테 말 그만 걸어. 너 아니라도 충분히 기분 거지 같으니까.

냉정히 돌아서서 가 버리는 이랑.
그런데! 꼬마가 코를 훔치며 보면, 이랑이 서 있던 자리에 '안경' 떨어져 있다?!! 이랑은 벌써 사라지고 없다!

#12 지아의 집 (낮)

이연이 신주와 함께 북엇국을 끓이고 있다.
지아가 잠에서 깼다.

이연 잘 잤어? 아침 먹자.

식탁으로 데려간다. 식탁에 정갈한 모양으로 밥과 국이 차려져 있다.

이연 해장엔 북엇국이지.
지아 언제 이걸 다 만들었어?
이연 내가 만든 건 아니고.

'피디님 안녕히 주무셨어요?' 하는 목소리.
신주가 앞치마에 고무장갑을 끼고, 화장실에서 나온다.

지아 원장님이 왜 거기서 나와요?!!
신주 두 분 살림 합치셨다길래. 이연님 갈아입을 옷도 갖다 드리고 겸사겸사. 근데 락스 어디 있어요?
지아 락스는 왜요?
신주 세면대 물때가 난리도 아녜요. 베이킹소다랑 식초로 타일은 문질러 놨는데, 하수구 머리카락도 제거해야 되고. 그리고 냉장고에 배달 음식 쌓아 두지 마세요. 다 세균 덩어리에요.
지아 (어이없는) 시어머니야, 뭐야.

신주 저도 남의 집 살림 손대는 거 송구한데, 우리 이연님, 평생 손에 물 한 방울 안 묻히면서 '꼴에' 결벽증이시거든요.

이연 뭐 인마?

신주 식사들 하세요.

하고 도망치듯 화장실로 사라지면, 황당한 얼굴로 자신을 보는 지아에게.

이연 사실 내가 직접 차려 주려고 했는데.

지아 (보면, 숯덩이가 된 북어와 까맣게 태워 먹은 냄비들) 태웠니?

이연 (풀 죽어서 끄덕)

지아 하… 나 참, 그 와중에 귀엽고 난리네.

이연 (기분 좋으면서) 내가 이래 봬도 천살이 넘었는데 귀엽기는.

지아 먹자.

따뜻하게 마주 앉아 아침 식사를 하는 두 사람.

(시간 경과)

아침 식사 끝났다. 지아가 방에서 출근 가방 챙기고 있는데. 신주가 노크하고 들어와 건강 음료 건네주고.

신주 (공손하고, 진지하게) 피디님. 주제넘은 얘길지도 모르지만, 부디 안전하게 지내 주세요.

지아 ??

신주 피디님이 다치면, 이연님 2배, 3배, 아니 10배로 다치실 거예요.

지아 좋겠다 이연은. 옆에 이렇게 걱정해 주는 친구가 있어서.

신주 저한테 되게 소중한 분이거든요.

지아 약속할게요, 최선을 다해서 안전하겠다고. 나한테도 소중해졌거든요… 이연.

뜻밖의 고백에 뿌듯하게 미소 짓는 신주.
밖에서 '가자! 그러다 지각한다!' 외치는 소리.
이연이 멋진 쓰리피스 정장에 넥타이, 007가방까지 들고 서 있다.

지아 근데 너 어디가?

이연 나? 출근.

#13 거리 / 차 안 (낮)

이연이 운전하는 차 안. 지아가 이연을 흘긋거리다가.

지아 그… 출근이란 게 혹시 우리 회사?

이연 물론이지.

지아 출입증 없으면 방송국 못 들어가.

이연 나 구미호야. 누구도 감히 나의 출입을 막을 순 없어.

지아 근데 의상은 왜?

이연 눈에 띄지 않게 제일 평범한 오피스 룩으로 준비했어. 마음에 안 드나?

지아 그건 아닌데, 간부급 아니면 넥타이 안 매거든.

이연 그래?

지아 그 넥타이만 뺄까?

이연 그냥 간부 할래.

#14 방송국 / 로비 (낮)

이른 시간이라 직원들은 거의 보이지 않는다.
'안녕하세요, 본부장님!' 도열한 청경들이 인사한다.
이연이 커피 두 잔을 들고, 태연히.

이연 고생들이 많네.

지아 (작게) 방금 저 사람들한테 최면 건 거야?

이연 (대수롭지 않게) 응.

지아 왜 하필 본부장이야?

이연 드라마 보니까, 보통 돈 많고 잘 생기면 다 본부장이던데?

지아 (어이없는) 그래서 본부장님은 이제 뭐 하실 건데요?

이연 (테이블에 자리 잡고 앉으며) 기다릴게. 퇴근할 때까지.

지아 여기서? 하루 종일?

이연 걱정하지 마. 딴 건 몰라도 기다리는 건 이골이 난 놈이야. 24시간이 아니라 24년도 앉아 있을 수 있어.

지아 (괜히 먹먹해져서, 비뚤어진 넥타이 살짝 고쳐 준다)

이연 (커피 건네주며) 다녀와. 무슨 일 있으면 바로 나 부르고.

지아 응… (하고, 가다 말고 돌아서서) 고마워, 이연. 거기 있어 줘서.

조금 민망한 듯 빠른 걸음으로 자리 뜨는 지아.
한참을 그 뒷모습에서 시선을 떼지 못하는데. 그 위로 현의옹의 목소리.
'둘 중에 하나는 죽는다. 그것이 다시 태어난 순간 니들 운명은 그렇게 정해진 것이야.'
앉은 자리로 햇살 부시게 쏟아진다. 지아의 뒷모습을 보며 담담하게.

이연(E) 어쩌면, 이것이 내 '마지막 생(生)'이겠구나.

저만치, 안으로 사라졌던 지아가 다시 고개를 내밀고 손 흔든다.

이연 (그 모습에, 미소로) 썩… 나쁘지 않네.

#15 대저택 / 앞 (낮)

중년 여자 하나, 저택 대문 앞에서 주소를 확인하고 있다.
막 초인종을 누르려다 '아이씨, 매니큐어를 안 지웠네!' 다소 요란한 인조 손톱이다.
안에서 대문 열린다. 사장의 출근길.
얼른 손 감추고 '안녕하세요! 오늘부터 출근하기로 한 베이

비시터인데요!'
가볍게 훑고 '딴 건 됐고, 애 밥만 잘 챙겨 주시면 됩니다.'
저택 안으로 들어서는 여자를 보며.

사장(E) 오늘이다. 오늘로 이무기의 성장이 끝난다. 새로운 얼굴, 새로운 몸으로.

의미심장한 얼굴로, 육중한 대문을 걸어 닫는 사장.

#16 방송국 / 사무실 (낮)

동료들 출근 전이다. 지아가 홀로 앉아 생각에 잠겨 있다.
책상 위에 취재 수첩과 고려, 조선 시대 사료 놓여 있고. 사또의 말 스쳐 간다.

인서트 플래시백 6화 19씬

'감색 양복을 입은 남자가 나를 찾아왔어. 삼짇날, 사고가 날 거라고 했다. 여우고개에서.' '누구였어? 그 남자?!!'
'희미하긴 한데… 이마에 '묵형'의 흔적이 있었다.'
'글자는?' '서녘 서에, 서울 경.'

이하, 빠르게 자료 뒤지고, 수첩에 메모하면서.

지아(N) 얼굴에 죄명을 문신하는 묵형은, 신체를 훼손하는 가장 가혹

한 형벌 중 하나였다. 묵형을 당한 자는 멸시와 경멸의 대상이 되어, 사람들과 어울려 살 수 없었고… (수첩에 사람 얼굴 모양 그리면서 시간 경과. 이마에 '서경(西京)' 두 글자 써 넣는) 서경은 지금의 평양을 뜻하는 말인데… 왜 하필 서경일까.

가만히 생각에 잠겼다가 노트북을 뒤진다. '서경, 묵형' 등으로 자료를 찾던 지아 표정, 예사롭지 않게 변한다.

지아(N) 고려 시대, 서경 천도 운동을 일으킨 '묘청의 난' 주동자들에게 문신을 새겨 귀양을 보냈다? 묘청의 난… 도참과 예언 등으로 시대를 어지럽힌 무리… 그 죄인들의 이마에 새긴 글자가 '서경, 혹은 서경 역적!'

'새끼, 역적이었구나.' 중얼거리며, 서늘하게 눈을 빛내는 지아.

#17 방송국 / 로비 (낮)

이연이 로비 카페에 앉아서, 지나가는 사람들 얼굴을 살피고 있다.
사또 얘기가 마음에 걸린 탓이다.

인서트 플래시백 6화 19씬

'어디 있을까, 지금?' '아마… (지아 가리키며) 멀지 않은 곳에.'
'그 사고, 부모가 타깃이 아니었으니까. 처음부터 '딸'을 노리

고 벌인 일이었다.'

날카로워진 눈으로, 사람들 살피며 신주에게 전화를 건다.

이연 어디야?

신주 지금 막 따라붙었어요.

#18 거리 / 방송국 로비 (낮)

고급 승용차 뒤를 미행 중인 신주와 교차된다.

난폭하게 차를 모는 앞차 운전자 얼굴 보인다. '이랑'이다.

신주 되게 급하게 어디 가시는 거 같아요. 예. 혼자요.

이연 넌 계속 이랑의 움직임을 주시해.

신주 그러니까 이마에 '죄인의 문신'을 가진 남자를 찾으란 말씀이죠? 그놈이, 이무기랑 한 패고?

이연 응. 이무기는 분명히 이랑이랑 연결돼 있어.

#19 술집 / 앞 (낮)

이랑이 어제 그 자리에서, 잃어버린 안경을 찾고 있다.

신주는 조금 떨어진 곳에 차를 세워 놓고, 이랑의 일거수일투족 주시한다.

'지갑이라도 흘렸나?' 신주 중얼거린다.

신경질적으로 주변을 살피던 이랑, 유리에게 전화를 건다.
신주의 귀 쫑긋거린다. 예민한 청각으로 이랑이 통화하는 소리 듣는다.

이랑 (도로 CCTV 올려다보며) 안경 찾아와라.
신주 안경?
이랑 수단과 방법을 가리지 말고, 누가 가져갔는지 찾아내.
신주 누구랑 통화하는 거지??

#20 방송국 / 사무실 (낮)

작가와 재환이 '굿모닝?' 하며 사무실 들어선다. 지아를 보자마자.

재환 오셨다!
작가 청문회 시작해!
지아 타임! 타임! (사이) 재환아, 이마 좀 까 봐.
재환 (어리둥절해서 이마 보여 주며) 왜요?
지아 (보면 이마 깨끗하다) 아니다.
작가 누구야 그 남자?
재환 누구예요?
작가 남자 친구야?
재환 취재원이죠?
지아 얼마 걸었어?

재환	(들켰다. 작가와 눈빛 교환하며) 5만 원.
작가	불어. 무슨 사이야?
지아	(스스로도 궁금하다) 그러게… 무슨 사이일까. 나도 알고 싶다.
재환	그게 뭐예요?
작가	무슨 사이인지 궁금할 때는 말야. (재환 손을 살포시 잡고) 이렇게. 맥박을 재는 거야. 몸은 거짓말 안 하거든.

맥을 짚는 부드러운 손. 갑작스런 스킨십에 재환의 얼굴 '훅' 달아오른다.

작가	(??) 얜 왜 이렇게 맥박이 빨라?
지아	얘 몸은 거짓말도 하나 보지.
재환	(당황해서 손을 확 잡아 빼고) 그…그 남자랑 손 잡으셨어요?
지아	손은 아직 안 잡았고…

하는데, 민속촌에서 이연과 '키스하던 장면' 스쳐 간다.

작가	손도 안 잡고, 다른 걸 먼저 잡았어?!
재환	어딜 잡으신 거예요?
팀장(E)	아이템들은 잡았니?

팀장이 신문을 들고 나타난다. 김이 '팍' 샌 얼굴의 팀원들.

팀장	(지아에게 빈정거리는) 아이고, 우리 피디님 나오셨네?

지아 다가가 도발적으로 팀장 얼굴 마주 본다.

팀장 뭐, 뭐야?

지아 그냥, 이마 좀 자세히 보려고요. (보다가) 아니네.

#21 방송국 / 로비 (낮)

사장이 비서를 대동하고 방송국 입구에 나타난다.

이연은 여전히 오가는 사람들을 주시하고 있다. 사장이 로비로 들어온다.

동선 대로라면, 로비 카페에 앉아 있는 이연과 마주치는 상황.

그런데 막 이연과 마주치기 직전. 누군가 이연의 앞에 자리를 잡고 앉는다! 2화의 청경(불가살이)이다.

청경 살려 주시오! 나 손 씻었소!!

이연 불가살이?

청경 이제 사람들 꿈엔 손도 안 댄단 말이요! 나도 남들 악몽 먹고 사는 거 지긋지긋했거든. 맛대가리도 없고.

청경이 이연의 시야를 가리면서 아슬아슬하게 스쳐 지나가는 사장!

사장 쪽에서는 이연을 봤다! 사장의 눈썹, 꿈틀한다!

이연 아, 좀 비켜 봐! (하고 보면, 사장은 이미 지나간 뒤다)

청경	나 잡으러 온 거 아니요?
이연	너한테 나눠 줄 관심 1도 없다.
청경	(심장 부여잡고) 아우… 놀래라.
이연	방송국에서 수상한 놈 못 봤니? 너 말고.
청경	구체적으로 어떤 놈이요?
이연	수명을 거스르고 살아온 인간이라든가.
청경	아이고, 이연님 방송국 초짜시지요?
이연	??
청경	여기가 인간이고 요괴고, 온갖 해괴한 것들이 다 몰리는 데요. (귀에 대고) '장산범' 아시죠? 사람 목소리 기깔나게 복사하는 그놈. 아 글쎄 그놈이, 여기서 유명한 성우 노릇하고 있다니까요.
이연	떨어져, 쇠 냄새나.
청경	(애교 있게) 그래서 말인데, 혹시 동전 가진 거 있으시면…
이연	(500원짜리 하나 꺼내 들고) 수명을 거스른 인간 중에, 이마에 죄인의 문신을 한 놈을 보면 신고해라. 배불리 먹게 해 주마.

이연이 건넨 동전을 먹고, 고개를 조아리는 청경.
같은 시각, 엘리베이터 앞에서는.

사장	오늘 저녁 기자들 미팅이 몇 시였지?
비서	7시입니다.
사장	그거 취소하고 일정 새로 잡아.
비서	예??

사장　　도시 괴담 팀, 저녁 먹자고 해.

#22　　대저택 (낮)

저택 어디선가 베이비시터의 비명 소리 들린다!
낮인데도 어두컴컴한 2층 복도. 베이비시터가 아이 방에서 정신없이 도망쳐 나온다!
막 2층을 빠져나가려는 순간, 그녀의 발목을 낚아채는 손!!!
필사적으로 버둥거리던 베이비시터, 이내 고목처럼 말라가기 시작한다!
무서운 속도로 복도 끌려가면서, 그 손에서 '인조 손톱' 하나 굴러 떨어진다!
섬뜩한 얼굴로 베이비시터 손을 잡고 있는 이무기(아역) 보인다!
베이비시터는 미라가 됐다!!
사람의 정기를 빨아먹고, 이무기(아역), 마침내 '성인 이무기'로 바뀐다!!

#23　　모즈백화점 / 주차장 (낮)

백화점 주차장에 서는 이랑의 차. 조금 떨어진 곳에 신주가 차를 세운다.
화려한 차림의 여자, 이랑의 차에 올라탄다.
신주가 제 눈을 의심한다. '유리'다!!

유리 안경 주운 놈, 찾았어요.

이랑 누구야?

유리 어린애던데요?

이랑 어린애?

유리 (안경을 든 수오 사진 보여 주는) 어제 꽤 과음하셨구나.

대화를 들은, 신주 표정 충격으로 일그러진다. '배후가 이랑이었구나!!'

#24 거리 (낮)

수오가 '문제의 안경'을 쓰고 거리를 활보하는 중이다.
안경 너머로 행인들을 빤히 쳐다보는 수오. 뭐가 그리 재밌는지 웃기도.

#25 모즈백화점 / 주차장 (낮)

신주가 이랑의 차에서 멀어지는 유리를 바라보고 있다.
머리는 복잡한데, 마음이 욱신거린다.
잠시 운전대에 머리를 묻고 충격을 삼킨다.
그런데 고개 들면, 이랑이 보이지 않는다?!
순간! 운전석 창문 요란하게 부서진다! 신주 소스라치면!
부서진 창문으로 모습을 드러내는 이랑!

이랑 (서늘한 미소로) 너, 내가 모를 줄 알았지?

신주 !!!!!!

#26 한식당 우렁각시 (낮)

우렁각시가 정성껏 음식을 만든다.

하나하나 귀하고 아름답게 빚은 음식, 놋그릇에 정성스럽게 담아 낸다.

지아네 팀이 점심을 먹으러 왔다.

지아는 뭔가 신경 쓰이는 얼굴로 어딘가 흘끔거린다.

대각선 테이블에 뒷모습으로 이연이 앉아 있다. 이쪽 테이블에 귀를 쫑긋한 채.

팀장 암튼 오늘 저녁은 다들 비워. 무려 사장님 호출이니까.

재환 뭐 사 주신대요?

팀장 사장님 댁이야.

작가 집이요? 아오 부담스러워.

팀장 원래는 사장님 측근들만 초대되는데, 특별히 우리 팀을 호출하셨다. 메뉴는 다들 삼계탕이지?

우렁각시와 직원이 귀한 음식들 줄줄이 내온다.

다들 눈 휘둥그레. 팀장이 당황한 표정 감추며, 젠틀한 척.

팀장 주문에 미스가 난 거 같은데? 우리는 삼계탕이에요.

우렁각시　　드세요. 서비스니까.

작가, 재환　　서비스?!

팀장　　(목소리 깔고) 왜 갑자기 서비스죠?

우렁각시　　(지아를 빤히) 굉장히 '반가운 손님'이 오셨다길래.

지아　　(이연에게 그녀의 정체 들었다. 둘만 아는 눈빛으로 새삼 목례하는)

팀장　　하하하, 사실 우리 방송국 직원 8할은 내가 데려온 거나 마찬가지지. 근데 아무리 VIP 손님이라도 이렇게 막 퍼 주면, (눈을 찡긋) 우리 미세스 우 거덜나요?

작가　　(꼴 보기 싫은) 마그네슘 부족하세요? 한쪽 눈에 경련 일어났는데.

팀장　　(흘기면)

우렁각시　　(지아 앞에 접시 놔 주며) 즐겨 주세요. 우리 전통 음식엔 채소 한 포기, 꽃잎 한 장에도, 웃고 우는 전설들이 서려 있지요.

지아　　여기 '셰프님'처럼 말이죠?

우렁각시 사라지면, 팀장이 의기양양해서 '봤지? 나 이런 사람이야!'
다들 무시하고 밥술 뜨는데.
지아는 혼자 앉아 있는 이연이 마음에 걸린다.

작가　　아까부터 뭘 그렇게 봐?

지아　　아냐.

재환　　(이연 돌아보고) 어? 저 남자!! 맞죠?!

말릴 새도 없이, 모두의 시선 이연에게 집중된다.

작가 맞네, 엉큼한 계집애! (이연에게) 이쪽으로 와서 같이 드세요.

이연 (살짝 난감한 얼굴로 지아를 보면)

지아 (어쩔 수 없다) 같이 먹자.

이연이 지아네 팀과 합석했다. 이연은 지아 옆자리에.
다들 자연스레 밥을 먹는 척 하면서, 이연의 일거수일투족에 관심이다.

작가 서울 참 좁죠? 우연인지 뭔지 여기서 다 만나고.

이연 우연 아닙니다.

작가 (??) 그럼 왜 여기?

이연 남지아 씨가 여기 있으니까.

지아 !!!

재환 둘이 무슨 사이인데요?

지아 (그만하란 뜻으로) 표재환.

이연 이쪽은 아닌데, 제가 일방적으로 치대고 있어요.

재환 짝사랑?

작가 그 얼굴을 마구 낭비하시면서?

지아 (말 자르며) 치대는 건 맞는데, 일방 아니고 쌍방.

작가, 재환 !!!!!

이연, 의외란 얼굴로 지아를 본다. 지아는 진심이다.

#27　　폐차장 (낮)

'퍽!!' 하는 소리와 함께 신주 신음 소리 들린다.

입가에 피가 터져 흐르면서도, 꿋꿋이 입을 다문 신주.

이랑　　내 뒤는 왜 밟았어?

신주　　…

이랑　　이연이 널 왜 붙였냐고.

신주　　…

이랑　　(머리채 잡고) 너 말이야. 내가 옛날 옛적에 이연 따라다니던 그 코흘리개인 줄 아니?

신주　　아닌 거 압니다. 이 자리에서 쥐도 새도 모르게 절 죽일 수 있단 것도 알고요.

이랑　　그럼 말해 봐. 나 왜 따라왔어?

신주　　그건, 이랑님이 제일 잘 아시겠죠.

이랑　　이 새끼가… (피식) 나랑 스무고개 하니?

신주　　저는 '이연님을 위해' 살아왔습니다. 이연님 '덕분에' 살아왔고. 여기서 죽어도, 그분께 해가 되는 일은 할 수 없단 뜻이에요.

신주의 눈빛, 흔들림 없다. 알 수 없는 분노가 치미는 이랑.

이랑　　그건 충성심이냐, 동정심이냐? 아니면, 머리가 나쁜 거니?

신주　　이랑님이 형을 잡아먹지 못해 안달 난 것과 같은 이유예요.

이랑　　??

신주　　이연님이 좋으니까.

하자마자, 매서운 주먹 날아든다!

#28 한식당 우렁각시 (낮)

이연과 지아네 팀의 식사가 계속되고 있다.

팀장 (못마땅한) 실례지만 무슨 일 하세요? 직업.

이연 그런 거 없습니다.

팀장 어쩐지. 시간 남아돌고, 사회생활 경험이 없으니까 우리 지아 피디 같은 애 따라다니고 하는 거지.

이연 (귓속말로 진지하게) 갈비뼈 한 대만 쳐도 돼?

지아 (작게) 안 돼.

작가 (살짝 실망) 근데 진짜 백수예요?!

지아 (왠지 자존심 상해서, 이연 대신) 월세 받고 살아.

작가 어머, 건물주세요?

지아 소소하게 300억대 정도?

작가 혹시 형제 있으세요?

이연 동생이 하나 있기는 한데.

작가 아주버님!!

재환 (흘기는)

팀장 나이가 어떻게 돼요?

이연 적진 않습니다. 정확히는 일천…

지아 (말 막으며) 하하. 보기보단 많아.

팀장 한 번 갔다 오신 거죠?

이연 어딜 말입니까?

재환 팀장님 말씀은 이혼했냐는 거예요. 자기처럼.

이연 이혼? (반갑게) 아, 혹시 와이프랑 1년도 못 살고 헤어졌다는 분이…

팀장 !!!!!

재환 맞아요, 아시는구나!

지아 이 사람은 호적 깨끗해.

작가 완전 판타지 드라마 주인공이네.

시간 경과되면. 다들 화채 등 후식 먹는 중.
팀장은 카운터의 우렁각시 앞에서 수작을 부리고 있다.
이연의 핸드폰에 문자 메시지 날아든다.
다친 신주가 찍힌 사진. 이연의 얼굴 무섭게 굳는다.
지아에게 '나 잠깐 어디 좀 다녀올게.'
팀원들에게 인사를 하는 둥 마는 둥 바삐 자리를 뜨는 이연.

#29 방송국 / 인근 (낮)

지아네 팀, 방송국으로 들어가는 길.
작가와 재환이 앞서 걷고, 지아가 조금 뒤에서 걷는다.
'안경을 쓴 수오'가 정신없이 행인들 구경하며 걸어온다.
한눈팔다가 작가와 부딪친다.

작가 꼬마야, 괜찮니?

수오 (작가를 보고 눈 동그래져서) 우와… 예쁘다!

안경 너머 작가의 모습, 같은 얼굴에, 색 고운 '옛날 한복 차림'을 하고 있다.

작가 (기분 좋은) 예쁘다고?

재환 요즘 애들 스마트폰 때문에 근시, 난시가 그렇게 늘었대요.

수오 (재환을 본다. 손가락질로) 내시!

작가 (풉!!)

수오의 눈에 비친 재환도 조선 시대 차림으로 바뀐다.

수오 내시가 뭐야?

작가 말하자면 되게 슬픈 건데…

재환 아니라고! (흥분해서 바지춤 잡고) 와!! 나 여기서 막 깔 수도 없고!

지아 (황당한 얼굴로 다가와서) 너 애 앞에서 뭐 하냐?

재환 얘가 나보고 고자래잖아요!

작가 애들은 원래 거짓말 잘 못해.

그런데! 안경을 쓴 채 지아를 본 수오 표정, 심상찮게 변한다! 두렵게 신음하기 시작하는데!

지아 얘, 너 어디 아프니?

수오 (뒷걸음질) 무서워….

지아 뭐?

수오 (지아 얼굴 가리키며) 얼굴이… 너무너무 무서워.

지아가 한 발 다가서자, 불에 덴 것처럼 '펄쩍' 뛰더니!
안경 벗어 쥐고 달아나 버리는 수오!! 그 뒷모습 어리둥절해서 보다가!

지아 (쩝) 내 인상이 그렇게 별로란 거지?

재환 원래 애들은 거짓말 잘 못한대요.

#30 폐차장 (낮)

이연이 폐차장을 찾았다. 이랑이 기다렸다는 듯이.

이랑 왔어?

이연 신주는?

이랑 대충 숨은 붙어 있어.

이연 (인상 꿈틀하는) 엄한 애 잡지 말고, 할 말 있음 앞으로 나한테 해.

이랑 그놈은 또 되게 아끼나 보네?

이연 조선 시대부터 내리 사춘기나 앓고 있는 동생보단, 훨씬 아끼지.

이랑 (노려보고) 내 뒤는 왜 밟았냐?

이연 피차 돌려 말하는 스타일도 아니고. (정곡으로) 왜 이무기야?

이랑 (신난) 드디어 알았구나?!!

이연 나를 해칠 방법은 수도 없이 많았을 텐데, 왜, 하필 이무기냐고.

이랑 뭐, 니들 과거사가 기가 막히게 재현되면 어떨까 싶어서. 내가 좀 탐미주의자잖아.

이연 (그 눈을 보다가) 약점이라도 잡힌 건가?

이랑 !!!!

이연 잡혔네.

이랑 엄밀히 말하면 서로 주고받는 게 있으니 '계약'이지.

이연 내 말 똑똑히 들어. 세상엔 절대, 거래 같은 걸 해선 안 되는 놈들이 있어.

이랑 나도 먹고 살아야지.

이연 지금이라도 손 떼. 아니면, 네가 생각하는 것보다 훨씬 지독한 대가를 치르게 될 거다.

이랑 (그 말에, 시험하듯) 너 말야. 내가 만일 이런 상황이면, 그래서 내 목숨이 진짜 위험하면, 날 구하러 오겠냐?

이연 넌 네 스스로 구해.

이랑 (분노로) 요새 첫사랑이랑 재미 좋은가 보더라?

이연 (흔들림 없이 보면)

이랑 (도발하는) 근데 그 여자 말이야. 전생에 있었던 일을 전부 알고도 너랑 붙어먹으려고 할까?

이연 그 사람 건드리면, 이번엔 맹세코 내 손에 죽어.

차갑게 마주 보고 있는데, 이랑 핸드폰 울린다.
받으면, 곧바로 유리가 '이랑님, 그 꼬마 위치 확보했어요!'

이랑 (이연에게) 기꺼이, 죽어 줄게. (하고, 간다)

이연 (그 뒤에다 대고) 신주 내놔.

이랑 걔 목숨, 나한테 빚진 거다.

폐차압착기 가리킨다. 이연이 달려가 그 밑에 깔려 있는 신주를 구해 낸다.
'이연님…' 힘없이 미소 짓는 신주.
비로소 안도하며, 짠하게 신주의 머리를 쓰다듬는다.
멀어지는 이랑 얼굴, 일그러져 있다.

#31 방송국 / 인근 (낮)

정신없이 뛰어오는 수오를 이랑이 덥석 낚아챈다!

이랑 안경 내놔.

수오 (쥐고 안 놓는) 안 돼요. 내 요술 안경!

버둥거리던 수오, 이랑의 손길 벗어나 달아난다!
있는 힘을 다해 뛰어 보지만, 이랑은 어느새 그 앞에 나타나고!
반대편으로 뛰는데, 또 그 앞에 서 있는 이랑! 수오의 눈 동그래진다!
순식간에 안경을 뺏고, 무섭게 멱살 잡아 들어 올리며!

이랑 난 어린애라고 안 봐줘.

공중에 매달린 채 울먹울먹. 이내 '우아앙' 울음 터진다.
이랑, 그 소리에 기겁하며 내려놓는다.

이랑 하지 마! (귀 틀어막고) 나 우는 소리 젤 싫어해!
수오 (울음 꾹 참으면)
이랑 (손수건으로 안경 닦으며) 옛날 같았으면 넌 내 손에 죽었어. 저출산 시대라 특별히 봐준 거지.

수오가 서러운 얼굴로 훌쩍이는 사이, 이랑이 안경을 햇빛에 비춰 본다. 반짝반짝하게 잘 닦였다.
그런데! 안경을 확인하던 이랑, 문득 그 자리에 얼어붙는다!!

이랑 (넋 나간 채 수오를 보며) 아니야… 이럴 수는 없어.

수오가 천진한 눈으로 이쪽을 본다.
안경 너머로 보이는 수오 모습, 작고 귀여운 '검둥개'다!!

이랑 검둥개?!!
수오 ???

찰나, 이랑을 스쳐 가는 기억!

인서트 플래시백
강아지를 처음 안고 오던 날, 강아지와 뛰노는 모습, 끌어안고 자던 순간들이 빠르게 스쳐 가고.
죽어 가던 검둥개 안고 오열하던 장면 떠오르면.

숱한 감정이 한꺼번에 몰려온 듯 먹먹하게 서 있다가,
아이에게 '딱 한 걸음' 다가간다.
다가갔다가 독하게 돌아선다.

이랑 내가 또 저런 미물한테 마음을 줄까 보냐. 내 다시는. 절대…

그런데 가다말고 보면. 수오가 어느새 강아지처럼 이랑의 뒤를 졸졸 따라왔다.
이랑이 눈을 질끈 감는다.

#32 커피 전문점 (낮)

수오가 빵을 먹고 있다. 입가에 생크림 얼룩덜룩.
이랑은 커피 홀짝이며, 영 못마땅한 얼굴로 그 꼴을 바라보다가.

이랑 (부러 싸늘하게) 왜 나를 따라온 거냐?
수오 아저씨 스파이더맨이에요? (흉내 내며) 막 '샤샤 샤샤' 이렇게 움직였잖아요.
이랑 (작게 혼잣말) 아… 눈 씻고 봐도 꼴배기 싫은 스타일.
수오 싫은데 왜 이렇게 맛있는 초코빵 사 줘요?
이랑 그냥. 빚 갚는 거야. '먹고 떨어져라' 뭐 그런… (하는데)

수오 빗이요? 머리 빗을라고요?

이랑 심지어 머리도 나빠 보여. 하필이면, 사람 따위로 태어나 가지고.

#33 대저택 / 앞 (밤)

지아네 팀이 저택 앞에 도착했다.
팀장이 긴장한 얼굴로 초인종 누르면, '스르르' 대문 열린다.
팀원들 먼저 들어가고, 지아가 마지막으로 들어가다가 멈칫.
2층 창가. 커튼 사이로 '묘한 시선' 느껴진다?!
의아한 얼굴로 2층 올려다보는데 '피디님, 빨리 오세요!' 재환이 재촉한다.

#34 대저택 / 거실 (밤)

먼지 한 톨 없는 깨끗한 거실.
다들 얌전히 소파에 앉아 있다. 감탄하며 집 둘러보다가.

재환 (작가에게) 2층도 있어요.

작가 이런 집은 공시지가가 얼마까?

재환 왜요, 하나 사시게요?

작가 (뻔뻔하게) 나쁘진 않은데, 역세권이랑 먼 게 영 마음에 안 들어.

재환 얼씨구?

거의 무채색으로 꾸며진 거실. 한쪽에 '꽈리 화분'만 쨍하게 놓여 있다.

팀장 오, 서울에서 꽈리를 다 보네?
지아 이게 꽈리에요? 꼭 초롱불 같이 생겼네.
팀장 우리 어렸을 땐 요 꽈리 속 파 가지고 피리 불고 그랬다?
지아 이게 소리도 나요??
팀장 응, 꽈리 불면 뱀 나온다고 어머니한테 쥐어 터지고 그랬는데… (하며, 꽈리에 손을 뻗으면)
사장 (단호하게) 그건 만지면 안 돼.

움찔해서 보면, 사장이 편안한 차림으로 나타났다.

사장 나한테는 좀 특별한 물건이라.
팀장 앗, 죄송합니다.
사장 (다시 부드러워진 얼굴로) 우리 집에선 딱 두 가지만 지켜 주면 돼. 하나는 '꽈리' 건드리지 말고. (팀장에게 농담처럼) 피리도 안 돼.
팀장 뱀 나와요.
사장 둘째는 절대 '2층'엔 올라가지 말 것.
지아 누구 계세요?
사장 아니, 이 집엔 나뿐이야. (음식 내가는 직원들 가리키며) 아, 케이터링 하러 오신 두 분이랑.
팀장 (팀원들에게) 암튼 가지 말라면 가지 마.
사장 다들 배고프지?

#35 동물병원 (밤)

신주가 여기저기 반창고를 붙인 채, 병원 소파에 누워 있다.
이연이 걱정스러운 얼굴로 그 곁을 지키는데.

신주 (다 죽어 가는 목소리로) 이연님, 나 물.
이연 (생수 가져다주는) 여기.
신주 뚜껑.
이연 (뚜껑 따 주면)
신주 (입을 아…)
이연 먹여 달라고?
신주 부상병이잖아요.

'이걸 해 줘, 말아?' 싶은데, 신주가 과장된 몸짓으로 기침한다.
놀라서 얼른 생수병을 입에 대주는 이연.

신주 피디님은요?
이연 저녁 약속.
신주 (괜히) 안 가보셔도 돼요?
이연 회사 동료들이랑 같이 갔어. 끝나고 보재.
신주 아아… (마음 놓고 눕는) 근데 치킨은 왜 소식이 없어요?
이연 (핸드폰 확인하고) 배달 시작했어. 마늘 치킨 맞지?
신주 마늘 '닭다리'요.
이연 !!!!
신주 오리지널 시키셨어요?

이연 (끄덕)

신주 (한숨) 봐드릴게요. 그것도 맛있으니까. 치킨 오기 전에 가서 개밥 좀 주고 오실래요?

이연 응. (하고, 반사적으로 일어나다가) 근데 너 진짜 아픈 거 맞지? 나 부려 먹으려고 아픈 척 하는 거 아니지?

신주 몸도 아프고 마음도 아파요.

천장을 보고 누운 신주의 눈에, 어느새 눈물 그렁그렁. 유리 때문이다.

이연 그러게 그 목걸이 도둑, 내가 처음부터 수상하다고 했지?

신주 도둑, 도둑 하지 마세요. 유리라는 좋은 이름이 있어요.

이연 유린지 뭔지, 이랑이 시켜서 너 이용해 먹으려던 거잖아.

신주 시작이 잘못됐을 뿐, 우리 사이 99점이거든요?

이름점 점수표 보여 주는 신주. '뭐야 이게?' 이연이 갸웃한다.

신주 이름으로 보는 궁합 점수요.

이연 (다음 장 넘겨 보고) 남지아, 이연 25점? 야!!

신주 (뜨끔) 아, 팔 다리 허리야!

#36 대저택 / 정원 또는 다이닝 룸 (밤)

사장과 팀원들, 저녁 식사 차려진 테이블에 둘러앉아 있다.

사장 자, 다들 한잔하십시다. (샴페인 잔 들고) 도시 괴담 팀, 앞으로도 쭉 시청률, 화제성 다 잡고 장수 프로그램 되길.

팀장 파이팅!!

일동 (샴페인 마시면)

지아 오늘은 친한 선배님 댁 왔다 생각하고, 허물없이 놀다 가겠습니다.

사장 일 얘기는 자제하도록 하겠나이다.

시간 경과되면. 한층 편하게 대화 나누는 사람들.

재환 곤지암 촬영할 땐 십자가, 묵주, 부적 풀 세트로 챙겨 갔어요.

작가 청심환도 한 상자요.

팀장 그렇게 중무장을 했는데도 카메라가 달달 떨려 가지고. 남지아한테 피살당할 뻔 했죠.

재환 그때 알았죠. 사람이 귀신보다 무서울 수 있구나.

사장 (웃으며) 지아는 원체 깡이 좋잖아. 내가 면접 볼 때 정확히 알아보고, 딴 데 못 가게 잡았지.

지아 기억나요. 사장님이 '넌 무조건 우리 회사 와야 된다.' 하셨던 거.

팀장 (끼어드는) 저도 기억나요. 사장님이랑 같이 워크숍 갔을 때. 그때 연수원 마이크 고장 나 가지고 난리도 아니었어.

사장 최 팀장이 나랑 워크숍을 같이 갔었나?

팀장 (끙)

작가 사장님은 괴담이나, 귀신같은 거 믿으세요?

사장 음… 옛날에 내가 죽을 뻔한 적이 있었거든? 진짜 기적적으로 살아났는데, 그때 내가 만난 게 사람이 아니었어.

작가 그럼 뭔데요?

사장 '기적'이라니까.

일동 에이….

지아 (일어서며) 화장실은 어디 있어요?

사장 들어가서 직진.

지아가 자리를 뜬다.
뒤에서 팀장과 사장 '저랑 피디협회 시상식 가신 건 기억나시죠?' '그랬나?'

#37 대저택 / 거실 (밤)

잠시 후, 지아가 화장실에서 나온다.
2층 계단 앞을 지나는데, 위에서 '쿵!' 하는 둔탁한 소리 들린다.
이어 뭔가를 '질질질' 끄는 소리.
'2층에 누가 있나?' 하고 보면, 케이터링 직원들은 조금 떨어진 곳에서 디저트 준비 중이다.
팀원들도, 업체 직원들도 아니다.
'잘못 들었나?' 다시 자리로 돌아가려는데.
'똑똑!' 이번에는 희미하게 '노크 소리' 들린다.

#38 대저택 / 아이 방 (밤)

방 안에서는. 이무기가 아까 죽은 베이비시터의 시신을 방문 앞에 부려 놓고.
말라 버린 여자의 손으로 방문을 두드리고 있다!
부러 지아를 부르듯이!

#39 대저택 / 거실 (밤)

지아의 귀에 재차 '노크 소리' 들린다.
소리에 이끌리듯 천천히 계단 오르기 시작한다. 그 발을 위태롭게 비추는 앵글!
그러다 멈춰 선다!
'남의 집에서 뭐 하는 거야, 남지아.' 하며 다시 계단 내려가는데!
문득 지아의 눈에 띈 묘한 물체!
작고, 유색으로 반짝이는 '그것'을 주워 들면… '손톱?!'
네일아트를 얹은 인조 손톱이다!!
그것을 쥐고, 이번에는 계단 끝까지 올라가는 지아!

#40 대저택 / 2층 (밤)

실루엣만 겨우 보이는 어두운 복도.
불안하게 주위 둘러보는데, 다시 '노크 소리' 들린다.
복도 끝 방이다. 소리가 나는 쪽으로, 천천히 걸음을 옮긴다.

#41 대저택 / 정원 또는 다이닝 룸 (밤)

사장과 팀원들, 다과에 샴페인 마시고 있다. 팀장이 샴페인 쭉 비우면.

작가 (재환을 찌르며 작게) 말려.

재환 (잔 뺏는) 그만 드세요, 팀장님.

팀장 샴페인이 무슨 술이라고. (사장한테) 얘들이 이렇게 저를 챙긴답니다.

사장 보기 좋구먼. (하다가) 근데 지아는 왜 안 오지?

팀장 집이 넓어서 길을 잃었나 보죠.

작가 제가 가 볼까요?

사장 손님은 앉아 있어.

사장이 자리에서 일어선다!

#42 대저택 / 2층 (밤)

지아가 2층 끝 방에 도착했다!

'노크 소리'는 더 이상 들리지 않는다. 가만히 귀를 기울여 본다.

그런데… 뭔가 희미하게 속삭이는 목소리?!

#43 대저택 / 아이 방 (밤)

문 저편에서 이무기가 입술을 달싹인다.

아주 작은 목소리로 '어서 와.' 그 얼굴에 섬뜩한 미소 떠오른다!
문 하나를 사이에 두고, 위태롭게 마주 보고 선 이무기와 지아!

#44 대저택 / 거실 (밤)

사장이 화장실 문을 열어 본다. 비어 있다.
1층을 눈으로 훑고, 2층으로 올라가는 계단에 시선을 주는데!

#45 대저택 / 2층 (밤)

지아가 문손잡이에 손을 댄다!
조심스럽게 손잡이 돌리려는 순간!
핸드폰 진동음 요란하게 울린다! 묵음으로 소스라치는 지아!
발신자 이연이다. 이무기가 듣는 가운데, 이연과 통화한다.

이연(E) 몇 시쯤 끝날 거 같아?
지아 한 30분 내로? 아직 동물병원이지?
이연(E) 응, 주소 불러 줘. 데리러 갈게.
지아 아냐, 김 작가랑 재환이랑 같이 택시 타기로 했어.
이연(E) 그럼 이따 집에서 봐.

전화 끊으면, 뒤에서 누가 지아의 어깨를 '툭' 짚는다! 사장이다!

지아 (놀라서) 사장님!

사장　2층은 출입 금지라니까.

지아　죄송합니다. 근데 안에 누가 있나요? 방에서 무슨 소리가 나던데.

사장　바람 소리겠지, 창문을 열어 놨더니. (데리고 가며) 가서 디저트 먹자.

내려가며 이무기의 방을 돌아보는 사장. 방으로 불러들일 줄은 미처 몰랐다.

#46　동물병원 (밤)

지아와 통화 끝내고 보면.
신주가 치킨 손에 들고, 눈물을 훌쩍이고 있다.

이연　왜 울어?

신주　우리 이연님, 이렇게 행복한 얼굴 얼마 만에 보나 싶어 갖고.

이연　(눈물 닦아 주며) 많이 봐 둬. 이왕이면 이런 얼굴만 기억하고.

신주　꼭 떠날 사람같이 왜 그러세요?

이연　내가 떠나긴 어딜.

신주　오래오래 사세요. 피디님 사시는 동안엔, 이연님도 맘껏 행복하세요.

이연　(말갛게 미소)

#47 대저택 / 정원 또는 다이닝 룸 (밤)

사장과 지아가 자리로 돌아왔다. 지아가 '작가의 손' 유심히 본다. 짧은 손톱에 같은 색 매니큐어 칠해져 있지만, 벗겨지거나 부러진 곳은 없다.
곧바로 케이터링 업체 직원들이 디저트를 가지고 들어온다.
그 직원들 손을 빠르게 확인한다.
서비스 직원들의 손톱, 매니큐어 하나 없이 짧고 깨끗하다.
지아의 표정 살짝 굳는다.

#48 택시 (밤)

지아, 재환, 작가가 택시를 타고 귀가하는 길이다. 작가가 손톱을 들고.

작가 이걸 사장님 댁에서 주웠다고?
지아 응.
재환 징그러워요!
작가 글루로 붙인 인조 손톱이야. 파츠도 싸구려고.
지아 누구 걸까? 나나 김작은 아니고, 케이터링 직원들 손톱 깨끗하던데. 사모님 돌아가신지 10년 넘었고.
재환 만나는 여자분 있냐고 물어보시죠.
작가 사장님한테? 너, 그 마인드로 사회생활이 가능하긴 한 거냐? 차라리 사장님의 은밀한 취미 생활이라고 보는 게 합리적이지.
재환 네일 아트요?!

지아 (그제야 대수롭지 않게 웃는다)

#49 지아의 집 (밤)

지아가 집에 왔다. 등 뒤에 아이스크림 포장 감추고 있다.
밥통에서 취사 완료 알리는 소리 들리고. 이연이 반갑게 주방에서 나온다.

이연 왔어?
지아 나 밥 먹었는데?
이연 알아. 막 지은 밥 냄새 좋아한다길래. 내가 음식 솜씨는 없어도 밥물은 또 기가 막히게 맞추거든.
지아 퇴근하고 밥 냄새 나는 집에 돌아오는 게, 이런 기분이구나.
이연 내가 여기 있는 동안은 매일 이 냄새 맡게 해 줄게.
지아 (아이스크림 건네며) 오면서 주웠는데.
이연 민트초코?!
지아 (수줍어서) 옷 갈아입고 올게. (하면서, 방으로 사라진다)

괜히 찡해서 아이스크림 소중히 들고 선 이연.
잠시 후. 편한 옷으로 갈아입은 지아와 이연이 나란히 소파에 앉아 있다.
약간 어색한 분위기.

지아 그… 밤에는 주로 뭐 해? 아, 미드 본댔지?

이연 아니, 난 주로 독서를 즐기는 편이야.
지아 난 주로 영화 보는데.
이연 (반갑게) 영화 볼까?

아이스크림 먹으며 영화를 보는 두 사람.
화면에서 신음 소리, 비명 소리. 지아 취향대로 공포 영화인 모양.
이연의 시선, 어느 순간 온통 지아에게 머문다.

지아 (시선 느끼고) 왜, 재미없어?
이연 (지아만 빤히) 재밌어. 시간이 이대로 멈췄으면… 하고 바랄 만큼.
지아 (영화에 대한 답이 아니란 걸 알면서) 나도.

늘 혼자였던 집에 이연과 '함께'인 지아도.
한 번도 누려 보지 못한, 이런 작은 행복을 누리고 있는 이연도 더없이 애틋한 밤.

#50 방송국 (밤)
만 하루가 지났다. 지아가 편집을 하고 있다.

#51 지아의 집 (밤)
이연이 쌀을 씻고, 물을 맞추고, 밥을 안친다.

문득 지아가 좋아하는 것들 중 '새로 산 운동화' 얘기하던 모습이 떠오른다.
지갑 챙겨서 집을 나서는 이연.
사이, 지아가 집으로 돌아온다. 현관에 작은 택배 상자 놓여 있다.
택배 풀어 보면, 상자 속에서 '안경과 이랑의 쪽지' 나온다.

이랑(E) 쓰고 거울 봐 봐. 네가 궁금했던 게, 거기 있을 거야.

#52 신발 가게 (밤)
이연이 지아에게 줄 신발을 샀다.
막 계산하려는데 이랑에게 전화 걸려 온다.

#53 거리 / 신발 가게 (밤)
싱긋 웃으며 이연과 통화하는 이랑 모습, 교차된다.

이랑 내가 여자한테 선물을 하나 보냈는데 말야. '호랑이 눈썹'이라나 뭐라나.
이연 !!!!!

전화 끊고 정신없이 뛰어나간다! '안 돼! 보면 안 돼!!' 외치며!
건네지 못한 신발, 가게에 덩그러니 남았다.

#54 지아의 집 (밤)

침대 위, 지아 핸드폰 진동음 끊임없이 울린다. 이연의 전화다.
전화 온 줄 까맣게 모르고, 거울 앞에 서 있는 지아.
호기심 어린 표정으로 안경을 쓰면.
거울 속에는 익숙한 자신의 얼굴뿐. 아무 일도 일어나지 않는다. '뭐야?' 김이 팍 샌다.
그런데! 안경을 막 벗으려는 순간! 느껴지는 묘한 위화감!
거울 속의 자신이 미동도 없이 이쪽을 보고 서 있다?!
'헛것인가?!' 눈 비비는데.
찰나! 거울이 일그러지는가 싶더니! 거울 속 지아 얼굴 '아음'으로 바뀐다!

인서트 플래시백

이번엔 '아음의 시선'으로 본 죽음의 순간이다.
'이연…' 아음이 애절한 목소리로 그를 부른다.
찰나! 짐승의 본능이라도 깨어난 걸까.
그녀의 심장에 손톱을 찔러 넣는 이연의 모습, '살인귀'처럼 보인다!

#55 지아의 집 (밤)

이연이 집안으로 뛰어 들어간다!
지아가 미동도 없이 뒷모습으로 서 있다!

이연 (손에 든 안경을 보고) 봤어?

지아 …

이연 대답해. 봤냐고?!

지아 …

이연 나 좀 봐 봐, 제발.

어깨를 잡고 돌려세우면, 지아가 소리 없이 울고 있다.

이연 (!!!) 대체… 뭘 본 거니.

조용히 눈물만 쏟던 지아가, 고통스럽게 입을 떼길!

지아 나는… 전생에 살해당했어.

이연 !!!!

지아 네가, 나를 죽였다.

이연 !!!!!!

지아 처음부터 이무기를 잡을 생각으로. 이연. 너는 나를 제물로 던졌구나.

7화 끝

8
환생

#1 거리 (밤)

'안 돼… 보면 안 돼!!' 이연이 다급한 표정으로 뛰고 있다!

#2 지아의 집 (밤)

같은 시각, 거울 앞에서 안경을 써 보는 지아.
찰나 거울이 일그러지나 싶더니! 거울 속 지아 얼굴 '아음의 얼굴'로 바뀐다!
이어 거울 속 배경도 바뀐다! 온통 '붉은색'이다!
흠칫 물러서며, 뒤돌아보는 지아!

#3 백두대간 / 이연의 거처 (낮)

뒤돌아본 '지아의 시선'으로 화면 넓어지면.
붉은색 우산 보이고. 우산 들어 올리는 익숙한 그 얼굴, 이연이다.

이연이 우산 씌워 주면, 쨍한 하늘을 적시는 비.
우산 속에서 서로를 마주 보는 '전생의 지아(아음)와 이연' 한 화면에 잡힌다.
등에 활을 멘 아음이, 눈에 새기듯 이연의 얼굴을 본다.

이연 뭘 그렇게 봐?
아음 너와 나의 세월은 다른 속도로 흐르는구나. (뺨 어루만지며) 똑 같아, 처음 봤을 때랑.
이연 두려운 것이냐? 인간으로 나서 겪는 생로병사가?
아음 두렵다. 늙고, 병들고, 죽는 것은 아니 두려운데, 내가 없는 긴긴 날을 네가 혼자 어찌 견딜까, 그것이 두렵다.
이연 (애달피 보면)
아음 (빗물에 손 내밀고) 세월은 잡으려 해도 머물지 않는구나.

이연이 그녀의 손을 잡고, 하늘 올려다본다.
그러자 시간이 아주 느리게 흐르는 것처럼, 그대로 허공에 멈추는 빗방울.

이연 (미소로) 잡았다, 세월.

그 신비한 풍경 속으로, 손을 뻗어 빗방울을 '톡' 건드린다.
아음의 손이 닿으면, 다시 제 속도로 내리는 비.
이연이 그 허리춤을 감싸고 나무 위로 날듯이 뛰어오른다.
우산을 쓴 채 나란히 나무에 걸터앉은 두 사람.

이연 네가 없어도, 난 잘 먹고 잘 살 거다.

아음 (밉지 않게 흘기며) 매정한 놈.

이연 그러니 그놈의 활 제발 갖다 버리고, 오래 살아. 허옇게 머리 새고, 허리 꼬부라져서, 정 뚝 떨어뜨리고 가.

아음 약속해. 그래도 변치 않겠다고.

이연 만일 내가 배신하면.

아음 그러면?

이연 (화살 한 개 들어 보이며) 날 쏴라.

다가올 비극을 까맣게 모른 채, 단단한 눈빛 주고받는 연인이다.

#4 민가 / 마당 (낮)

제법 규모 있는 기와집. 여자 시종이 '마마! (입 틀어막고) 아니 아니 아씨!!' 부르며 뛰어온다.
고운 옷을 들고 온 그녀, 현재의 작가와 같은 얼굴.
뒤따라온 남자 시종은 다름 아닌 재환이다.

작가 어디 갔다 이제 오시어요, 얼마나 찾아다녔는데!

아음 내 측간 가는 것도 일일이 고하고 가랴?

작가 에구, 망측해라!

아음 (짓궂게 웃으면)

재환 (걱정스런 얼굴로) 궁에서 전갈이 왔어요. 당장 입궁하시랍니다.

아음	(굳는) 뭐?!
작가	일단 옷부터 갈아입으셔요!
아음	감히 누가, 왕이 내친 여식을 오라 가라 한단 말이냐.
사내(E)	어명이옵니다.

얼굴을 반쯤 가린 사내가 허리 굽혀 인사 올린다.
지아는 모르지만 '방송국 사장'이다!

아음	(훑고, 준엄하게) 네 분명 어명이라 했느냐?
사장	지체 말고 가시지요. 전하께서 위독하십니다.
아음	!!!!!

아음이 집을 나선다.
인사도 건네지 못한 것이 마음에 걸린 듯, 이연이 있는 산 쪽을 한 번 돌아보고, 길을 재촉하는 아음.

#5	궁 / 왕의 침전 (밤)
아음이 의복 갖춰 입고, 왕의 침전에 불려 왔다.
앓아누운 왕이 숨을 쉴 때마다 가래 끓는 쇳소리. 안색이 흡사 시체 같다.

왕	많이 컸구나.
아음	(마음 복잡한데) 많이 쇠하셨습니다.

왕 궁 밖의 삶은 어떠하더냐.

아음 (공손하고 또 단호하게) 눈이 매웠습니다.

왕 눈이 맵다?

아음 저자에 연기가 자욱해서요. 처음엔 밥 짓는 연기인 줄 알았는데, 아니더이다. 굶어 죽은 식솔들 태우는 연기였습니다. 아버님의 백성들이요.

왕 나라가 어지럽다.

아음 나라가 어지러운 줄 알았는데, 그 또한 아니더이다. 왕의 정신이 어지러울 뿐. (날카롭게) 사특한 것이, 왕의 몸을 꿰차고 앉았으니까.

그러자 다 죽어 가던 왕이 무겁게 기침하며, 웃음을 터뜨린다. 자리에서 일어나 앉으면, 돌아누웠던 얼굴에 선연한 '비늘 흉터'!!

왕 애초에 네년 숨통을 끊어 놨어야 했는데.

아음 (이 악물고) 네놈이 '이무기'렸다.

왕 예나 지금이나, 이 넓은 궁에서 날 알아봐 주는 건 너 하나뿐이구나.

아음 나와라.

아음, 어느새 치마 속에 감춰 들고 온 활을 겨누고 있다!

아음 그 몸에서 나오라 했다!

왕 (태연히 놀리듯) 왜, 그때처럼 소리쳐 사람을 부르지 않고?

아음이 주저 없이 활을 쏜다!
화살은 정확히 왕의 상투를 뚫고 벽에 가 박힌다!
놈의 표정 굳는다! 다음 화살은 그의 심장을 겨누고 있다!

왕 (가슴팍 가리키며) 쏴 보거라. 어차피 죽을 몸.
아음 (팽팽히 활 겨누는데)
왕 어리석은 네 아비, 제가 구한 자식 손에 죽는 것도 나쁘지 않지.
아음 수작질 마라!
왕 (교활한 미소로) 너를 궁에서 내친 연유가 무언들 싶더냐.
아음 그야 네놈이 아버님의 몸을 빼앗고, 아버님의 마음을 조종하여!!
왕 (말 자르며) 네 아비가 택한 것이다.
아음 뭐?!!
왕 너는, 날 때부터 내게 바쳐진 '제물'이니라. 널 살리겠다고 이 몸뚱이를 내게 내준 것이 네 아비다.
아음 !!!!!!

활을 쥔 손 가늘게 떨린다! 차마 쏘지 못하고, 활 내려놓는데!

왕 '산신'을 데려와라. 그러면 네 애비를 놓아주마.
아음 !!!!
왕 내가 붙어 있는 한, 네 애비는 앞으로 사흘을 못 넘겨.

짧은 순간, 미친 듯이 고민하는 아음! 이윽고 결심한 듯이!

아음 좋다. 이연을 넘겨주지.
왕 (만족스럽게 웃는)
아음 허나!
왕 ??
아음 산신은 본디 산에 속한 자. 그자가 다스리는 산을 떠날 수 없다.
왕 뭐라?
아음 아버님을 놔주고, 나와 함께 가자. 내 몸을 내주마.

왕이 그제야 비릿하게 웃는다. 그런 왕을 의미심장하게 보며.

아음(E) 일단 궁에서 꾀어내자. 뒷일은… 이연을 믿는 거야.

#6 백두대간 / 이연의 거처 (밤)
그런데 다음 순간! 이연이 그녀의 목에 칼을 겨누고 있다!
아음의 몸에 '비늘' 돋아 있다! 이무기가 빙의한 상태!

이연 이 여자는 내게 아무것도 아니다.
아음 설마.
이연 여자를 미끼로 나를 꾄 줄 알았겠지? 여자를 미끼로 내가 너를 꾀었을 거라곤, 생각 안 해?
아음 ?!!!!

이연 이무기, 네 이놈!!

이연이 매섭게 칼을 휘두른다! 아음이 칼을 뽑아 들고 막았다!
서슬 퍼렇게 칼을 맞대고 선 연인!!
둘 사이에 슬프고, 치열한 칼싸움 벌어진다! 그 순간!

#7 지아의 집 (밤)
'보지 말아야 할 것'을 본 얼굴로 안경 벗어 버리는 지아!
잠시 숨을 고르다가 다시 안경을 쓰면!

#8 백두대간 / 이연의 거처 (밤)
싸움이 끝났다. 아음이 이연을 붙잡고 애원한다.

아음 살려 줘… 실은 나 죽고 싶지 않아.
이연 !!!
아음 나랑 약속했잖아. 죽을 때까지 변치 않겠다고. 이연.

이연이 칼을 버린다!
그런데! 다음 순간, 순식간에 그녀의 심장에 손톱을 찔러 넣는 이연!!!
눈물 그득 차오른 '아음의 눈' 클로즈업된다!

#9 지아의 집 (밤)

그 눈에서 화면 넓어지면, 지아의 눈에서 눈물 '뚝뚝' 떨어진다. 안경을 손에 꼭 쥔 채.
죽은 아음의 심정이 고스란히 전해져 오는 듯, 고통스럽게 가슴 움켜쥔다.

#10 지아의 집 (밤)

이연이 급히 집으로 뛰어 들어온다. 지아가 뒷모습으로 미동도 없이 서 있다.

이연 (손에 든 안경을 보고) 봤어? 대답해. 봤냐고?! 나 좀 봐 봐, 제발.

지아의 어깨를 잡고 돌려세우면, 지아가 소리 없이 울고 있다.

이연 (가슴 미어지는) 대체… 뭘 본 거니?!
지아 나는 전생에 살해당했어. 네가, 나를 죽였다. 처음부터 이무기를 잡을 생각으로 이연. 너는 나를, 제물로 던졌구나.
이연 !!!!!!
지아 그게… 진짜 너야?!
이연 나야.
지아 몇 번이고 날 구해 준 것도! 수백 년이고 못 잊었단 그놈의 첫사랑도!
이연 맞아, 내가 죽였기 때문이야. 내 손으로, 죽였어. 너를.

지아　…왜?

이연　나란 놈이 원래 그런 놈이야.

지아　그게… 다야?! 내 옆에서 나를, 내 마음을, 멋대로 흔들어 놓고, 네가 할 수 있는 말이 고작. (터지는) 차라리 변명이라도 해!!! 제발.

'그 옛날, 그 비극을 또 반복할 셈이니? 너랑 그 아이, 둘 중에 하나는 죽는다.' 현의옹의 말 스쳐 간다.
그 말대로, 과거가 반복되기 시작했다.

이연　(작정한 듯) 가성비가 좋았던 것뿐이야. 사람 하나 희생시켜서, 태산만큼 구한 셈이랄까. 이래 봬도 산신이잖아.

지아　젠장. 근데 난 뭐 이렇게 가슴이 아프냐? 왜 네 손에 죽는 순간까지, 온통 네 걱정이고! 왜 너 때문에 씨… (눈물 훔치며) 눈물 나고 지랄이야…

이연　(눈물 닦아 주고) 착각하지 마. 지금 그 감정 '네 거' 아냐. 고작 전생 체험 같은 걸로, 그 여인이 된 양 굴지 마라.

지아　나쁜 놈.

이연　나쁜 놈한테, 마음 한 자락도 내주지 마. 적어도 이번 회차 인생엔, 그런 실수하지 마. 그래야 오래 살아.

못다 한 말들 가슴에 묻고 지아를 밀어낸다.

#11 지아의 집 (밤)

밥통에서 취사 완료를 알리는 소리 들린다. 집안 가득 퍼지는 고소한 밥 냄새.

혼자가 된 집에서, 망연히 주저앉아 흐느끼는 지아.

#12 지아의 집 / 앞 (밤)

이연이 무서울 만큼 단호해진 얼굴로 지아의 집을 떠나고 있다.

#13 한식당 우렁각시 (밤)

이랑이 경쾌한 걸음으로 식당에 나타난다.

우렁각시 살짝 굳는다. 반갑지 않은 얼굴이다. 이랑이 곧장 내실로 향하며.

이랑 우렁각시야, 여기 술 좀 넣어 줘. 이 집에서 젤 비싼 걸로.

우렁각시 (이랑 사라지면) 쯧, 저 새끼 저거 언제 철들라나…

여직원 어떻게 싱글몰트 한 병 딸까요?

우렁각시 술, 넣지 마라. 보아하니 오늘 뭔 사달이 나도 나겠다.

#14 한식당 우렁각시 / 내실 (밤)

경쾌하게 내실로 들어선다. 테이블 위에는 물잔 두개 놓여 있고. 이연이 생각에 잠겨 혼자 바둑을 두고 있다. 이랑을 쳐다보지도 않는데.

이랑 (설레어) 봤대?!

이연 (개의치 않고 바둑 두는)

이랑 (반응 보고) 봤구나, 전생!! 뭐래 뭐래? 야, 말 좀 해 줘~라! 나 궁금해서 오늘 밤 잠 못 자!

이연 (시선은 줄곧 바둑판에) 랑아.

이랑 (삐딱하게) 뭐?

이연 넌 다시 태어나면 뭐가 되고 싶니.

이랑 뭔 개소리야?

이연 말해 봐.

이랑 난 아무거나 상관없는데? 뭐, 굳이 고르자면 독도 새우? 수염이 잘 어울리는 마스크가 좋아. 존재 자체가 사치스럽고.

이연 난 다시 태어나면 한 번만, 사람으로 살아보고 싶다.

이랑 한심한 소원이네.

이연 인생이 '처음이자 마지막인 것들'로 가득했음 좋겠다. 첫 걸음마, 첫 소풍, 첫사랑, 첫눈…

이랑 (오만상) 구질구질하게 뭐 하자는 건데?!

이연 그냥. 너랑 속 터놓고 얘기해 본 게 언제였나 싶어서.

이랑 뭐 잘못 먹었어? 그 여자랑 싸우고, 아예 정신줄 놨니?

이연 이무기.

이랑 ?!!!

이연 지금 어디 있니?

이랑 내가 말해 줄 거 같냐?

이연 (담담히) 그럴 줄 알았어. 그게 네 '선택'이구나.

이상하리만치 차분한 이연의 반응. 형제 사이에 서늘한 긴장감 흐른다.

#15 한식당 우렁각시 / 앞 (밤)

눈치 빠른 우렁각시가 재빨리 가게 문 걸어 잠근다.

식당에 CLOSE 팻말 걸린다.

#16 한식당 우렁각시 / 내실 (밤)

서늘한 눈빛으로 이랑을 보던 이연, 바둑판 눈짓하며.

이연 한 판 둘래?

이랑 ?!!!

이연 자주 놀았잖아. 우리 둘이.

이랑 (괜히 뾰족하게) 너랑 두는 거 재미 하나도 없어. 나한테 한 번도 이겨본 적 없잖아?

이연 (바둑돌 하나 집어 들고) 둘 거야, 말 거야?

이랑이 마지못한 척 바둑돌 집는다.

신중하게 첫 수를 놓으면. 바둑판 클로즈업된다.

인터컷

바둑판에서 화면 넓어지면, 너른 바위에 앉아 바둑을 두고 있는 형제.
밑으로 새끼 검둥개(수오) '뾜뾜뾜' 오간다.
이랑 머리에 진달래꽃 앙증맞게 꽂혀 있고. 바둑 두면서 쉬지 않고 종알댄다.

이랑(아역) 형아! 왜 하늘은 파래?
이연 (무심한 말투로) 글쎄? 내가 물들인 건 아니라서.
이랑(아역) 부엉이는 왜 부엉부엉 하고 울어?
이연 글쎄? 딱히 내가 울린 건 아니라서.
이랑(아역) (머리에 꽃 가리키며) 진달래는 왜 단맛이 나?
이연 (환장하겠다)
이랑(아역) 왜 꽃은 봄에만 펴?
이연 (꿀밤 때리며) 시끄러!
이랑(아역) 왜 때려?
이연 넌 쥐콩만 한 게 뭐 그렇게 궁금한 게 많냐?
이랑(아역) 그냥. (활짝 웃으며) 형 목소리 듣는 게 좋아.

현재. 담담한 눈빛의 이연과 달리, 이랑 얼굴에는 은근 화색이 돈다. 아마도 오래도록 그리워한 풍경.
이랑이 여유 있게 이연의 돌을 잡는다.
그런데 시간이 갈수록 이랑 얼굴에서 웃음기 사라진다.
이연이 태연하게 돌을 잡으면서 컷/컷/컷으로.

이연　　수가 너무 급해. 꼬리는 버려. 석 점의 중앙이 급소다. 쓸데없이 공배를 메우지 말라니까.

사색이 된 이랑의 얼굴 위로. '이겼다!!' 이랑(아역)의 목소리.

인터컷　몽타주

이랑이 바둑판 앞에서 손뼉을 치고 있다. 자랑스럽게 '내가 또 이겼어!' 이연이 '분하다!' 화난 척 하다가 동생 머리를 쓸어 준다. '제법이네, 꼬맹이.'

다른 날. 연날리기 하는 이랑. 열심히 뜀박질해도 연은 주저앉기를 반복한다. 이연이 몰래 '훅' 바람을 분다. 이내 하늘로 솟구치는 연.

다른 날. 이랑에게 검술을 가르쳐 주는 이연. 이랑이 넘어질 찰나, 무심한 얼굴로 이랑을 받쳐 주는 이연이고.

다시 현재로 돌아오면.

이연　　이상하지, 너도? 어떻게 이 따위 실력으로 나한테 백전백승이었을까?

이랑　　닥쳐!

이연　　(대마를 잡고) 내가 져 준 거야. 단 한 번도 예외 없었다.

이랑　　닥치라고!!! (하며, 바둑판 쓸어버린다!)

이연　(툭툭 털고 일어서서) 나는 이제, 너한테 져 줄 생각이 없어. 이 말 하려고 불렀다.

이랑　!!!!!!

이연이 돌아서서 나가버린다.

이랑　야! 거기 서!!

이연　(아랑곳 않고 나가는데)

이랑　지금 나가면 너랑 나랑 진짜 끝이야!!

이연　(우뚝 멈춰 선다. 돌아보며) 미안하다.

이랑　뭐?!! 미안? 이제 와서 뭐가 미안한데?!!

이연　그때. 인간 어미에게 버림받은 널 구했던 거.

이랑　(그 말에 '쿵!!!' 하고 속에서 뭔가가 허물어진다!)

이연　그럼 적어도, 우리가 '형제'로 만날 일은 없었을 텐데.

하고, 그대로 나가 버린다.
이연 사라지면, 비틀거리듯 주저앉는 이랑.
이랑의 기억, 엄마에게 버림받은 그 과거로 내달린다.

#17　아귀의 숲 (밤)

이랑(아역)이 홀로 자리에 쪼그려 앉아 있다. 엄마는 오지 않는다. 문득 어둠 속에서 발자국 소리 들린다. '엄마?!'
그런데 흉측한 사람의 형상을 한 그것, 아귀다!! 신음 같은 비명 터져 나온다!
사색이 된 이랑을 무섭게 덮쳐 오는 아귀! 여린 이랑의 발목을 물어뜯는다!
필사적으로 놈을 떼어 내고 달아난다! 하지만 금세 따라잡히고! 나뭇가지로 저항해 보지만, 그저 무기력하다!
또 다시 달아나다 나무뿌리에 걸려 넘어진다! 넘어진 채로 깨닫는다!
'엄마는 나를 버렸구나…' 중얼거리며 눈물 '뚝뚝' 흘리던 이랑, 살기를 체념하고 버둥거림을 멈춘다!
기다렸다는 듯 덤벼드는 아귀! 누운 채로 이랑이 눈을 감는다!
그 순간, 빠르게 바람을 가르는 소리! 이어 아귀가 힘없이 뒤로 쓰러진다!
보면, 검을 든 이연이다!

이연 (구경거리마냥 이랑 들여다보며) 네가 그거냐? 내 부친이 사람과 사이에서 낳은 물건.
이랑(아역) (반갑고, 슬프고) 너도… 여우야?

누운 채로, 이연을 똑바로 올려다보면.
이랑 눈에, 눈부시게 아름답고 자신감 넘치는 모습. 형과의 첫 만남이다.

이연 애비 핏줄을 물려받은 놈이 있대서 구경하러 왔더니 별 것도 아니네. 살고자 하는 의지도 없어 뵈고.

이랑 !!!!

이연 괜히 왔어. 갈래.

그때! 칼을 맞은 아귀가 비틀비틀 다가온다! 다시 한 번 검을 휘두르면!
나뭇가지를 관통해서 나무에 꽂히는 아귀! 그러고도 죽지 않고 버둥거린다!

이랑(아역) (겁에 질려서) 아직도 살아 있어!

이연 '아귀'다. 죽어도 죽지 않지. 배곯아 죽은 자들의 원념은 생각보다 훨씬 집요하거든. 포기가 빠른 놈보다는 (아귀 손짓하며) 저쪽이 내 취향이고.

하더니, 주저 없이 가 버리는 이연.
가지 말라고 말하고 싶은데, 그 말은 그저 입속에서 맴돈다.
이연이 문득 뒤를 돌아보며, 유쾌하게 소리친다.

이연 인간으로 살든 여우로 살든 그건 네 마음인데, 뭐로 살든 간에 잊지 마라, 꼬맹아. 스스로를 구하려고 하지 않는 놈한테, 구원 같은 건 없단다.

눈 '찡긋' 하고 가던 길 가 버리는 이연.
주저앉아 하염없이 그 뒷모습을 보고 있던 이랑, 이내 벌떡 일어선다.

물린 다리를 절뚝이며 있는 힘껏 내달린다.
마침내, 이연에게 닿으면.

이랑(아역) 같이 가! (이연 손을 꼭 잡고) 같이 가자, 형!

#18 한식당 우렁각시 / 내실 (밤)

혼자 남겨진 이랑 눈에 설핏 눈물이 고여 있다. 이연이 사라진 쪽을 본다. 먹먹해졌던 그 얼굴에 독기가 오른다.

#19 몽타주 (밤)

'이연, 지아, 이랑' 세 사람 모두에게 고통스러운 밤이 지나고 있다.
지아는 말라 버린 쑥 다발 어루만지는 등, 이연이 떠나 버린 집 서성이며.
이연은 지아 집 앞에 못 박혀 선 채.
이랑은 우렁각시네 식당에서 독주를 마시며.
서로 얽히고설킨 과거의 '인연 혹은 악연'을 아프게 견디는 중이다.

#20 방송국 / 로비 (낮)

다음 날. 지아가 수척한 얼굴로 출근한다.

로비 들어서자, 이연이 앉았던 자리가 눈에 밟힌다.
그 자리에서 '딴 건 몰라도 기다리는 건 이골이 난 놈이야. 24시간이 아니라 24년도 앉아 있을 수 있어.' 하던 이연 모습 스쳐 가고.
지아의 시야가 닿지 않는 곳에서, 그런 지아를 지켜보는 이연.
지아가 혹시나 해서 주위 둘러보면, 이연이 몸을 감춘다.
무거운 발걸음으로 사라지는 지아.
이연이 가슴 아픈 눈으로 지아의 뒷모습을 응시한다.

#21 대저택 (낮)

사장이 거친 숨을 내쉬며 거실에 나타난다.
몸이 안 좋은 듯 고통스레 가슴 부여잡고 있다.
급히 화분으로 다가가 '꽈리' 한 개 꺾는다.
코에 대고 흠향하면, 꽈리에서 옅은 연기 뿜어져 나와, 그의 몸속으로 사라진다.
사장이 몸 '부르르' 떤다. 주홍빛 꽈리 새카맣게 변한다.
그제야 한숨 돌린 듯 심호흡을 하는데.

이랑 (시니컬하게) 아휴, 나보다 오래 사시겠네?

이랑이다. 밤새 술을 마셨는지 어제와 같은 차림. 다소 흐트러진 모습. 사장이 놀란 기색도 없이 이랑을 맞는다. 허허실실하면서 빈틈없는 태도.

사장 (꽈리 가리키며) 드릴까요? 안색이 안 좋으신데.

이랑 오늘은 사양할게요. '인간의 영혼'이란 게, 먹을 때마다 좀 악취가 나야 말이죠.

사장 쓸데없이 놈들 기억까지 흘러 들어와서, 꿈자리도 뒤숭숭하고요. 그래도 이 친구들 수명을 빌린 덕에, 이렇게 살아 있는 거 아닙니까. 저도, 이랑님께서도.

이랑 (찌푸리는) 왜 하필 꽈리래? 징그러워.

사장 이 꽈리가 '영혼의 모양이랑 제일 닮았다.'고 하셨어요.

이랑 이무기, 집에 있나? 거 얼굴 좀 봅시다.

사장 (굳은 표정 감추며, 상냥히) 지금은 좀 곤란한데요.

이랑 지금껏 손 안 대고 코 풀었으면, 인사도 하고 은혜도 갚는 게 인지상정 아니요? 아니면 꽃뱀이지 그게.

사장 저랑 얘기하시죠.

이랑 싫은데?

사장 저어돼서 그래요. 귀한 손님, 다치실까 봐.

이랑 (싸늘해져서) 뭐? (목을 콱 움켜쥐고) 이것들이 적당히 장단 맞춰 놀아 줬더니, 누굴 진짜 허수아비로 아나?

사장 (미소)

이랑 웃어?!!

하는데, 등 뒤에서 들리는 목소리.

이무기 그 손 놓으시죠.

돌아보면, 성인이 된 이무기가 서 있다! 얼굴에 비늘은 말끔히 사라졌다!
아랑곳 않고 사장을 잡은 손에 힘을 주는데, 손이 제 멋대로 움직인다?!
의지와 관계없이 사장의 멱살을 놔준다! 이무기의 힘이다!

이랑 네가 이무기냐?!!
이무기 반가워요. 나도 만나고 싶었어.

처음으로 서로를 마주한 이랑과 이무기!

#22 모즈백화점 앞 / 유리의 차 안 (낮)
유리가 백화점 앞에 차를 댄다. 막 차에서 내리려는데, 누군가 잽싸게 조수석에 올라탄다. 신주다.

유리 뭐야 너?!!
신주 문자도, 전화도 답이 없길래.
유리 (노려보면 신주의 얼굴에 반창고 몇 개, 이랑한테 맞은 자국이다)
신주 상의할 게 있어, 유리 씨가 데려온 강아지 문제로.
유리 설마… 죽었어?!
신주 그건 아니고. 걔 있잖아. (뜸들이다가) '이름'이 없어.
유리 대충 아무거나 지어!!
신주 안 돼, 이름은 곧 우리 아이들 아이덴티티야.

유리　(짜증) 정성스럽게 네가 지어 주면 되잖아!
신주　유리 씨가 '엄마'니까.
유리　엄마??

한 번도 들어보지 못한 호칭에 살짝 당황한다. 잠시 고민하다가 마지못한 척.

유리　아나스타샤! 그걸로 해!
신주　아나스타샤?! 예쁜 이름이다. 수컷인데도 왠지 잘 어울려.
유리　당연하지.

그런 유리를 복잡한 눈빛으로 바라보는 신주.

유리　뭘 봐?!
신주　그냥. 내가 생각한 유리 씨가 역시 맞구나 싶어서.
유리　한 번만 더 그런 눈으로 나를 보면, 영영 앞을 못 보게 될 거야.
신주　네가 어떻게 살아왔든, 상관없어. 무슨 목적으로 나한테 접근했든, 그것도 상관없어. 내가 보여 줄 거야, 세상이 악의로 똘똘 뭉쳐 있지만은 않다는 걸.
유리　(서늘하게) 방금 그 말, 땅을 치고 후회하게 만들어 줄게.
신주　기대할게.

신주가 그 볼에 기습적으로 입을 맞추고, 차에서 내린다.
'죽여 버린다!!' 으르렁대는 유리에게 '또 보자.' 하고 떠난다.

#23 대저택 (낮)

이랑이 날카로운 눈빛으로 이무기를 훑고.

이랑 아직 어린애인줄 알았는데, 그새 많이도 잡아먹었나 봐?

이무기 (사장에게) 잠깐 자리 좀 비켜 주실래요?

사장 그래도…

이무기 괜찮아요.

사장이 자리를 뜬다.

흔들림 없이 서로를 주시하는 이랑과 이무기인데.

이무기 뭐가 그렇게 슬퍼요?

이랑 뭐?!

이무기 상처받았어. 아주 많이.

이랑 집어 치워라.

이무기 '형'인가요?

이랑 !!!!!

이무기 내 눈엔 보여요. 당신 마음속에 '지옥'이 있어.

이랑 (입꼬리 비틀며) 하… 생각보다 훨씬 기분 나쁜 놈이 튀어나왔네?

이무기 우리가 닮았단 생각 안 들어요?

이랑 개인적으로 허물 벗는 타입은 질색이라.

이랑의 도발에도, 놈의 얼굴에는 티끌 한 점 없다. 본능적으로 경계심이 들어.

이랑 똑똑히 들어. 네놈 목적이 뭐든 간에, 난 이제 내 페이스대로 가. 더는 못 기다려 주겠다.

이무기 (속을 헤아리듯 보다가) 죽이고 싶구나, 그 여자?

이랑 (지지 않고, 서늘한 미소로 보면)

이무기 그건 좀 곤란한데?

이랑 이유는?

이무기 그녀는 애초에 내게 바쳐진 제물, 내 '신부'가 될 거니까요.

이랑 !!!!!!

#24 방송국 / 사무실 (낮)

지아가 사무실 들어서자마자, 미니 폭죽 터지는 소리.

재환과 작가다. 작가는 마지못해 참여한 얼굴.

테이블에 케이크 놓여 있고, 팀장이 양복 쫙 빼입었다.

지아 (놀란 기색도 없이, 건조하게) 미쳤어?

작가 내 말이 그 말이야.

재환 선배! 팀장님 부장 승진하셨대요!

지아 우리 팀장님이 하신 게 뭐 있다고 승진을 해?

팀장 야!!!

지아 (자리에 가방 내려놓으며) 업무 시간 대부분을 '자기 계발'에 쓰시는 거, 위에선 모르나 보죠? 당구장, 헬스장, 노래방.

팀장 (버럭) 노래방은 이혼한 날, 한 번밖에 안 갔거든?!!

재환 '쉬즈 곤' 부르셨어요!

팀장 조용히 해!

작가 (케이크 자르며) 케이크 먹을 사람?

재환 (손 번쩍)

지아가 고개 절레절레 흔들며 자리에 앉는다.

작가 (다가와서) 왜 저기압이야?

지아 아냐.

작가 아니긴. 같이 굴러먹은 세월이 얼만데. 남자 친구랑 싸웠어? (대답 없는데) 화해해. 그 남자랑 헤어지면 절대 연애 못 해.

재환 왜요?

작가 걘 이미 고급 수제 버거를 맛본 거야. 다시는 프랜차이즈 버거론 만족할 수 없단 뜻이지.

재환 와, 어쩜 이렇게 하는 말마다 고급지게 저속하세요?

팀장 쯧. 정신 차려. 젊다는 거 하나 빼면, 네가 한참 기우는 입장이더만.

지아 (한마디 하려는데)

재환 기울긴 누가 기울어요?

작가 아니 왜 가만있는 애 기를 죽이고 그래요?!

팀장 뭐, 내가 못 할 말했어?

재환 까도 우리가 까요.

찰나, 지아 시선에 작가와 재환의 모습, 전생에서 본 '두 사람'과 겹쳐 보인다. 서 있는 구도마저 비슷하다.

팀장이 그런 지아를 압박하듯.

팀장 잘 나신 우리 피디님? 아이템은 잡았니?

지아 (작가, 재환을 빤히) 네, 방금요.

팀장 뭔데?!

작가, 재환 ??

지아 전생. 전생 미스터리요!

정면 돌파를 결심한 지아의 눈이 형형해진다.

#25 방송국 / 모처 (낮)

이연 앞에, 보자기 꾸러미 든 신주가 나타나서.

신주 안아 드릴까요?

이연 꺼져.

신주 다행이다.

이연 ??

신주 (진심으로 안도하는) 다행히 평소의 이연님이네요.

신주가 휴게 테이블에 앉으며, 분주히 보자기 푼다.

신주 유부초밥 좀 쌌어요. 안 드시고, 못 주무셨죠.

이연 일 없어.

신주 딱 하나만. 새콤달콤하니 얼마나 맛있게요?

이연 내가 유치원생이냐?!

완강한 이연인데. 신주가 '앗! 저기!!' 손가락질한다.
이연이 시선 돌린 사이에 입에다 유부초밥 '쏙' 넣는다.

이연 (유부초밥 문 채로) 야!!

신주 드세요. 그래야 지키고, 그래야 싸우죠.

이연 (그제야 씹는)

신주 근데요. 왜 피디님한테 얘기 안 하셨어요? 오해라고, 네가 본 게 전부는 아니라고, 말할 수도 있었잖아요.

이연 지아 몸에서 이무기 비늘을 봤어. 전보다 또렷해졌고.

신주 (!!!) 아음 아가씨 돌아가실 때처럼요?

이연 모든 게 다시 시작되고 있어. 과거가 반복되면, 더더욱 난 지아한테 나쁜 놈으로 남아 있어야 돼.

신주 두려우신 거죠. 피디님이 행여 자기 자신이 아니라, 이연님을 지키려고 할까 봐. 아음 아가씨같이.

이연 (묵묵히 먼 곳을 보면)

신주 후회 안 할 자신 있으세요?

이연 아니.

신주 그런데도 멀리서 그냥 지켜 주기만 하시겠다고요?

이연 응.

신주 그렇게 오래 기다려 놓고?

이연 응.

신주 진심이세요?
이연 결심이야.

그 결심의 무게를 아는 신주 마음도 덩달아 복잡해진다.

이연 (자리를 뜨며) 놓치지 말고 지켜봐 줘.

#26 방송국 / 복도 (낮)
지아가 카메라 들고 사무실을 나선다. 혼자 남은 신주가 엿보는 가운데.

재환 저도 같이 갈게요.
지아 괜찮아. 개인적으로 아는 의사야.
재환 식사는요?
지아 먼저들 해.

간격을 두고 신주가 그 뒤를 좇는다.

#27 거리 (낮)
이랑이 문득 걸음을 멈춘다.
저번에 마주친 그 자리 언저리에 수오 앉아 있다.
본 체도 않고 지나쳐 가는데, 수오가 '아저씨!!' 반갑게 이랑을 부른다.

성난 얼굴로 돌아보면, 수오 얼굴에 얻어맞은 멍 자국 역력하다.

수오 왜 나 모른 척 해요?

이랑 아는 척 하기 싫으니까.

수오 계속 계속 기다리고 있었는데.

이랑 네까짓 게 날 왜 기다려?

수오 제가 장래 희망에 대해서 좀 고민해 봤는데요. 원래 여섯 살 때는 트리케라톱스가 될라 그랬거든요? 근데 일곱 살 되니까 피시방 주인이 멋있어요. 그러다가 여덟 살 돼 갖고…

이랑 (짜증) 본론만 해!

수오 커서 아저씨같이 될라고요. 잘생기고, 용감하고, 슈퍼 파워!

이랑 (냉정하게) 너하고 난 근본부터 달라.

수오 왜요?

이랑 난 때리는 쪽이거든. (비웃듯) 그 면상, 어디서 얻어터진 모양이지? 학교? 아니면 집?

수오 (멍 가리며) 아니에요.

이랑 때리는 놈으로 살든, 맞는 놈으로 살든 그건 네 자유인데, 스스로를 구하려고 하지 않는 놈한테, 구원 같은 건 없다더라.

어느 때보다 차가운 얼굴로, 그 옛날 이연이 자신에게 들려준 말을 수오에게 돌려주는 이랑.

#28 대저택 (낮)

이무기와 사장 단 둘이 남아서.

사장 둘이 배다른 형제라 들었는데, 그 이상인가 보네요.

이무기 감동했어요, 난. (황홀한 듯) 금이 간 영혼은 얼마나 향기로운지.

소년 같은 그 얼굴에, 광기가 서린다.

이무기 시험해 볼까요? 그가 이연의 '또 다른 아킬레스건'이 될지.

사장 어떻게요?

이무기 '손님'이 오고 있어요.

#29 한식당 우렁각시 (낮)

지아를 제외한 팀원들 식사 중이다. 늦은 점심이라 손님은 거의 빠진 상황. 우렁각시가 시원한 매실차 내온다.

팀장 매실 향이 참 좋네요.

우렁각시 하동에서 올라온 유기농 매실이에요.

팀장 어쩐지. 제가 소싯적에, 하동 매화 축제를 취재한 적이 있는데요. 춘사월, 하얀 매화 꽃잎이 꼭 눈발처럼 날리는 것이, 마치… (하는데)

종업원이 다급한 얼굴로 우렁각시에게 다가온다. 귀에다 뭔가를 속삭이면.
우렁각시 얼굴, 무섭게 굳더니 자리를 뜬다.

작가, 재환 (머쓱한 팀장을 빤히)
팀장 뭘 봐?
재환 매화 축제 취재한 적 없으시잖아요.

지아네 팀과 뚝 떨어진 입구 쪽 테이블.
'여자 손님' 하나 뒷모습으로 앉아서 메뉴판을 보고 있다.

우렁각시 (얼어붙은 얼굴로) 어인 일이시오.

그 소리에 돌아보는 낯선 얼굴, 수더분해 뵈는 '녹즙 판매원' 아줌마다.

아줌마 식당에 뭐 일 있어서 오나, 밥 먹으러 오지. 자네 손맛이야 두 말 하면 입 찢어지고.
우렁각시 가시오. 내 쌀이 남아돌아 광에 쥐새끼들 거둬 먹일지언정, 그 쪽한테 줄 몫일랑 없소.
아줌마 (피식) 요년 봐라. 과부 노릇 수백 년에, 겁대가리는 저기 어디 김칫독에 묻어 버렸나? 아니면, 내가 누군지 까먹은 거야?

우렁각시의 몸 조금씩 떨린다.

#30 신경정신과 병원 (낮)

지아가 병원 안으로 사라진다. 신주가 몰래 지아 뒤를 따라붙고 있다.

#31 한식당 우렁각시 (낮)

우렁각시와 녹즙 아줌마, 서늘하게 대치 중이다.

우렁각시 내 어찌 그쪽을 잊겠소. (이 악물고) 하나뿐인 서방님을 누구 손에 잃었는데.

아줌마 하이고 각시야, 우렁각시야. 아직도 그 천치 같은 농사꾼 타령이냐.

우렁각시 함부로 말하지 마!

심상찮은 분위기에, 지아네 팀이 이쪽을 흘끔거린다.

아줌마 재가를 하든가. 동화는 재수 없게 비극으로 끝났지만, 자긴 예나 지금이나 경제력 없는 사내들의 이상형이잖아.

우렁각시 (분노로) 왜 그랬어.

아줌마 다들 말 못할 상처 하나쯤은 끌어안고 살잖아. 나야 늘 하던 대로, 네 서방 트라우마를 좀 헤집어 놨을 뿐이고. 거기 갇혀서 못 돌아온 건, 그놈 유리 멘탈을 탓해야지.

우렁각시 왜! 왜 그 사람이었냐고!

아줌마 왜 '너'였냐고 묻는 게 보다 정확한 질문이지.

우렁각시　뭐?!!!!

아줌마　난 있잖아, 너 같은 것들이 진짜 싫어. 유명 전래동화 주인공. 이놈이고 저놈이고 '내 이름'은 기억도 잘 못하는데 말야.

우렁각시 분노와 두려움으로 굳어 있는데.
팀장이 다가와 '괜찮으세요? 도와드릴까요?'

우렁각시　(당황해서) 상관 마세요.

팀장　(점잖게) 아주머니. 서비스에 불만이 있으면 식당을 옮기세요. 손님 갑질 뉴스에 나는 세상이에요.

아줌마　넌 세상에서 제일 무서운 게 뭐야?

팀장　예??

아줌마　(팀장 손을 만져 보고) 비행기를 못 타네? (하다가 빤히) 어라? 이놈이 왜 여기 있지?

우렁각시　(급히 앞을 막아서며, 아줌마에게) 나가세요. 당장!

작가와 재환, 여직원도 여차하면 끼어들 기세로 주위 에워싼다. 아줌마가 여유 있는 태도로 일어선다. 팀장과 우렁각시 빤히 보더니.

아줌마　(우렁각시 어깨를 툭) 오며 가며 또 봄세. (하고, 간다)

팀장　저 사람 무당이에요?! 나 비행 공포증 있는 거 얼굴에 써 있어?

#32 신경정신과 병원 (낮)

지아가 인터뷰용 카메라 챙겨 들고 신경정신과를 찾았다.
나이 지긋한 의사가 반갑게 맞아 준다. 의사는 지아 엄마의 대학동창.

지아　잘 지내셨죠?
의사　보시다시피.
지아　술 끊으신 거 맞네. 혈색이 사람다워지셨어.
의사　우리 아들놈이 지아 너만큼만 관심 가져 주면 소원이 없겠다. (취재 수첩 꺼내는 것 보고) 이번엔 또 뭘 파헤치고 계시죠, 피디님?
지아　우리는 과연 이번 생(生)이 처음일까?
의사　??
지아　'전생'이요.
의사　(살짝 굳는) 전생?!
지아　케이스 스터디를 좀 해 볼까 봐요. 전 세계적으로 전생을 기억한다고 주장하는 애들 꽤 있다면서요.
의사　어디까지나 주장일 뿐이지. 헌데, 그걸 인정하는 것과는 별개로.

서랍 깊숙한 곳을 뒤지더니, 오래돼 보이는 스크랩북 건네준다. 펼쳐 보면, 첫 페이지에 시리아 소년 '하싼' 관련 자료.

지아　전생을 기억하는 시리아 소년?
의사　4살 때부터, 자기가 전생에 모하메드란 남자였다고 주장한

케이스. 처음 가 본 도시에서, 전생에 살던 집을 정확히 찾아내고, 자기를 죽인 이웃사람까지 지목해 냈다는 얘기야.

#33 방송국 / 사무실 (낮)

작가와 재환, 각자 노트북 앞에서 전생에 대해 조사 중이다.

재환 작가님은 전생을 믿으세요?

작가 난 믿어!

재환 왜요?

작가 '데자뷔'라는 거 있잖아? 처음 본 사람이, 꼭 내가 아는 사람 같이 느껴진다거나, 낯선 장소인데, 왠지 모르게 내 집같이 익숙하기도 하고.

재환 그런 걸 느낀 적이 있으세요?

작가 파리 배낭여행 갔을 때. 베르사유 궁전에서.

재환 에라이!!

작가 넌?

재환 믿고 안 믿고를 떠나서, 윤회란 게 아예 없으면 좋겠어요.

작가 왜??

재환 이렇게 아등바등 사는데, 다음 생에 모기 같은 걸로 태어나면 어떡해요?

작가 그럼 난 모기향!

재환 (좋아서 괜히) 손 한 번 잡았다고, 저한테 너무 집착하지 마세요.

작가 ???

#34 신경정신과 병원 (낮)

지아가 의사 얘기를 흥미롭게 듣고 있다.

지아 재밌네요. (스크랩북 챙기며) 빌려 가도 되죠?

의사 근데, 왜 하필 전생이니?

지아 그야 뭐, 먹고 살려다 보니 아이템도 없고. 왜요?

의사 (잠시 망설이다가) '똑같은 걸' 물어봤었다. 그 자리에서.

지아 누가요?

의사 네 엄마.

지아 네?!

의사 그 자료. 네 엄마랑 같이 모았어.

지아 엄마는 외과 의사잖아요. 우리 엄마가 이걸 왜!

의사 진짜 아무것도 기억이 안 나는 거냐?

지아 기억이라뇨?!

의사 너 9살 때 말이다. 네 엄마 부탁으로 '최면 치료'를 한 적이 있다.

지아 !!!!!

#35 신경정신과 병원 / 앞 (낮)

지아가 정신없이 병원 빠져나오는 길이다. 그 위로 의사 목소리.

의사(E) 네가 궁금해 하는 건, 아마 그 속에 들어 있을 게다.

지아의 손에 '오래된 CD' 한 장 들려 있다.
굳은 얼굴로 병원 떠나는 지아를, 신주가 지켜보고 있다.

#36 내세 출입국 관리 사무소 / 모처 (낮)

삼도천 노파가 하얀 국화로 장식한 간이 제단에 향을 피운다.
그 앞에 단출한 유골함.
'죄송해요. 어머니.' 죽은 아들의 목소리, 이명처럼 귓가에 울린다.
'죄송한 놈이 죽기는 왜 죽어?' 퉁명스럽게 중얼대다가 오래된 '비단신' 끌어안고 조용히 흐느끼는 노파.

#37 내세 출입국 관리 사무소 / 앞 (낮)

이연이 청주와 떡을 들고 나타난다.
현의옹도 복잡한 얼굴로 밖을 내다보고 앉아 있다.

이연 (건네고, 옆에 앉으며) 오늘이 아드님 기일 맞죠?
현의옹 기억하고 있구나.
이연 할멈은요?
현의옹 어디 틀어박혀서 히스테리나 부리고 있겠지.
이연 자식 잃고 두 분도 마음에 칼날 얹고 사셨으니까.
현의옹 그래서 저 사람, 너한테 더 엄하게 굴었을 거다.
이연 귀에 못이 박히도록 들었죠. '그깟 사랑, 모래알마냥 손에 쥐

지도 못하고 사그라질 것을, 네놈들은 툭하면 거기 목숨을 거는 구나.'

현의옹 스스로 명을 내던지면 '환생'도 못하게 되니까. (고통스럽게) 우리 복길이마냥.

그런 현의옹의 손을 따뜻하게 쓸어 주다가.

이연 어르신께 청을 하나 드리고 싶은데요.

현의옹 ?

이연 (단단해진 눈빛으로) 저는 이제부터 무슨 짓이든 하려고 해요. 저도 살고, 그녀도 살리기 위해.

#38 방송국 / 편집실 (낮)

지아가 노트북 들고 편집실에 들어선다.

포스터 등으로 창문까지 막아 놓은 편집실. 안에서 문 걸어 잠근다.

밖에서는, 신주가 안을 기웃거리다 '어느 팀이세요?' 하는 소리에 화들짝.

'신분증 좀 보여 주실래요?' 하자, 부리나케 달아나는 신주.

지아가 CD 재생시키고, 헤드폰을 낀다. 긴장한 얼굴로 화면 응시한다.

이하, 영상 중간중간 지아의 리액션 교차된다.

인서트

소파침대만 덩그러니 놓여 있는 화면.
화면에 노이즈 끼더니, 침대에 누워 있는 9살 지아 보인다.
눈을 꼭 감고 있다. 옆에서 의사 목소리 들린다.

의사 지아는 지금 엘리베이터를 타고 지하로 내려가고 있어. 지하 1층, 2층, 3층… 점점 더 깊은 곳으로, 천천히 아주 천천히. 마음이 너무 편안해.

지아(아역) (안정적인 표정이고)

의사 지하 8층, 9층, 10층. 내려서 보니까 '문'이 하나 보이네? 열어 볼래?

지아(아역) (굳는) 싫어.

의사 (상냥하게 달래는) 괜찮아.

지아(아역) (칭얼) 열기 싫어.

의사 왜 싫을까?

지아(아역) 무서운 게 튀어나올 거 같아.

의사 그러면 이모랑 엄마가 혼내 줄게. 문, 열어 봐.

초조하게 옷깃 말아 쥐는 지아의 손.
그런데 잠시 후, 겁에 질렸던 지아 얼굴에 기분 좋은 웃음이 번진다?!

의사 들어갔구나? 뭐가 보이니?

지아(아역) 사람들. 한복을 입고 있어. 근데… (킥킥) 아, 너무 웃겨.

의사 뭐가 그렇게 재밌을까?

지아(아역) (계속 웃는)

의사 사람들은 뭐 하고 있어?

지아(아역) 누워 있어.

의사 왜 누워 있어?

지아(아역) 그거야… (웃음 뚝 그치고) '떼죽음'을 당했으니까.

심각해진 얼굴로 화면에 등장하는 의사.

의사 지아야, 이모 말 들리니?

지아(아역) (대답 없는데)

의사 (호흡 소리에 귀 기울이며) 지아야….

그 순간! 지아가 눈을 '번쩍' 뜨고, 의사 얼굴 그악스럽게 잡는다! 소스라치는 의사!!
영상을 보던 '현재의 지아'도 같이 소스라친다!

지아(아역) 조용히 좀 해라. 시끄러워서 잠을 못 자겠다.

의사 (놀라서 떨어지면)

지아(아역) (태연히 앉으며) 나 왜 깨웠어? 아직 '때'가 아닌데.

의사 (긴장한 내색 애써 감추고) 너… 지아 맞지?

지아(아역) 그 꼬맹이기도 하고, 아니기도 해.

의사 너… 넌 뭐야?

지아(아역) 거기 물 좀 줄래?

의사 (물병 건네면)

지아(아역) (마시고) 아우, 물맛 달다. (하고, 싸한 눈길로 진료실 훑더니) 나는 윤년, 윤달에, 한 사굴(蛇窟)에서 태어났다. 역병 환자들의 무덤. 산 자와 죽은 자들이 한데 섞여서 발버둥 치던 그곳은, 땅 위의 무간지옥이었지.

'기억에 전혀 없는' 자기 모습, 지아 얼굴도 파랗게 질린다!

지아(아역) 어느 날 그 동굴에서 '사람의 모습을 한 짐승' 하나가 걸어 나왔어. 사람들이 뭐라고 불렀더라? 그래… 이무기!

의사 뭐?

지아(아역) 근데, 산신은 지금 어딨어? 찾아야 되는데.

하다말고 카메라 똑바로 쳐다본다. 고개를 갸웃한다.

지아(아역) (또박또박) 음, 식, 물, 반입, 금지.

지아 ?!!!

지아(아역) 마지막에, 나가는 사람, 편집기 전원을 꼭 꺼 주세요?

그 소리에, 현재의 지아 사색이 된다!!
지아 등 뒤, 편집실 벽에 붙어 있는 경고 문구!

<편집실 이용 주의 사항>
음식물 절대 반입 금지!

마지막에 나가는 사람은 편집기 전원을 꼭 꺼 주세요!

영상 속 지아(아역)가 카메라로 다가온다!
지아, 본능적으로 노트북에서 물러선다!
지아(아역)가 카메라에 얼굴 들이대고, 두리번두리번 뭔가 찾는 듯 하더니!

지아(아역) 거기 있구나?
지아 !!!!!!

경악해서 노트북 '확' 덮어 버리는 지아!!
두려움에 정신없이 숨 몰아쉰다!
그때 '쿵!!' 하는 소리와 함께, 누군가 밖에서 편집실 문 흔든다!
기함했다가 잠긴 문 열면, 재환이다!

재환 선배, 여기서 뭐하세요?
지아 (당혹감 감추며) 자료 좀 보느라고. 왜?
재환 저 자막 넣어야 되는데.
지아 치워 줄게!

황급히 노트북과 소지품 챙겨 든다.

#39 이랑의 집 (낮)

경쾌한 걸음으로 이랑 집 앞을 찾아드는 여자 보인다.
이랑은 병째 와인을 마신다. 이미 바닥을 드러낸 병. 그 얼굴, 불콰해져 있다.
현관 벨소리 울린다.
앞 씬의 녹즙 아줌마가 '실례합니다!' 하며, 음료 들어 보인다.

이랑 (보자마자) 안 사. (하고, 문 닫으려는데)
아줌마 (음료 쥐어 주며) 안 사도 되니까 시음이나 해 봐요. 잘생긴 총각.
이랑 아줌마 글 못 읽어?

현관문에 <잡상인 출입 금지. 절대 벨 누르지 마시오.> 붙어 있다.

아줌마 근데 총각은 제일 무서운 게 뭐야?
이랑 딱 너 같은 거. 잡상인.
아줌마 에이, 아니잖아.
이랑 (음료 돌려주는) 꺼져. (문 '쾅!' 닫힌다)
아줌마 (미소로) 난 봤지.

#40 이랑의 집 (낮)
돌아와서 남은 와인 들이키는데.
어디선가, 속삭이는 사람 말소리 들린다. 소리가 난 곳을 더듬어 찾는다.

뜻밖에도 '옷장'이다.
경계하는 얼굴로 귀를 기울이면, 희미하게 들리는 노랫소리?!
'문지기 문지기 문 열어 주소' 하는 가사, 강강술래 대문놀이의 한 대목이다!
무섭게 굳은 얼굴로 옷장 문을 열어젖히는 이랑!

#41 초가집 / 마당 (낮밤 무관)

이랑이 열어젖힌 문, 사립문으로 바뀐다.
그 사립문을 열며 들어선 곳, 궁벽하기 짝이 없는 초가집이다.
'어떻게 된 일일까.' 이곳은 엄마와 함께 살던 그 집이다.

이랑 (눈살 찌푸리며) 하필 이 지긋지긋한 집구석이라니. 취해도 참 뭣같이 취했네.

'퍽!!' 뒤에서 누군가 둔기로 이랑을 가격한다! 죽일 듯이 돌아본다!
마을 사람들이 몽둥이를 들고 집에 들이닥쳤다!
이랑을 둘러싸고 '사생아! 저놈이 여우가 낳은 사생아라지?'
'마을에 가축이 죄다 쓰러졌어!' '저놈이 필시 간을 빼먹은 것이야!'
얼어붙은 이랑이 뒷걸음질 친다!
그것을 필두로 '죽어! 죽어!!' 무자비한 몽둥이질 쏟아진다!
마치 그 시절로 돌아간 듯 몸을 웅크리고, 매질을 견디는 이랑!

그런 이랑의 눈에, 댓돌에 벗어 둔 '엄마의 짚신' 보인다!
이어 창호지 구멍 너머, 마당을 내다보는 엄마의 겁에 질린 눈!!
무방비하게 얻어맞던 이랑, 돌연 살기를 띤다!
마구잡이로 사람들 뿌리친다! 그 손에 어느새 '도끼' 들려 있다!
그러고 보면, 마을 사람들 온데간데없다?!
엄마가 있는 방을 서늘하게 돌아보는 이랑!

#42 초가집 / 안 (낮밤 무관)

이랑이 방에 들어선다.
앉은걸음으로 몸을 피하는 이랑의 생모. 반쯤 정신을 놓아 버린 몰골이다.

이랑 봤지?
엄마 (움찔)
이랑 그날, 엄마는 다 보고 있었어.
엄마 (슬픈 얼굴로) 넌 태어나지 말았어야 했다. 이 어미는 뱃속에 든 너를 떼 버리려고 안 해 본 짓이 없단다. 독초를 달여 먹고, 비탈을 구르고, 바위에 배도 찧어 봤다만, 짐승 같은 목숨, 어찌나 질기던지.
이랑 !!!! (처음 듣는 얘기다. 분노와 서러움으로 들끓는)
엄마 어찌하여 저 장정들 뭇매를 맞고도 죽지를 않니.
이랑 (금방이라도 폭발할 것 같은데)
엄마 너는, 괴물이란다. 아가.

이랑의 머릿속에서 뭔가가 '뚝' 끊어진다.

엄마 (무서운 악력으로 이랑 붙잡고) 가자! 엄마랑 같이 가자꾸나!

이랑 손대지 마!

하고 뿌리치는데, 아까 가격당한 뒤통수에 끈적한 느낌!
만져 본 손바닥에 피가 잔뜩 묻어난다!
'꿈이… 아니야?' 중얼거리는 순간!

#43 아귀의 숲 (낮밤 무관)

이랑을 둘러싼 배경, 숲으로 바뀐다.
'여기는 또 어딜까.' 두리번거리다 뭔가를 보고 우뚝 멈춰 선다.
저만치, 어둠 속에서 시체를 뜯어먹고 있는 사내!
흰 자위만 남은 동공이 달빛에 번뜩인다!

이랑(N) '아귀'다!! (얼어붙은 채로) 설마 여기가…

이랑 얼굴 사색이 된다! 조용히 뒷걸음질 치는데!
뒤에서 나타난 또 다른 아귀가 이랑의 종아리를 '콱!' 물어뜯는다!
놈을 떼어 내려 발버둥 치며!

이랑(N) 난 안 죽어, 절대! 왜냐하면 이 타이밍에…

하는데, 간밤의 이연 얼굴 스쳐 간다.
'미안하다. 그때, 인간 어미 손에서 널 구했던 거.'

이랑(N) 이연은, 이제 나를 구하러 오지 않아.

절망으로 미친 듯이 손도끼 휘두르는 이랑!!

#44 이랑의 집 (낮)
유리가 집에 왔다. 발에 뭔가 '툭' 걸린다. 빈 와인병이다.
불길하게 집안 둘러보다가, 유리의 안색 무섭게 굳는다!!

#45 방송국 / 모처 (낮)
신주가 사무실 기웃거리며 지아를 찾아다니고 있다.

#46 방송국 / 휴게실 (낮)
지아가 녹화 분을 본 충격을 고르며, 핸드폰 만지작댄다.
'네가 필요해, 이연…' 메시지 써 놓고, 차마 전송을 누르지 못하는데.
'아가씨!!' 불쑥 지아를 부르는 목소리. 녹즙 아줌마다!

아줌마 (다짜고짜 음료 쥐여 주는) 요거 한 번 들어 봐요.

지아 아, 예… 얼만데요?

아줌마 2천 원.

지아 (돈 주며) 근데, 저희 회사 담당 바뀐 건가요? 보던 분이 아닌데.

아줌마 오늘이 스페셜 이벤트가 있는 날이라.

지아 이벤트요??

아줌마 아가씨도 곧 알 거야.

'뭐라는 걸까.' 그 사이, 가방 챙겨 들고 자리를 뜨는 아줌마.

아줌마 (휴게실 나가다 말고) 아가씨는 제일 무서운 게 뭐야? 아무래도 '여우고개'인가?

'싱긋-' 웃고 가 버리는 아줌마.
휴게실 문 닫히기 무섭게 지아가 벌떡 일어선다.
앞서 이랑이 듣던 '대문놀이 민요' 희미하게 들리기 시작한다!
'아주머니!!' 부르며 문 '벌컥' 연다! 그런데 다음 순간!

#47 여우고개 (밤)

지아를 둘러싼 배경, 달리는 자동차 안으로 바뀐다!
거짓말처럼 차 뒷좌석에 앉아 있다! 앞좌석에 그리운 엄마 아빠 모습!
'1999년, 사고가 났던 그날'이다!

#48 아귀의 숲 (낮밤 무관)

이랑이 정신없이 달아나고 있다!
끈질기게 자신을 좇는 아귀를 피해 조용히 나무 뒤로 몸을 숨긴다! 그런데!

아줌마 하필이면 '아귀의 숲'이네.
이랑 (얼굴 알아보고) 너!
아줌마 미리 애도요. 게임으로 치면 최악의 스테이지거든.

이랑은 모르지만, 그 소리에 아귀가 코를 벌름거리며 다가온다!

이랑 네년 짓이었냐?!
아줌마 (싱긋) 참고로, 여기서 죽으면 진짜 죽는다?
이랑 찢어 버린다!!
아줌마 더 재밌는 얘기해 줄까? 지금부터 나는 네 형한테 이 소식을 전해 줄까 해.
이랑 !!!!!
아줌마 그렇게 설레진 마. 네 형 여자 친구도 비슷한 처지에 있거든.

실낱같은 희망이 절망으로 바뀐다.
동시에! 안개 속에서 '아귀 무리'가 일제히 다가온다!

#49 여우고개 (밤)

지아가 아빠를 미친 듯이 말리고 있다!

지아　이대로 가면 사고나! 차 세워! 아빠, 내 말 안 들려?! 차 세우라고!!

지아 목소리 들리지 않는 듯, 엄마 아빠는 인형 같은 미소만!

#50　상가 건물 (낮)

이연이 녹즙 아줌마와 날카롭게 대치하고 있다.
두 사람 앞에 '두 개의 문' 보인다.

이연　(이를 악물고) 다시 말해 봐.
아줌마　여기 '두 개의 문'이 있어. 한쪽은 동생, 한쪽은 여자 친구한테 가는 길이야. 어느 쪽을 고를래?
이연　난 3번. (멱살 틀어쥐고) 네놈을 당장 날려 버리고 싶은데?
아줌마　해 봐. 룰을 어기면, 둘은 영원히 못 나와요.
이연　(사실일까, 가늠하듯 보다가) 이무기가 보냈지.
아줌마　(손 떼어 내고) 뭐 동업 정도라고 해 두지. (하고, 유유히 자리를 뜨면)
이연　아줌마, 이 빚은 조만간, 제대로 갚아 줄게.
아줌마　서두르는 게 좋아. 양쪽 다 시간이 그리 많진 않으니까.

이연, 두 개의 문을 마주 보고 선다.

#51 아귀의 숲 / 여우고개 (밤)

이랑과 지아의 상황 교차된다!
몰려드는 아귀 떼와 사투를 벌이는 이랑!
지아는 아빠의 운전대를 멈추기 위해 몸부림친다! 이제 곧 사고 지점이다!

#52 상가 건물 / 화장실 앞 (낮)

잠시 고민하다가, 마침내 어느 한쪽으로 걸음 옮기는 이연!

#53 아귀의 숲 (낮밤 무관)

이랑이 힘에 부친 얼굴로 도끼를 휘두르고 있다!
놈들 중 하나가 이랑의 발을 잡아챈다! 이랑 쓰러진다! 이제 끝이다!
부감으로, 입맛을 다시며 이랑에게 몰려드는 아귀 떼 모습!
자포자기의 심정으로 쓰게 웃는다!

이랑 역시, 그놈은 여자밖에 모른다니까.

하는데, 막 자신을 덮치던 아귀들의 움직임 멈춘다?!
이랑을 둘러싼 아귀들 힘없이 쓰러진다!
'뭘까?!' 싶은 그 순간!

이연 어이 꼬맹이!

죽도록 밉고, 또 그리운 그 목소리!
이연이 시퍼런 검을 번뜩이며, 달빛 아래 모습을 드러낸다!
처음 만난 그때처럼!
한심하기 짝이 없다는 얼굴로 이랑을 내려다보며!

이연 방금 내 욕하는 소리 다 들었다.
이랑 (아프게 일그러진 얼굴로) 이연!!

몰려드는 아귀들에게 둘러싸인 형제 모습에서!

8화 끝

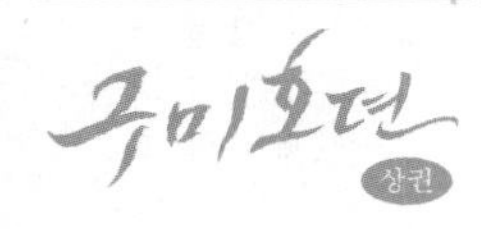

초판 1쇄 발행
2023년 6월 2일
초판 2쇄 발행
2023년 6월 12일

글
한우리
삽화
박경지

펴낸이
백영희

펴낸곳
㈜너와숲

주소
04032 서울시 금천구
가산디지털1로 225
에이스가산포휴 204호

전화
02-2039-9269

팩스
02-2039-9263

등록
2021년 10월 1일
제2021-000079호

ISBN
979-11-92509-66-2(04680)
979-11-92509-65-5(세트)

정가
22,000원

© 한우리

이 책을 만든 사람들

편집
전혜영
마케팅
배한일

제작처
예림인쇄

디자인
글자와기록사이

·이 책의 출판권은 저작권자와 출판 계약을 맺은 (주)너와숲에 있습니다.
·이 책의 일부 또는 전부를 재사용하려면 반드시 양측의 서면 동의를 받아야 합니다.
·잘못된 책은 구입하신 서점에서 교환해드립니다.

_엽서이미지 https://www.culture.go.kr/index.do(공공누리1유형)

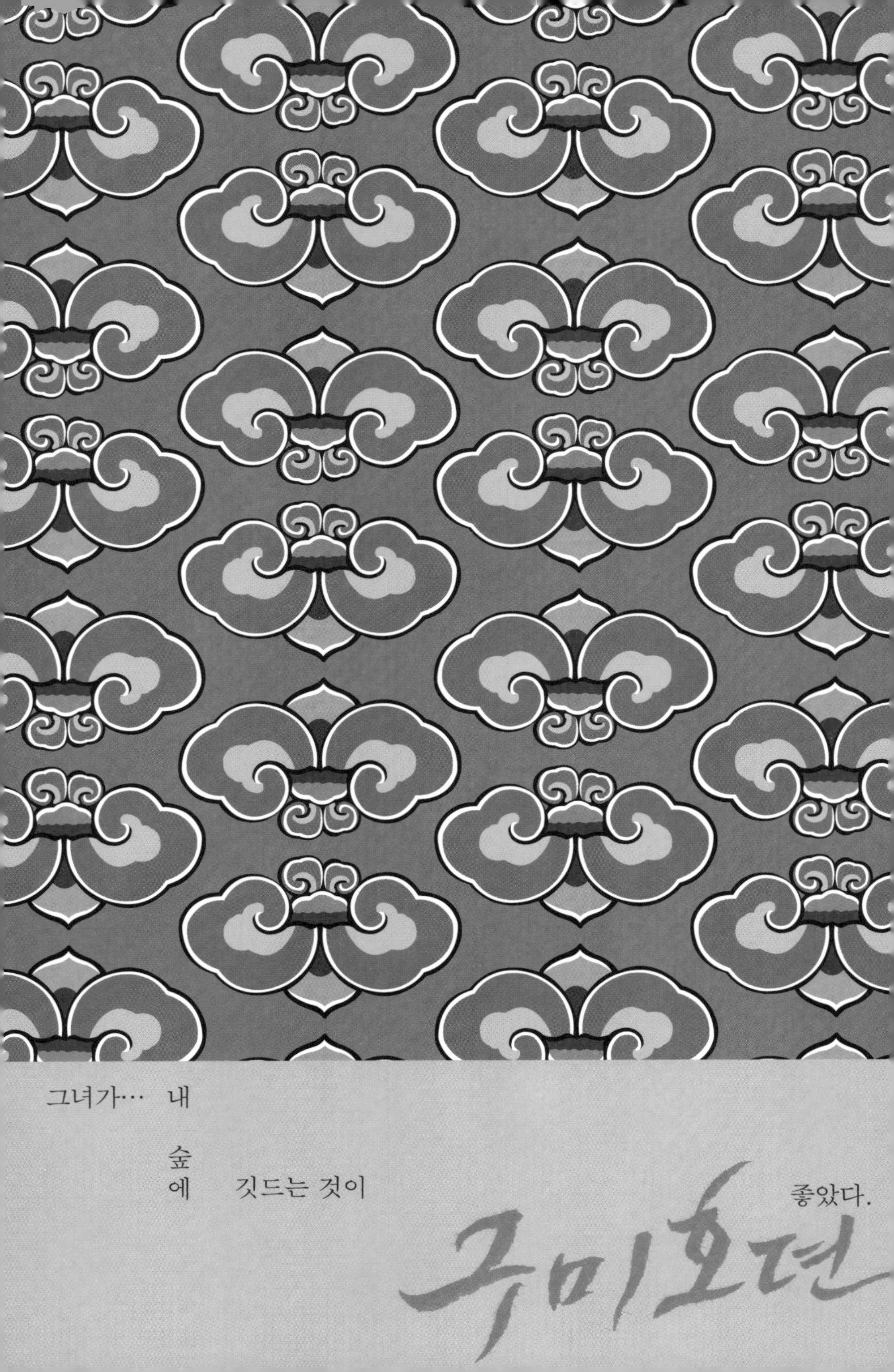
그녀가… 내
숲
에 깃드는 것이
좋았다.
구미호뎐

이동욱

이연_

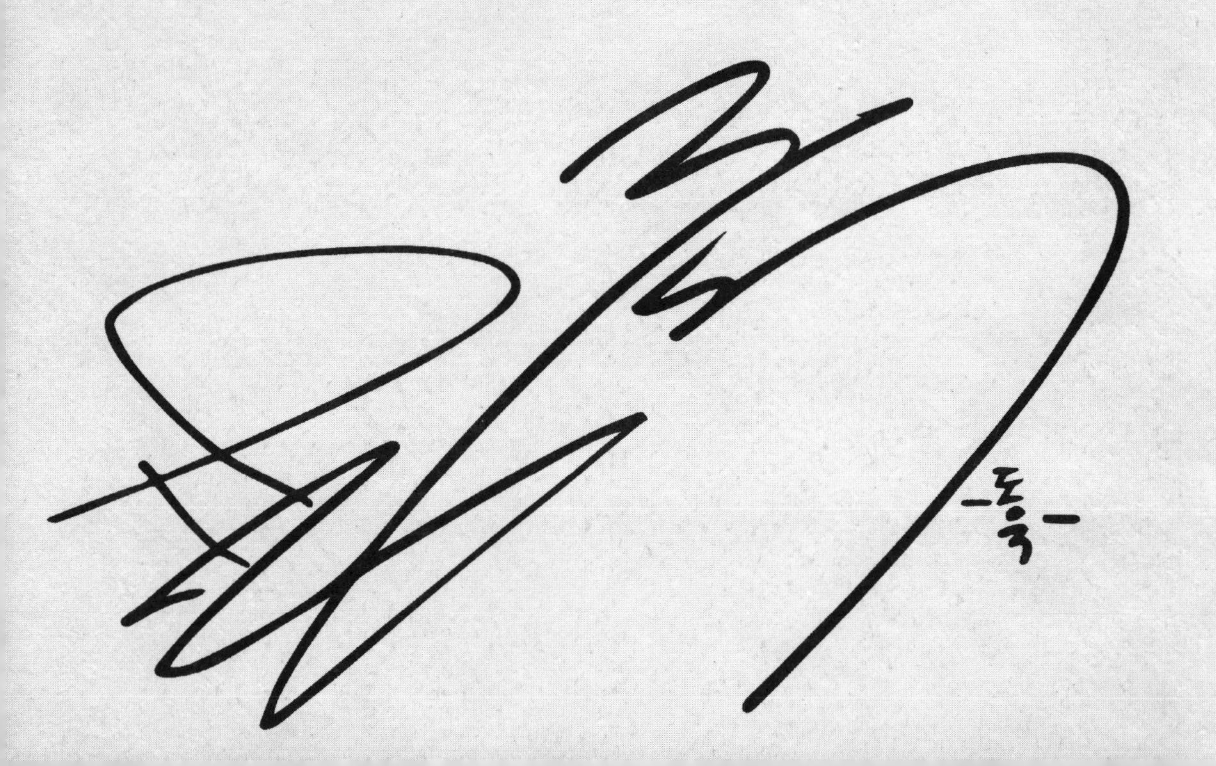

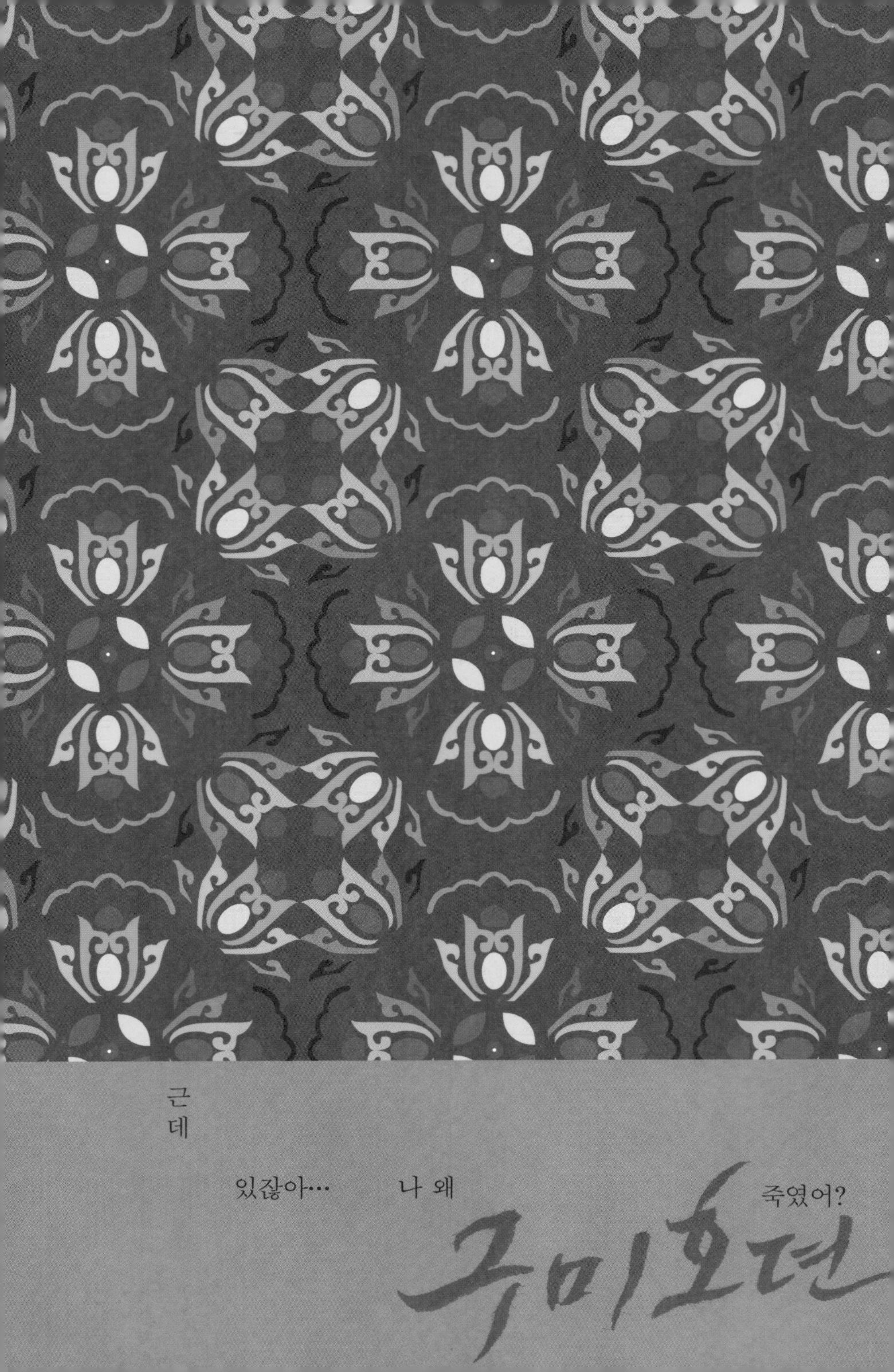
근데
있잖아… 나 왜 죽였어?
구미호뎐

조보아

남지아_

Always be Happy ♥

구미호뎐을 사랑해 주셔서
모든 분들께 진심으로 감사드립니다 ♥
늘 밝고 좋은 에너지
나눠드릴 수 있도록 노력하겠습니다 :)
사랑합니다 ♥ 조보아 올림!

보고 싶었어.

보
고 싶어서 죽을 뻔했어,
형.

구미호뎐

이랑_

김
범